D0455658

LES AMANTS DE GRENADE

LAURENCE VIDAL

LES AMANTS DE GRENADE

FRANCE LOISIRS
123, boulevard de Grenelle, Paris

Édition du Club France Loisirs, Paris
réalisée avec l'autorisation des Éditions Pygmalion / Gérard Watelet

ISBN : 2-7441-2068-5

A Carmela Granados,
où qu'elle soit.

Burgos, novembre 1502

La lente procession s'avance dans l'air chargé de givre. Maigres et noires dans leurs voiles d'épouses mystiques, mes filles glissent sur le tapis de neige. Elles vont en file, recueillies, silhouettes de deuil et de silence qui lancent à l'aube leur chant grelottant d'espérance.

Insensible à la beauté de cette aurore où le manteau de brume s'irise d'éclats cristallins, mon cœur renâcle, stupéfié... C'est mon enfant que l'on enterre. La compagne, la sœur dont, en mon âge mûr, le Ciel m'avait fait présent. Il me l'a retirée voilà trois jours.

Isabel, ma sœur de soleil et de rire... Ton corps était froid, hier, lors de la dernière veillée. Ce matin sans doute ton âme vogue vers la lumière. Je veux l'imaginer, légère, libre enfin comme tant elle rêva de l'être, voguant vers les cieux où l'accueillent ceux qui t'aimèrent. Doña Lucia, Artaja, Don Sancho et Moulay Hassan, sultan de Grenade la défunte : tous ces visages de ton passé qu'en trois ans j'ai appris à aimer, parce qu'ils avaient nourri ta joie.

LES AMANTS DE GRENADE

Dors, mon enfant. Dors à jamais, toi que ne peut plus atteindre ce froid qui t'était étranger, ce grand froid qui me prend en songeant que je ne te verrai plus ici-bas. Repose dans la paix, enfin, toi qui tant la cherchas.

Dors, Isabel de Solis. Zoraya, dors.

Pour mes filles, tu fus Doña Isabel. La plus radieuse des retraitantes qu'il nous fut donné d'accueillir. A moi tu avais ouvert le secret de ton cœur. Le secret de tes grands yeux de mer, souvent nimbés d'une brume salée en dépit du rire à tes lèvres. Le secret de tes cernes bleutés, certaines nuits à l'office des Matines. Le secret de ces longues contemplations où il t'arrivait de glisser, et dont tu revenais avec un sourire ébloui qui trahissait, sous les traits de l'orante, la sultane adulée que tu avais été.

Tu m'as redonné l'espérance, ma chère sœur Isabel. Non pas l'Espérance en Dieu, qui jamais ne me quitte. Mais l'espérance en l'homme, au cœur de l'homme si prompt à s'obscurcir, au chemin de l'homme si facile à gauchir, à la passion de l'homme si aisément détournée de l'amour.

Va en paix, mon enfant chère : c'est une âme transie d'espérance qu'accueille aujourd'hui, j'en suis sûre, le Très-Haut en son Paradis.

Dors mon enfant, ma tendrement aimée. Repose auprès du Tout-Puissant. Repose et prie pour ceux qui demeurent.

Ce soir, pour cette jeune femme arrivée tout à l'heure, cette Doña Maria qui te ressemble, j'évoquerai ta fière vie de recluse. Recluse en ton château d'enfance, recluse au sérail de l'Alhambra, jeune recluse en ton veuvage tandis que s'écroulait ton royaume, recluse enfin, de ton plein gré, derrière ces murs où je veille. Recluse et libre, plus qu'aucune autre, car ton âme habitée par la grâce savait de toute cage s'envoler.

I

Grenade, septembre 1471

Dors ma colombe, fredonne une voix lointaine.
Dors il fait sombre...

Apaisante à force de monotonie, la mélodie familière se faufile dans le cerveau enfiévré de l'adolescente. Une moue enfantine détend le visage trempé de sueur. Les doigts, sur la courtepointe, se décrispent.

Les anges au Paradis
Veillent sur ton étoile...

La voix est chaude, rassurante comme la comptine qu'elle égrène. Tous les parfums d'un Orient dont Isabel rêvait autrefois flottent entre les notes.

Au ciel les houris, poursuit la voix lointaine,
Tissent le joli voile
Dont ta mère, pour la fête,
Viendra orner ta tête.

Apaisée par la berceuse préférée de sa nourrice, la jeune malade se blottit sous le drap. Le doute a beau l'effleurer, une inquiétude confuse qui rechigne à prendre forme, elle préfère prolonger l'insouciance douillette où son esprit repose.

Dans l'alcôve qui tremble et frémit sous les reflets de la lampe à huile, une silhouette parfumée s'est penchée au-dessus du lit bas. Longue, ronde, nimbée de voiles clairs qui épousent sa blondeur, la favorite d'Aben Barrax observe la captive. La jalousie lui mord le ventre. Certes, elle se sait belle, cette femme voluptueuse à qui vingt-cinq printemps prêtent l'éclat d'un fruit gorgé d'ivresse. Souveraine incontestée de son seigneur, elle sait réveiller ses ardeurs, recueillir ses confidences et lui faire oublier le goût des bras plus fermes et des chairs plus tendres auprès desquels il la trahit parfois. Mais cette fille-fleur ramenée par le maître d'une razzia en terre chrétienne lui semble plus dangereuse que les charmantes écervelées du harem. La peau lui colle aux os. Sa gorge a des timidités d'oiselle. Et ses membres graciles, quand ils s'agitent sous l'effet du délire, évoquent davantage les affrontements farouches que les tendres embrassements... Une grâce orgueilleuse perce pourtant sous ces violences.

Depuis trois jours, la captive n'a cessé de sangloter, de crier, de se débattre contre d'invisibles ennemis. Ni les cris ni les convulsions n'ont pu défigurer le mince visage. Ce soir encore, remarque la favorite, ni les cernes qui ourlent de bleu les longs cils, ni l'amertume au pli des lèvres ourlées ne parviennent à flétrir la chair juvénile.

La chrétienne va sur ses quinze ans, sans doute. Avec ses longs cheveux d'un feu qui dévale de l'oreiller jusqu'au pied de sa couche, avec son grand front ambré, et sa bouche gourmande quoique desséchée par les pleurs, elle promet de devenir un joyau du sérail. A moins qu'elle reste à jamais prisonnière des rives de la folie où elle s'est enfermée ?... Fleur de Soleil, à contrecœur, est obligée d'admettre que la pitié la gagne.

Depuis qu'elle veille la malade, jamais elle ne l'a vue aussi apaisée. Épuisé par son combat contre les forces de l'ombre, le corps de l'étrangère paraît s'abandonner à la caresse de l'oubli. Les djinns, par la grâce du Très-Haut, auraient-ils laissé là leur proie ? Au fond, Malika en est soulagée. Elle imagine trop quels fantômes poursuivent dans son délire la créature fébrile. Elle aussi, naguère, avait cru ne pouvoir survivre à son arrivée au sérail. Au terme d'une bataille perdue, qui opposait les troupes de Yusuf V au sultan de Grenade, son père et bien d'autres seigneurs affiliés aux Beni Serradj avaient dû livrer leurs filles en tribut aux vainqueurs. Malika avait échu à Siddi Aben Barrax. L'émir Abu al Hassan ne régnait pas encore sur l'Alhambra, mais son père, Aben Nassar Saad le Pacifique, qu'il détrônerait peu après. L'adolescente qu'elle était ignorait ces affaires princières : son horizon se bornait alors aux épaisses murailles du parc grenadin, et à l'espérance d'une libération qui l'éveillait en sursaut à chaque aube nouvelle. Son père n'était-il pas assez riche pour verser sa rançon ? Mais les jours avaient succédé aux nuits. Malika, par la voix suave de son amant, était devenue Fleur de Soleil. Un enfant lui était né. Un fils. Puis une fille. Neuf années avaient passé. Elle s'était peu à peu résignée. Les attentions d'Aben Barrax avaient fini de l'apprivoiser.

Fleur de Soleil, dans un soupir, s'arrache à ses souvenirs. Son regard revient à la belle endormie : comme elle paraît vulnérable ! La mauresque en a le cœur serré. Son doigt sur le front moite écarte une mèche collée : la peau est encore brûlante.

Sous la caresse, l'adolescente a frémi. Sans ouvrir les yeux, elle laisse échapper sa plainte :

– Est-ce toi, Artaja ? Est-ce bien toi ?

– Que dis-tu, petite fille ? Qui crois-tu que je suis ?

– Tu es revenue : merci, s'obstine la jeune fille.

Sa main a saisi celle de sa compagne. Ses lèvres se sont entrouvertes en un sourire confiant.

Derrière la tenture, dans la salle de séjour, Salma chante toujours. Sans doute l'une des femmes a-t-elle jeté de nouvelles essences dans les brûle-parfum : Malika capte des senteurs mêlées de santal et de rose.

– Tu brûles des plantes contre le mauvais œil ? murmure l'adolescente, entre réveil et rêve. Attention, Artaja ! Tu vas encore te faire traiter de sorcière...

Comme si ces paroles mystérieuses étaient lourdes d'un sens qu'elle est seule à savoir, la chrétienne recommence à s'agiter. La main mal assurée qu'elle lève sur ses paupières closes semble vouloir protéger son visage. L'autre se glisse à sa gorge, où elle étreint l'amulette impie que nul n'a osé lui enlever. Son corps tremble de froid sur la couche brûlante.

Ce n'est qu'un doute, d'abord, qui lui effleure l'esprit. Puis un soupçon terrible qui la fige d'angoisse. Artaja n'est-elle pas morte ? Elle-même, Isabel, n'est-elle pas depuis quatre ans déjà orpheline de sa nourrice bien-aimée ? Et là, à fleur de mémoire, des événements plus effroyables encore ne sont-ils pas tapis dans l'ombre, prêts à lui sauter au visage ?...

Soudain, le cauchemar revient au galop et l'empoigne. Dans sa tête affolée par les coups et les cris, la brume s'est déchirée. Une nuit blafarde lui succède, qu'entaille le rictus de la lune. Mais ce n'est pas la lune qui prête à la pierre grise ces reflets orangés. Le feu : c'est le feu ! Déjà, la chambre est emplie de fumée. L'adolescente suffoque. Pieds nus sur les dalles humides, elle a couru à la fenêtre. Dehors, monstres fantomatiques déformés par les lueurs sanglantes, des corps s'entremêlent. Elle perçoit le choc des armes et le gémissement rauque d'un blessé quand il tombe. Cet homme, là-bas, juché sur le rempart, n'est-ce pas Don Sancho, son père, que cinq hommes encerclent ?

Isabel voudrait crier. La terreur la rend muette. Une main s'abat sur son épaule et l'arrache au spectacle. « Courez, damoiselle, suivez-moi. La maison est en flammes ! » Doña Elvira, échevelée, la pousse hors de la chambre.

Déchirée, sa chemise de grosse toile laisse apparaître un sein flétri. En d'autres circonstances, Isabel en éclaterait de rire, tant elle sait la pudibonderie de sa dame de compagnie. Pour l'heure, elle trébuche dans le roide escalier. A chaque étage, de sous les portes d'épaisses fumées les rattrapent, brouillant leur vue et étranglant leur souffle. Partout, des craquements sinistres disent les flammes qui se repaissent de leurs proies.

Isabel est seule maintenant. Doña Elvira l'a poussée là, dans le verger, sous un buisson de roses. Puis elle a disparu.

Les genoux incrustés dans la terre mouillée, la jeune fille grelotte. Le nœud d'une racine lui entre dans la chair. Les épines du rosier lui griffent le visage. Mais Isabel n'ose bouger. Elle guette au loin les cris, les râles, les jurons des hommes et le hennissement des chevaux terrifiés par le feu. Parfois un hurlement sauvage lancé au nom d'Allah lui glace les sangs. Des maures, elle ne voulait savoir que les faits de légende contés par Artaja, la douceur des jours sous le ciel de Grenade ou le chant des fontaines aux patios de l'Alhambra. Cette nuit, c'est la face grimaçante du barbare qui viole son enfance.

De toute sa volonté, l'adolescente terrifiée s'efforce d'épouser la nuit. Ne pas penser. Ne pas pleurer : on pourrait l'entendre. Tandis que sur ses lèvres frissonnent les syllabes d'un *Ave Maria*, ses yeux fixent une tache blanche, là, à quelques pas de sa cachette. C'est une flaque de pureté dans l'horreur qui se trame, une promesse virginale dont ce matin encore elle se faisait une joie : la première fleur du narcisse automnal.

Soudain, le rosier ondule au-dessus de sa tête. Deux bottes maculées de boue piétinent la fleur blanche. Une poigne d'acier la saisit à la gorge. Un hurlement victorieux lui perce les tympans et puis... plus rien.

Rien que la même vision hallucinée. Rien que des larmes, des cris, son corps qui se débat entre des mains brutales. Puis l'abîme d'une nuit déchirée d'ombres furtives. Et maintenant : cette voix qui chante comme Artaja ! Cette main, posée sur son bras, qui ne peut être celle de sa nourrice. Et les âcres effluves qui ne la font plus sourire.

Quelques secondes encore, Isabel garde les yeux obstinément fermés. Elle est réveillée tout à fait, abattue par la réalité de son cauchemar. Mais elle s'abrite encore derrière ses paupières closes et, les sens en alerte, tente de deviner le danger qui la guette.

Au loin la mélodie s'est brisée, aussitôt remplacée par des chuchotements fiévreux et le glissement feutré de pas précipités. Au-dessus d'elle, elle en jurerait, quelqu'un retient son souffle : celle ou celui qu'un instant auparavant elle confondait avec une morte ?

Enfin, elle se décide. Ses longs cils, en se relevant, découvrent un iris d'un bleu orageux. L'adolescente est prête à faire front.

Teint pâle, sourire avenant, une mauresque blonde fixe sur elle ses prunelles de nuit. Les ailes de ses bras aux amples manches longues esquissent un geste d'accueil. Mais la jeune fille est sur ses gardes. Son œil, dans la pénombre, balaye l'espace... Tout ici lui est étranger. Là où elle espérait l'austérité de la pierre nue, l'ombre familière du bahut où Doña Elvira serre ses effets et la silhouette rassurante du prie-Dieu hérité de sa mère, Isabel n'entrevoit que tentures colorées, riches tapis au sol, coussins de soies chatoyantes alignés le long des murs. D'une niche sur sa gauche, l'unique lampe à huile dispense ses lueurs folâtres sur un théâtre d'ombres, d'arabesques et de figures dentelées.

« Les maures ! » songe-t-elle.

Elle a été recueillie par des maures... « Peut-être une famille amie de son père », souffle la voix de l'espoir.

– Qui es-tu ? murmure-t-elle dans la langue d'Artaja. Où suis-je ? Où est mon père ?

La mauresque reste silencieuse.

– Vas-tu parler, enfin ! Où sommes-nous, ici ?

Son corps, brisé par la fièvre, tremble de faiblesse et d'effroi. Pourtant, dans un effort, elle se glisse hors du lit. La tête lui tourne et ses jambes flageolent. Mais lorsqu'elle fait face à l'inconnue qui sourit toujours, sa silhouette gracile clame tout à la fois l'orgueil, la peur, et un courage farouche.

– Nous sommes, toi et moi, dans la demeure de Siddi Aben Barrax, répond enfin la mauresque d'une voix apaisante.

– Ce n'est pas un ami de Don Sancho : ce nom m'est inconnu. Où se trouve mon père ?

L'étrangère s'est troublée.

– Parle, j'exige une réponse ! Tu dois bien savoir où se trouve le gouverneur...

– Nous sommes bien loin de Martos, amie. Tu as été malade, longtemps. Ton âme a combattu les djinns, qui voulaient t'entraîner auprès d'Iblis-le-Séducteur. Mais nous t'avons soignée. Et tu t'es bien battue... Tu es ici chez toi. Ici : à Dar al Anouar, au cœur d'al Bayyazin.

– L'Albaicin ? Mais... C'est à Grenade !

Grenade : terre ennemie !... Que s'est-il donc passé la nuit de l'incendie ? Ces hommes en armes, ces maures qui envahissaient la citadelle, qu'ont-ils fait des siens, de Doña Elvira, de son père ? Grenade, cité bien-aimée que chaque jour pleurait sa nourrice. Grenade dont elle a tant rêvé : après l'avoir parée de toutes les délices, faut-il qu'elle la maudisse ?

– Alors... je suis captive ?

La phrase s'étrangle dans sa gorge. Elle, Doña Isabel, captive des païens !

Sous la gaze qui la dévoile plus qu'elle ne la couvre, sa gorge soudain la brûle. Ses jambes sont en coton et sa main tremble tandis qu'elle prend appui sur le mur, aspirant l'air à goulées profondes pour prévenir l'évanouissement. Quand, raffermie, l'adolescente affronte à nouveau la mauresque, c'est la lèvre hautaine et l'œil noir de défi :

– C'est bien cela, n'est-ce pas : je suis votre captive ?

– Non, habibti. Pas ma captive. Nous appartenons, toi et moi, au harem de Siddi Aben Barrax – qu'Allah bénisse son nom. Tu le verras bientôt. C'est un homme bon, tu sais...

Mais rien ne peut brider l'effroi de la jeune fille.

– Au harem ! Je suis enfermée dans un harem ! Et je suppose qu'il m'attend soumise, ton maître !

Le mot « soumise » a claqué comme un fouet, provoquant derrière la tenture un bruissement effarouché.

– Et là, derrière cette tapisserie, qui sont ces filles qui gloussent ? Sont-elles prisonnières, elles aussi ? Ou bien esclaves consentantes, comme toi ? Qu'elles se montrent, ces lâches, et osent rire de moi en face ! Elles ne riront pas longtemps d'Isabel de Solis, je te le promets.

En vain, vers l'adolescente qui vacille, Fleur de Soleil tend une main consolatrice. Comme elle le craignait, la chrétienne se rebelle. Avec sa crinière de feu, le fruit rouge de ses lèvres que mordent des dents étincelantes et son regard marin zébré d'éclairs : elle a tout de l'animal traqué. Jusqu'à sa maigreur, qui évoque le fauve affamé. Une louve rousse, peut-être, comme il en est, paraît-il, dans les montagnes de l'Alpujarra voisine. Ou une panthère des steppes, dont elle a la grâce féline.

Malika se sent maladroite. Repoussant la main tendue, l'enfant sauvage gronde encore :

– Jamais, vous m'entendez ! Jamais je ne me soumettrai : dites-le donc à votre maître. D'ailleurs, mon père saura bien retrouver ce félon et lui faire payer l'outrage. Alors...

Un soupçon vient de la transpercer. Sa voix se fêle. Sa main une nouvelle fois se porte à sa gorge, là où scintille la médaille à face de femme. Son regard, implorant soudain, cherche les yeux de la mauresque. Mais celle-ci a baissé les paupières, la tête tristement inclinée.

– Père, murmure encore Isabel, hypnotisée par ce visage de pleureuse qui se détourne.

Son corps chancelle dans le silence lourd. Si Malika n'avait été là pour la retenir aux épaules, la jeune fille aurait glissé, inconsciente, sur l'épais tapis de soie.

Au pied du lit, agenouillée, une forme disloquée chavire sous les sanglots. Ses lourds cheveux répandus lui font un habit de flammes. Sous sa joue, une main étrangère accueille les larmes qui ruissellent. L'orpheline, dans sa détresse, accepte pour l'instant l'amitié offerte.

II

ISABEL court toujours. Ses poursuivants se précipitent. Les pas pesants se rapprochent, qui font craquer derrière elle les brindilles du sous-bois. Hagarde, elle a traversé une clairière et s'est jetée dans une allée qui semblait lui ouvrir les bras. Mais l'allée s'est resserrée. Les branches lui griffent le visage. Les ronces mettent sa robe en lambeaux et déchirent ses pieds nus.

Plus vite, Isabel, plus vite, scande le sang à ses tempes. Plus vite, encore plus vite, tambourinent à sa gorge les élans de son souffle. Aveuglée par les larmes, Isabel sait qu'elle ne tiendra plus longtemps. Déjà, elle sent brûler à sa nuque la respiration de l'assaillant. Une main la saisit aux cheveux. Elle tente de s'y arracher. Elle rue, elle crie, elle trépigne.

... Et se dresse sur son lit, le cœur affolé de terreur. Un silence de mort l'accueille. Pas de forêt. Pas d'agresseur. Rien que sa couche dévastée. Et les chatoiements de la lune dans une chambre étrangère.

Sans essayer de démêler ce qui, du rêve ou des événements de la veille, lui serre si fort la poitrine, Isabel obéit au sentiment d'urgence. D'un regard, elle évalue les obstacles. Tout paraît tranquille dans la pièce endormie. A ses pieds, écrasées de sommeil, deux formes inoffensives respirent paisiblement.

Lentement, sur l'épais tapis qui étouffe ses pas, Isabel s'écarte des deux femmes. Aucune n'a remué.

Face à elle, espace plus sombre sur la clarté des murs, un rectangle d'ombre l'attire. Elle se rappelle une tapisserie qui marquait, hier au soir, le seuil de la chambre. Sa main effleure déjà la lourde étoffe, lorsque, hésitante, elle se retourne. Un coup d'œil à la lucarne où dansent les raies argentées lui tire un sourire de gratitude : la lune, ce soir, est sa complice.

– Merci, Seigneur ! souffle-t-elle.

Dans un élan de piété, l'adolescente tombe à genoux. Sa main, d'un geste réflexe, enserre le médaillon qui brille à sa gorge.

– Sainte Marie, Mère de Dieu, ma mère, murmure-t-elle, les yeux braqués sur l'au-delà de sa prison. Prenez soin de votre fille. Je suis seule désormais, ajoute-t-elle, tandis qu'une larme vite ravalée picote à sa paupière. Si vous ne me protégez pas, qui le fera ?

Infiniment lentes, les secondes s'égrènent. Immobile, recueillie, la jeune fille s'est suspendue aux ailes du silence. A croire qu'elle guette une réponse. Enfin, au plus profond de sa poitrine, là où précisément repose le doux visage de la Madone, quelque chose a frémi. C'est un silence plus profond encore, une chaleur tendre, rassurante. L'effleurement d'une présence. Comme souvent par le passé, Isabel est certaine d'avoir été entendue.

Alors seulement elle se redresse. La gratitude la rend intrépide. Sans un regard en arrière, elle écarte la tenture. Un corridor referme sur elle son haleine fraîche. Aveugle dans l'obscurité, elle se dirige au toucher. Longtemps, elle avance d'un pas qui trébuche, avec pour seuls guides ses doigts qui effleurent de part et d'autre les parois du mince passage. Enfin, l'épaisseur d'un tissu succède au froid contact des murs. L'étoffe dont elle écarte un pan paraît lourde à sa main.

Après le goulot de nuit, une averse de blancheur inonde son visage. Sur un patio assoupi, la lune déverse ses flots laiteux qui nimbent de lambeaux argentés les façades à colonnades. Captivée par la symphonie de l'air qui tremble et frémit, Isabel n'ose plus bouger. Est-ce le royaume des morts ou un rêve qui la reprend ? L'odeur de fruits tièdes et de feuilles séchées est bien de ce monde, pourtant. Et le murmure qui lui fait fête : c'est la chanson de l'eau en quelque très réelle fontaine, une chanson que pleurait Artaja, la servante mauresque, une eau charmeuse et mensongère qui rappelle à l'orpheline son statut de prisonnière en terre d'Islam.

A contrecœur, l'adolescente se risque à quitter l'ombre. Elle s'avance dans les rayons de lune. Elle a beau épier, rien ne bouge. Ses yeux distinguent la vasque, au centre du patio, où l'eau complice poursuit son babillage. Des zones plus sombres, ici et là, rompent la pâle unité des façades : des portes sans doute, ou des tapisseries fermées sur les mille visages de ses geôliers endormis. Enhardie, Isabel poursuit sa progression. Elle marche, elle accélère, elle s'envole presque, légère sur ses pieds nus. Blanc fantôme drapé de feu, elle effleure à peine les dalles, et frissonne sous la caresse de l'air qui s'engouffre dans sa chemise.

Elle a laissé le long patio derrière elle. Tout est noir à nouveau dans ce corridor dont la fraîcheur brutale la saisit. Isabel retient son souffle. Elle marche, elle marche, mais ne voit pas le bout du goulot glacé. Elle se cogne la main, l'épaule, la tête parfois. Quand une surface rêche, plus tiède, écorche ses bras nus, elle se fige : quelqu'un l'aurait-il entendue comme elle heurtait une porte sans la voir ?

La peur commence à la gagner. Une tenaille de glace et d'acier lui broie les entrailles. Elle ne marche plus, elle court, glissant sur la terre humide, craignant s'être égarée à jamais dans le piège d'un labyrinthe. Pour la première fois depuis son réveil, elle mesure la folie de sa tentative : Où fuir ? Par quel chemin ?

« Jamais, songe-t-elle soudain, jamais je ne parviendrai à rejoindre les lointaines possessions des chevaliers de Calatrava ! »

Submergée par le doute, elle avance pourtant. Des larmes de désespoir souillent ses joues brûlantes.

Lorsque, après des minutes qui lui paraissent des heures, une odeur d'épices, de menthe, de sucre et de poivre mêlés lui chatouille les narines, Isabel se reprend. Une dernière chicane, quelques pas encore, et la jeune fille débouche sur une cour minuscule qu'atteint à peine le halo déclinant de la lune. Mais l'étique clarté suffit à lui rendre courage. Les effluves qui s'échappent d'une porte entrouverte l'attirent. Épuisé par trois jours et trois nuits de délire, son estomac soudain lui rappelle qu'elle a faim...

Immense, poussiéreuse, la salle dont le fond se perd dans la nuit est remplie de sacs et de cuves. Au plafond, fantômes blafards emmaillotés de tissus, des formes trapues somnolent. La pièce sent la coriandre, le miel et la saumure. Longtemps, Isabel se délecte de fruits secs, de légumes confits et de gâteaux aux amandes dégoulinant de miel. Lorsque, rassasiée, elle revient à la courette, l'étroit rectangle de ciel a viré au gris sale. L'aube approche. Le palais va bientôt s'éveiller. Et Isabel ignore toujours comment sortir de cette geôle nommée Dar al Anouar.

III

LE soleil joue à cache-cache avec les jalousies. Il pénètre dans la chambre et s'éparpille en éclats multicolores qui voltigent et tourbillonnent autour de Malika. Étoiles, sphères, losanges, figures géométriques aux arêtes émoussées par le froissement de l'air, les papillons de lumière forment farandole, comme pour entraîner la favorite dans leur jeu matinal. Avec ses rires et ses caprices, son insouciance et ses humeurs dansantes, Fleur de Soleil n'est-elle pas des leurs ?

La jeune femme, ce matin, paraît préoccupée. Les caresses aériennes ne semblent pas l'atteindre. Elle a à peine dormi : toute la nuit, les sanglots de la jeune chrétienne ont résonné à ses oreilles.

– Tu es bien pensive aujourd'hui, ma colombe, bougonne la vieille Amina. Cela ne présage rien de bon...

Depuis deux heures qu'elle s'active autour de sa maîtresse, celle-ci n'a pas desserré les dents. A peine si le bain fumant, adouci d'huile d'amande, lui a tiré un soupir d'aise. Elle, d'habitude coquette, a expédié le rituel de la vêture. Sans un regard pour les soieries qu'Amina extrayait du coffre, elle a accepté la première djubba venue, abandonnant à sa servante le soin de choisir à sa guise le saroual blanc rehaussé d'or et les sarbils, les mules brodées qui compléteront sa parure.

A ses bras et à ses chevilles, Amina a glissé les bracelets sertis de pierreries. A son cou et à ses oreilles, elle a fixé l'or, la perle et le rubis. D'une main plus rugueuse qu'à l'accoutumée, elle a tressé de rubans la longue chevelure blonde. Malika n'a pas protesté. Sous l'arc parfait des sourcils, la servante a souligné d'antimoine les lacs sombres des yeux. A la racine de noyer, elle a bruni les lèvres. Sous le voile d'arc-en-ciel qu'elle a jeté sur sa tête, le teint de la jeune femme a des reflets nacrés.

Fière de son œuvre, Amina tend à sa maîtresse le miroir d'argent. Elle espérait lui arracher un sourire : c'est à peine si Malika jette un regard sur son reflet. Ses yeux sont perdus dans le vide, rivés sur quelque image intérieure que la servante, jalouse, aimerait partager.

– Est-ce l'Incrédule qui assombrit le front de ma gazelle ? Crois-moi, princesse : ce n'est pas cette panthère rousse comme mauvaise lune qui te fera ombrage dans le cœur du maître.

– Tais-toi donc, Amina ! Il s'agit bien de cela...

– Je te connais, ma fille. Ose dire à ta fidèle Amina que tu ne songeais pas à la dernière trouvaille de Siddi Aben Barrax ?

– C'est vrai, mes pensées courent vers elle et ne peuvent s'en déprendre. Mais la jalousie n'y est pour rien. Je m'inquiète pour cette enfant, c'est tout.

Indignée par tant de sottise, la vieille femme s'emporte :

– Ne me dis pas, ô ma princesse, que tu plains cette fille du Malin ! A quoi te sert Amina, si tu n'écoutes pas ses mises en garde. Je t'ai prévenue, pourtant : avec ses cheveux qui brûlent de tous les feux de l'enfer, cette fille a le mauvais œil. Voilà qu'à peine arrivée, tout en se prélassant dans les noires contrées du Séducteur, elle verse déjà son venin dans le cœur de ma gazelle !

– Amina, calme-toi donc. Tu sais combien je respecte tes prémonitions. Cette fois encore, je t'ai écoutée. Mais je ne parviens pas à croire que cette malheureuse orpheline ait les pouvoirs que tu lui prêtes... Inutile d'insister, reprend-elle comme la servante s'apprête à rétorquer. Va plutôt voir où se cache Abbas. Et ramène-le-moi.

Vexée, la vieille femme s'éloigne. Ses imprécations grincent aux oreilles de sa maîtresse longtemps après son départ.

Amina a toujours eu mauvais caractère. Elle n'admet pas la moindre entorse aux habitudes du sérail. Cette fois elle exagère. Ne va-t-elle pas jusqu'à affirmer que la saveur des jours a changé depuis que le maître est revenu de Martos ?

– Piller les terres impies, c'est très bien, serine à qui veut l'entendre celle que l'on dit un peu sorcière : Allah ne peut qu'en être satisfait. Mais qu'avait besoin le maître de ramener cette Infidèle qui depuis quatre jours gémit et se débat comme une véritable majnouna, une folle ?

Telle est la rengaine qu'elle envenime à mesure que tous, dans le harem, s'en gaussent.

– C'est vrai, s'obstine la servante : au matin de sa venue, j'ai rêvé d'une étoile vermeille grimpée au firmament de la cité royale. Elle flamboyait en plein jour. Le soleil l'a approchée puis, dans un embrasement rouge sang, il s'est éteint avec elle, abandonnant le ciel de l'Alhambra aux ailes noires de la nuit.

La vieille folle s'en prétend encore toute retournée.

– Mauvais présage, répète-t-elle depuis lors. Cette fille a le mauvais œil. Et sa menace pèse sur la cité de Grenade...

Qui pourrait ajouter crédit à ses propos incohérents ?

Une toux sèche, dans son dos, arrache la favorite à sa songerie.

– Sois le bienvenu, Abbas. Que la bénédiction du Compatissant soit sur toi.

– Qu'Il prête longue vie et félicité au rayon de soleil du sérail.

D'un geste, Malika désigne à ses côtés le coussin de cuir damasquiné. Sans cacher son soulagement, l'eunuque s'y laisse tomber. Son poids le fait souffrir. Sous la saie noire à larges manches, sa chair rougie le brûle. Ses doigts chargés de bagues sont gonflés par les rhumatismes. Malika est la seule à savoir le soulager avec les onguents pleins d'arômes dont elle a le secret. Surtout, il lui est reconnaissant de n'avoir pas à feindre en sa présence. Une heure passée avec la favorite vaut tous les délassements. Auprès de cette femme douce à l'attention malicieuse, la sévérité n'est plus de mise, et cette raide figure qu'il se compose pour imposer respect aux femmes n'est que fastidieux souvenir.

– Dis-moi, Frère, demande Malika en tendant à son hôte un gobelet d'eau parfumée à la fleur d'oranger : n'est-elle pas castillane, cette enfant que le maître nous a ramenée ?

– Elle l'est. Et de noble ascendance, quoique Incrédule. On la dit fille de Don Sancho Jimenez de Solis, le fier gouverneur de Martos que nos cavaliers ont occis au cours de l'algarade punitive contre les chevaliers de Calatrava. Il paraît qu'il s'est battu comme un lion.

– C'est ce que j'avais compris. Pourtant, la petite s'est exprimée dans la langue des Croyants... Le savais-tu ?

Abbas a baissé la tête.

– Voyons, Abbas, qui crois-tu tromper ? Nul ici n'ignore qu'avant tout le monde tu connais la moindre rumeur du sérail... Donc, quelque bouche par toi soudoyée t'aura informé que la chrétienne parle notre langue. Avec un accent charmant, ma foi.

– On m'a dit ça, en effet. Quoique « charmant » n'ait pas été le mot employé par la bouche dont tu parles, sourit malgré lui le Taciturne. J'ai cru comprendre, au contraire, que la captive hurlait comme bête fauve. Et que toi seule, éloignant les femmes, avais su l'apaiser. Cela ne m'a pas étonné. Ce qui me surprend, en revanche, c'est que tu aies jugé bon de la faire installer dans tes appartements. Et que tu en aies interdit l'entrée à quiconque hormis Nour et Salma, tes habituelles complices. J'ignore pourquoi tu agis de la sorte, mais prends garde, Princesse. Bassila est jalouse de ses prérogatives. Elle n'a pas tout à fait tort : c'est elle la gardienne des femmes. Pas toi.

– Oh, Abbas, ne m'ennuie pas avec cette mégère. Tu sais bien qu'elle ne se prive jamais de me causer mille tracas.

– Je sais, Fleur de Soleil. Mais toi : quel intérêt as-tu à protéger la chrétienne ? Et d'ailleurs, la protèges-tu vraiment ? Ou songes-tu à quelque moyen de l'éloigner...

– Je t'arrête tout de suite, Abbas !

Malika s'est levée avec brusquerie, et martèle le tapis soyeux d'un va-et-vient nerveux.

– Ne te fais pas plus retors que tu n'es, le Taciturne ! Tes soupçons me blessent. Je m'inquiète pour cette orpheline, est-ce tellement incroyable ?

– C'est un sentiment selon ton cœur, ma colombe, reprend l'eunuque d'un ton apaisant. Doux et immaculé. Mais si tu veux mon avis : un sentiment... peu avisé, précisément.

– Dis-moi ce que tu as sur le cœur : tu en brûles d'envie.

– Je ne voudrais pas appeler sur son front les nuages.

Fleur de Soleil s'est interrompue. Debout face à l'eunuque, elle tente de capter son regard.

– Cette enfant promet d'être belle, énonce-t-elle d'une voix devenue grave. Et toi, le grand officiant des plaisirs du maître, tu as vu ça au premier coup d'œil. Est-ce cela que tu répugnes à me dire ?

Malgré ses bonnes intentions, Malika ne peut retenir un frisson.

– Crois-tu que je ne l'ai pas remarqué ? Et alors : qu'y changerai-je ? Je ne vais pas lui arracher les yeux. Ni brûler cette chevelure qui porte déjà en elle les flammes de tous les incendies. Ni la faire disparaître... Puisqu'Allah me l'a confiée – Loué soit Son Saint Nom – je compte la traiter du mieux que je pourrai. Et j'espère que tu m'y aideras... D'ailleurs, puis-je te l'avouer sans que tu te moques : cette enfant m'attendrit.

Ébahi par une candeur que les intrigues du harem n'ont pas entamée, Abbas cherche encore à formuler ses doutes lorsque, annoncée par le tintement des anneaux qui cliquettent à ses chevilles, Zaynab pénètre en trombe dans l'alcôve. Dans son visage rose, les yeux sont deux pépites noires qui luisent d'excitation.

– Mère, mère, c'est Nour qui m'envoie. Salma et elle ont fouillé partout. Même Bassila s'en est mêlée. Elle est folle de rage : la chrétienne a disparu !

Un silence assourdissant accueille la nouvelle. Toute à la joie de participer à l'événement, la gamine ne remarque rien. Elle jette ses bras autour du cou de Malika qui s'est laissée tomber sur le sofa, et implore, câline :

– Dis, Oumayma, petite mère, puis-je la chercher avec toi ? Amina dit que c'est une panthère rousse, et qu'elle a dans les yeux les colères de l'océan. Ce doit être joli, une panthère aux yeux de mer. Amina dit aussi qu'elle est dangereuse, et qu'il ne faut pas l'approcher. Mais je n'ai pas peur, moi : je suis grande. N'ai-je pas bientôt onze printemps ?... D'ailleurs, ça court vite, une panthère, poursuit-elle après réflexion. Peut-être qu'elle est déjà très loin. S'il te plaît, mère, insiste la petite fille : dis-moi que je peux venir...

– Plus tard, habibti, ma chérie, répond Malika d'une voix blanche. Je crois que ni toi ni moi n'allons participer aux recherches. Pour l'instant, murmure-t-elle en caressant le visage assombri par la déception, c'est Abbas qui doit s'en charger, il me semble...

– File, Zaynab, coupe le Taciturne que la stupeur rend plus glaçant encore qu'à l'accoutumée. Et que je ne te trouve pas dans mes jambes aujourd'hui !

– Mais...

– Merci de nous avoir prévenus, ma chérie, tempère Fleur de Soleil, dont le sang a fui le visage. Ne t'inquiète pas, nous la retrouverons. Et tu la verras aussitôt, je te le promets. Maintenant, file rejoindre Joumana et Aïssa. Abbas et moi avons à parler.

Lorsque la tenture retombe sur la petite fille dépitée, le silence tombe avec elle, que ni Abbas ni Malika ne souhaite rompre le premier.

– Ce n'est pas toi, n'est-ce pas, Princesse ? finit par risquer le Taciturne. Tu ne l'as pas poussée à s'enfuir ?

Sa voix est lourde de soupçons.

– Ce n'est pas moi : tu as ma parole, Abbas. Épuisée comme elle l'était, je pensais qu'elle dormirait tout le jour.

– Je te crois... Je vais donc battre tous les recoins du palais, tous les buissons des jardins : seule, sans aide, je ne doute pas de retrouver bientôt cette maudite gamine. Assez tôt, je l'espère, pour que le maître n'apprenne rien.

En trois enjambées, le Taciturne a atteint le seuil.

– Frère ! le retient encore Malika.

Coupé dans son élan, l'eunuque sans se retourner marque un arrêt.

– Tu ne lui feras pas de mal, dis ? Tu me promets...

Un haussement d'épaules résigné lui répond.

IV

PLAQUÉE derrière la porte, Isabel retient sa respiration. La matrone est si proche qu'à chaque instant la fugitive se croit découverte. Mais la mauresque s'affaire dans l'antre sombre, et continue de l'ignorer. Isabel distingue le bruit d'une calebasse, d'une marmite, d'un lourd tabaq que l'on déplace. De temps à autre, la grosse femme fredonne, elle grommelle, peste contre la gargoulette qui lui échappe des mains, maudit la coriandre ou le safran qu'elle a cherchés en vain. Maintes fois, elle a marché jusqu'au seuil, à deux pas de l'adolescente. Puis elle est retournée à ses préparatifs sans soupçonner la présence de la jeune fille.

– Nayef ! l'entend soudain s'exclamer Isabel. Te voilà enfin ! Sais-tu si le Bavard est passé ? Il me faut à tout prix ces poulets qu'il m'avait promis pour ce matin.

– Tiens-toi tranquille, la vieille, rétorque une voix nasillarde. La colline d'al Bayyazin se réveille à peine et déjà la carriole de Haddar le Bavard attend aux portes de Dar al Anouar. Je venais justement t'en prévenir.

La rue !... La rue est donc proche. De soulagement, Isabel vacille. Puis s'immobilise, interdite : il lui semble avoir entendu grincer l'épaisse porte qui masque son refuge. Les deux compères l'ont-ils remarquée eux aussi ?

– Allah est grand ! L'homme est à l'heure, la rassure la voix de la matrone. Va, Nayef, va vite, pendant que je file à la réserve chercher l'huile et les amandes...

A peine les sait-elle éloignés qu'Isabel se faufile hors de sa cachette. Le cœur lui tambourine à la gorge, mais pour rien au monde elle ne se laisserait distancer. Ce Nayef ne détient-il pas les clefs de sa liberté ? D'un bond, elle traverse le patio, contourne le puits et s'engouffre dans la bouche d'ombre où l'homme a disparu. Terrifiée à l'idée de le perdre, elle accélère... et heurte le premier d'une longue rangée de tonneaux alignés le long du mur. Plus que la douleur, c'est le son mat du choc qui la fait grimacer : pris dans une discussion dont elle perçoit bientôt l'écho, l'homme, heureusement, ne l'a pas entendu.

Claquement impatient d'un sabot contre le pavé, effluves inimitables de cuir, de crottin et de sueur salée qui dénoncent la proximité d'un cheval harnaché : elle sent soudain la rue qui vibre et vit par-dessus la voix des deux hommes en palabres.

Le cœur battant, Isabel progresse en silence. Sa silhouette féline épouse l'ombre des murs. Courbée en deux, respiration suspendue, elle ondule entre les tonneaux providentiels qui la protègent. Elle a compté deux chicanes à l'étroit couloir avant d'apercevoir, enfin, la lueur du jour à l'air libre. Arrivée là, elle hésite. Les dernières toises sont les plus périlleuses. Mais le temps presse. Les hommes ont fini de décharger. Ils ne vont pas tarder à se séparer.

Boule de muscles tendus vers l'obstacle, la jeune fille calcule ses chances. Ses pieds nus lui font mal, qui ont trotté dans les couloirs une bonne partie de la nuit. Au diable pourtant ses pieds, sa tunique trop légère, ce pantalon mauresque dont on l'a affublée et sa chevelure embroussaillée qui lui pèse à la nuque. Au diable son cœur qui bat la chamade et les mains glacées qu'elle serre l'une contre l'autre pour les empêcher de trembler. Accroupie, corps ramassé, elle se sait prête à bondir. Le feu lui brûle les joues. Le martèlement de l'excitation élance ses flancs maigres. Plus puissante que la peur, la voix du défi monte et gronde. Échapper, échapper coûte que coûte aux barbares qui l'ont mise en cage. Redevenir Isabel, l'enfant solitaire et farouche que nul, pas même Doña Elvira la chère femme, ni Don Sancho le père bien-aimé, n'a su ou voulu apprivoiser tout à fait. Retrouver le goût de l'air, le goût du vent et de la pluie. Retrouver, surtout, sa terre, la grise citadelle aujourd'hui calcinée et ses habitants – s'il en reste – qui sauront bien la recueillir...

Chavirée par ce rappel d'une vie aujourd'hui réduite aux cendres, Isabel a fermé les yeux. La seconde d'après, elle bondit.

– Regarde-moi cette furie ! D'où sort-elle ? lance le Bavard qui saute à bas de sa carriole

– Arrête ! Arrête-toi tout de suite ! grince en écho la voix nasillarde.

Déjà la fugueuse dévale la ruelle en pente où personne à cette heure ne risque d'arrêter sa course. Déjà le sbire de Dar al Anouar s'élance à sa poursuite, suivi de loin par le marchand que les excès de chair ralentissent.

Isabel s'est jetée sur le côté, dans un maigre goulot à l'obscurité protectrice. A toutes jambes, au hasard, elle court par les venelles désertes. D'abord elle cède à la pente. Puis, malgré le souffle qui lui manque, elle fonce dans un raidillon envahi d'herbes folles.

A mesure qu'elle grimpe, la voie zigzague et s'amincit jusqu'à la coincer entre des façades si resserrées qu'elle croit aboutir à une impasse. Toujours, une brèche imprévue lui offre une nouvelle chance. Toujours aussi, alors qu'elle espère avoir lancé son poursuivant dans une fausse direction, son attente est déçue. A peine croit-elle l'avoir semé qu'elle entend sur la brique sèche claquer la semelle de ses babouches. Poitrine en feu, œil éperdu, Isabel ne sait plus où se terrer. Perdue dans un dédale dont elle ne comprend pas l'absurde agencement, il lui semble tourner en rond. Cette porte, là, qu'elle frôle dans sa course, ne l'a-t-elle pas dépassée tout à l'heure ? Et cet auvent à l'air modeste, ne l'a-t-elle pas déjà croisé ? Étroites, tortueuses, toutes les ruelles se ressemblent.

Soudain, comme elle est près de s'écrouler, un mouvement accroche son regard. N'est-ce que le vent dans les touffes d'acanthe qui poussent au soubassement des maisons ? N'est-ce pas plutôt une porte qui bat, à deux toises en contrebas ? Dans un sursaut de volonté, Isabel se rue vers elle. Son épaule heurte le chambranle. Mais la porte cède sous sa poussée. La jeune fille a juste le temps de la rabattre : déjà les pas qui la talonnent vont atteindre le seuil. Ils sont là. Ils hésitent. Puis reprennent leur course. Hagarde, souffle coupé, Isabel se laisse glisser contre le bois tiède. Le sol sous sa cuisse est glacé. Longtemps, elle croit percevoir le bruit d'une galopade qui tantôt se rapproche et tantôt s'égare. La tête lui tourne. A chaque inspiration, l'air lui déchire la poitrine. Les murs vacillent autour d'elle, et des étoiles devant ses yeux dansent la sarabande...

Son souffle a retrouvé son calme. La terre a repris la fermeté qu'elle dispense communément aux hommes. Ses yeux ont recouvré la vue. Et son poursuivant ne se fait plus entendre. Elle est seule, enfin, au seuil de cette demeure qu'aucune vie n'anime.

Pendant de longues minutes, son regard furète à travers le patio qui lui fait face. Elle est prête à bondir à la première alerte, mais nulle silhouette ne s'avance sur le sol d'azulejos usé par les années. Nul mouvement ne dérange l'ordonnance, aux galeries, des portes de pauvre bois. Nul bruit ne vient troubler le murmure de la vasque où sommeille un linge oublié... A mesure que s'apaisent les battements de son cœur, les notes cristallines s'amplifient, qui délivrent à sa mémoire un message depuis toujours enfoui :

– Je me rappelle ma colline d'al Bayyazin, où sont les gens de Baeza, souffle à l'adolescente une voix surgie du passé.

N'est-ce pas l'intonation d'Artaja qui tant pleurait autrefois les divines fontaines de Grenade, et ses jardins, et ses ruelles ombragées ?

– ... Et la cité royale d'al Hambra, la Vermeille, égrène la voix de sa nourrice. Et Garnatha al Yahud, quartier des fils de Moussa. Et Rabad Ilbira, où demeurent les Mozarabes qui sont tes frères chrétiens...

Isabel à ces mots sursaute. Rabad Ilbira, bien sûr ! La voilà, la direction à suivre : parmi ses coreligionnaires il se trouvera bien une âme charitable pour l'aider à regagner Martos... Un soupir de soulagement lui échappe. Impatiente, elle se relève. Et passe la tête par la porte entrebâillée.

La ruelle semble déserte. Sans un regard pour l'hospitalière demeure qu'elle quitte, l'adolescente s'éloigne d'un pas vif. Avec son instinct pour guide, elle avance au hasard des venelles. La pente est raide parfois, et douloureux ses pieds nus qui frottent tantôt la brique et tantôt des galets ronds que l'usure a rendus glissants. Mais l'air matinal fleure bon l'azahar et le jasmin d'au-delà les hauts murs. Cœur gonflé d'espérance, Isabel en oublierait presque le danger qui de partout peut l'assaillir. Mais aussitôt, la silhouette d'un vieil homme qui à cet instant la dépasse la renvoie à sa terreur. Le maure n'a-t-il pas ralenti le pas pour la dévisager ? N'était-il pas menaçant, ce regard qu'il lui a lancé ?

Un coup d'œil à son allure la convainc du péril. Avec ses cheveux en bataille, ses pieds nus, sa chemise tachée et cette espèce de pantalon froissé, trop grand pour elle, l'adolescente a tout d'une prisonnière en fuite. L'inconnu l'a deviné. Ne vient-il pas de se retourner. Déjà, il lève le bras – pour appeler du renfort ? Maintenant, c'est sûr, il va crier. Il va donner l'alerte...

Mais le vieillard, en silence, s'efface au coin d'une ruelle. Un autre homme est passé, artisan pressé de reprendre son ouvrage, puis un autre, et un autre encore : aucun n'a prêté attention à la gamine esseulée qui sursaute sur chaque visage. Depuis quelques minutes, elle est de moins en moins seule. D'un peu partout des hommes, des femmes, des enfants captent son attention, qui vont où la vie les appelle. Parfois elle croise un regard qui bien vite se détourne. D'abord interloquée, peu à peu soulagée, Doña Isabel de Solis doit se faire à l'idée qu'aux yeux des passants elle n'est qu'une vagabonde, une mendiante peut-être.

Depuis quelques minutes, une rumeur lointaine monte jusqu'à elle. Rumeur qui enfle et rebondit de façade en façade. Elle l'intrigue, elle l'appelle. Et lui donne l'envie d'accélérer l'allure. Cris, chants, hennissements : ce brouhaha l'attire. Elle ne sait s'il annonce une issue ou un piège mais se hâte dans sa direction. Et débouche bientôt sur une place grouillante – de vie, de gens, de marchandises. Une place ? Six toises sur quatre à peine, serrées au pied d'une épaisse tour carrée dont la gueule d'ombre déverse à chaque seconde son flot de nouveaux venus : des hommes, des femmes avec ou sans voile, des enfants qui à grands cris leur galopent entre les jambes, et des mules qui les bousculent, et des mendiants, et des infirmes, et le cheval d'un cavalier furieux d'être coincé par la foule, et...

Isabel s'est immobilisée au coin de la rue. Happée par le spectacle, elle en oublie de se cacher.

Accroupis devant leurs échoppes, les artisans interpellent le chaland. D'autres, marchands ambulants sous leurs tauds montés à la va-vite, proposent à grands cris leurs fruits, leurs fleurs, leurs légumes frais. C'est à qui, dans la mêlée, couvrira la voix du voisin. Les jurons fusent, les harangues, les diatribes et les ordres qui claquent, les disputes et les vantardises. Un boucher d'abattoir traverse la place, colosse pliant à peine l'échine sous le poids d'une bête entière. Une femme enceinte, flegmatique, pousse son ventre en avant pour se frayer un passage. Un aveugle gémit sa plainte ; son jeune guide exige jusque sous le nez des passants l'aumône due, au nom du Miséricordieux, au frère qui est dans la peine. Ça sent le jasmin et la moutarde, la sueur et la marjolaine, l'encens, le crottin et la fleur d'oranger. Ça sent même le poisson frit, la viande rôtie, les beignets et le thé à la menthe que propose une gargote, en face de la tour carrée. Ça s'interpelle en arabe, en vénitien, en castillan ; ça se répond en catalan, en génois, en turc peut-être, en tant d'idiomes mêlés qu'Isabel n'en saisit aucun.

Elle commence juste à s'acclimater, lorsqu'une bousculade plus houleuse que les autres la fait tressaillir. D'un sursaut, elle recule. Elle est prête à s'enfuir, mais l'attroupement s'est fait loin d'elle. Des cris fusent, et des injures.

– Au voleur ! Sarrak ! hurlent des voix furibondes.

Semblable à du vif-argent, un garnement prend la fuite. Un homme épais le poursuit. Mais le vaurien est plus agile. Il a treize ans, quatorze à peine. Il vire, contourne, zigzague dans la foule, et fonce droit sur Isabel. Sous ses boucles emmêlées, le garçon a des grâces d'angelot têtu. Lorsqu'il croise l'adolescente, il lui lance un coup d'œil curieux. Le temps pour elle de se retourner : le jeune voleur a disparu au coin d'une venelle.

L'instant d'après, Isabel se fraye à son tour un passage dans la masse ondulante des corps, tout en jetant à droite, à gauche, des regards furtifs, dans la crainte revenue d'apercevoir les sbires de Dar al Anouar. L'homme à la voix nasillarde a dû sonner l'alerte, à cette heure. Combien sont-ils à la poursuivre ? Cette ville sera-t-elle assez vaste pour la cacher longtemps ? A qui demander le chemin de Rabad Ilbira ?... L'adolescente sent la panique qui la gagne.

Comme pour la rappeler à l'ordre, la manche d'une saie vient lui souffleter le visage. Une semelle de liège écrase son pied nu. Un coude lui rentre dans les côtes : fulgurante, la douleur la ramène à l'instant présent. Voilà même qu'elle trébuche, et se rattrape de justesse à une brave femme qui lui sourit... Isabel se sait maladroite – mais cette gaucherie étrangement la rassure. De tant de cris, de tant d'effluves, de tant de chair autour d'elle, la tête bientôt lui tourne. Ses sens surexcités plongent à la rencontre de la vibrante médina. Généreuse cité femelle, Grenade l'accueille comme une enfant de plus. La foule la sauve et la protège. Elle la réconforte et l'apaise. Entre ses bras chahuteurs, l'adolescente est tentée de s'abandonner. En dépit de son âme blessée, elle sent son corps qui se tend, prêt à se gorger de vie, d'espérance, de fols embrassements, de tout un émerveillement d'être au monde qu'elle croyait à jamais perdu.

Mais la jeune fille brusquement frissonne. Entre ses épaules vient de pointer la dague d'un regard insistant. En un éclair, la peur à nouveau l'empoigne. Elle voudrait fuir : la foule la bloque. Tremblant d'apercevoir l'homme de Dar al Anouar, Isabel à contrecœur se retourne. Et fait face à la menace.

Elle ne remarque rien, d'abord, tant est grande la bousculade. Puis son regard se fige sur une maigre silhouette, point fixe dans la marée mouvante... Ce regard impudent, elle le reconnaît : le voleur, bien sûr ! Le jeune vaurien de tout à l'heure, qui la dévisage d'un œil moqueur... De soulagement, Isabel voudrait pleurer.

– Ne crains rien, belle étrangère, lance l'adolescent qui l'a rejointe et se méprend sur sa grimace. Fouad n'est pas ton ennemi. A voir ces loques que tu portes, et l'air perdu qu'en vain tu cherches à cacher, je vois bien que tu as besoin d'aide... Je suis sûr que Fouad, prince des rues, Seigneur du pavé de Grenade, est prêt à t'accorder protection, ajoute le garnement en bombant le torse.

Isabel ne dit mot. Son visage demeure crispé. La hâblerie du vaurien l'agace. Mais son sourire est contagieux, et franc le regard qu'il pose sur elle.

– N'aie pas peur, insiste le jeune garçon. Je ne te veux aucun mal, vraiment. Au contraire : Celui qui m'a fait fils de la rue – Gloire à Son Saint Nom – m'a donné des yeux pour reconnaître mes compagnons de déroute. Ton regard tout à l'heure m'a adressé un signe : me voilà, j'y réponds, et te propose assistance... Maintenant, si tu n'as besoin de rien, je peux passer mon chemin.

Joignant le geste à la parole, le rusé se détourne déjà. L'adolescente a sursauté. Sa main agrippe la manche de la djellaba bleue.

– Tu as raison, lâche-t-elle dans un souffle. Je ne suis pas d'ici. Je viens d'une terre étrangère, là-bas, près de Jaén, indique-t-elle d'un geste vague. Je suis arrivée ici par accident... Maintenant, c'est vrai... je suis perdue.

Sa voix, brusquement, s'est cassée. Isabel est seule, abandonnée, dans cette ville inconnue aux mœurs étrangères ; elle est poursuivie par les sbires de son ravisseur ; elle mise tous ses espoirs sur les habitants d'un quartier où elle ne connaît personne. Surtout : elle n'a plus de père, elle qui n'a jamais eu de mère... Le désespoir la submerge.

Tandis que son compagnon la fixe d'un œil scrutateur, Isabel lutte contre les larmes. Sa gorge brûle et sa mâchoire, crispée, lui fait mal.

– Moi, c'est Fouad, tranche l'adolescent au terme de son examen.

Avec grâce il a porté la main à son cœur, à ses lèvres et à son front.

– A ton service, noble étrangère, poursuit-il... Et toi, comment te nomme-t-on ?

En signe de protection, l'angelot malicieux a posé ses doigts sur l'épaule de la jeune fille dont le corps peu à peu se détend. Le sourire du garçon est insouciant. Mais sérieux son regard.

– Moi, c'est Isabel, répond-elle enfin.

– Bienvenue chez nous, Isabel, l'encourage la voix amicale. Grenade est cité des merveilles, recours du pauvre, havre de l'exilé. Tu verras, jolie chrétienne – car tu es chrétienne, n'est-ce pas ? – à toi aussi ma ville sera propice. La preuve : déjà elle m'envoie à toi. Et je ne sais pas homme plus à l'aise dans les dédales grenadins...

Tout en parlant, le garnement au parler fleuri a pris la jeune fille par la main. Souple, rapide, il se faufile dans la foule en entraînant sa compagne.

– Où m'emmènes-tu ?

L'adolescente résiste encore.

– Je cherche un coin plus tranquille, l'apaise une fois encore Fouad. Mais c'est à toi de me dire où tu veux aller. Et ce me sera un honneur que de t'y conduire.

– Sais-tu où se trouve Rabad Ilbira ? risque la jeune fille après une dernière hésitation.

– Rabad Ilbira, bien sûr ! Est-ce là que nous allons ? As-tu de la famille, damoiselle, dans le quartier chrétien ?

Puis, comme s'est raidi le visage de sa compagne :

– D'accord, je n'insiste pas... Tu n'es pas forcée de parler, tu sais, ajoute-t-il d'une voix contrite.

Le garnement paraît si enfant soudain, avec son regard mendiant, qu'Isabel ne peut retenir un sourire. Tranquillisée, elle règle un moment son pas sur celui de son jeune guide. Quand elle veut reprendre son souffle dans l'ombre que porte sur la venelle l'encorbellement d'une fenêtre à meneaux, Fouad, silencieux, l'attend. Et lorsque, d'un même pas, tous deux reprennent leur marche, l'air paraît plus léger à l'adolescente. Complice est le ciel cristallin. Joyeuse la lumière qui joue à cache-cache avec les recoins ombragés. Protecteurs les hommes qui passent, et bienveillantes les femmes... La rose, le jasmin, l'azahar : tant d'invites souriantes éclairent cette matinée. Le patio hospitalier, la foule vivante et colorée, maintenant Fouad, ce compagnon inespéré : tant d'événements amicaux lui font signe... Comment ne pas croire qu'au milieu des épreuves la Providence lui vient en aide ?

Tandis qu'elle s'accrochait à ces idées réconfortantes, les deux adolescents ont atteint le bas de la pente. Une épaisse tour leur fait face, dont ils ont tôt fait de franchir le large porche à chicanes.

– Bib al Difaf, la porte des Tambours, proclame le jeune maure. En face : le noble pont d'al Qadi.

Par-dessus le Darro qui gronde, un pont en effet s'élève vers ce qui paraît être une autre cité. Dressé dans sa nudité, un coteau abrupt leur barre l'horizon, que vient trancher à la verticale une épaisse muraille de pierre rouge. Muraille qui monte et s'élance, sous l'œil assombri d'Isabel, jusqu'à rejoindre le bleu du ciel sur lequel se découpe l'arête des créneaux. Épousant partout la colline, la fière citadelle égrène ses tours, ses donjons et ses portes sombres, masses quadrangulaires que percent les lames des meurtrières.

– Est-ce là l'Alhambra ? interroge Isabel qu'arrache à ses pensées la majesté du lieu.

– Al Hambra, notre rouge cité royale, confirme orgueilleusement son compagnon.

– C'est étrange, remarque l'adolescente : cette forteresse paraît féroce. Comment imaginer les palais de dentelle multicolore, les patios fleuris et les frêles fontaines que l'on m'a décrits naguère ?

– Quand tu possèdes un joyau, l'exposes-tu aux regards ? s'enquiert Fouad surpris.

– Je ne sais pas... Oui, sans doute. A quoi me servirait-il sans cela ?

– Chez nous, c'est tout le contraire. L'opulence, la

beauté, le bonheur, nous les conservons jalousement pour notre seule intimité. A l'extérieur, la simplicité qui garde des convoitises, et la puissance qui maintient l'ennemi soupçonneux ; à l'intérieur, la douceur de vivre, nos ors, nos jardins et nos femmes. N'est-ce pas plus prudent ainsi ?

Isabel à ce mot se raidit. Prudente : est-elle prudente, elle qui se laisse captiver par la cité de l'ennemi au lieu de se précipiter vers ses cousins mozarabes ?

– Est-ce encore loin, Rabad Ilbira ? questionne-t-elle d'une voix rembrunie. Quand y parviendrons-nous ?

– Tout doux, jolie damoiselle. Un peu de patience. L'appel de midi est à peine passé. Et le faubourg chrétien n'est pas très loin d'ici...

C'est d'un pas vif, néanmoins, que son guide l'entraîne tout au long de la rive. Les maisons autour d'eux prennent un air penché qui défie les lois de la pesanteur. Sur deux ou trois étages, elles lancent au-dessus des passants leurs corniches et leurs auvents, déployant toujours plus loin leurs ailes, comme si elles voulaient se rejoindre pardessus le fleuve. Sous cet entrelacs féerique, Isabel presse le pas. Au loin, une nouvelle rumeur l'assaille, des cris qui, peu à peu, se précisent :

– Vive le sultan ! Vive Abu al Hassan, notre valeureux émir ! Que le Victorieux le protège et guide à jamais son bras !

Sur la placette triangulaire où les adolescents viennent d'aboutir, une vague fiévreuse a pris naissance, qui ondule, s'élève et gronde. Des cris, des bravi, des louanges précèdent le martèlement des sabots et le tintement des cymbales. Bientôt, claquant au vent les étendards, un cortège apparaît. La foule en liesse s'écarte avec respect. Au petit trot de leurs chevaux, les premiers cavaliers s'avancent, que le peuple électrisé acclame.

Isabel sent sa chair se hérisser. Est-ce le poids du souvenir ? Celui de la nuit tragique ou celui des heures de veille lorsque, il y a peu, elle s'inquiétait pour son père parti en expédition contre les maures de la frontière ? N'est-ce pas plutôt cette même horreur qui toujours l'a saisie au récit d'un combat, d'une razzia, ce malaise qu'elle s'efforçait de cacher tant il paraît honteux que la fille d'un preux tire douleur des actions d'éclat de son père ?... Aussi loin que sa mémoire remonte, Isabel n'a jamais su applaudir aux attaques héroïques dont s'enorgueillissaient les siens. Elle croyait voir les blessés se tordre au champ brûlé par la bataille, elle se rappelait les yeux éteints des captifs, elle entendait les lamentations des femmes dont l'homme ne revient pas... Non : malgré la passion muette qu'elle a toujours vouée à Don Sancho, Isabel n'a jamais aimé les hommes en armes. Aujourd'hui, plus que jamais, elle les contemple avec horreur. Son père n'est-il pas mort d'avoir été l'un d'eux ?

– Ne crains rien, lui souffle à l'oreille Fouad, qui glisse un bras protecteur autour de ses épaules contractées. C'est notre émir qui parade, retour de quelque algarade frontalière. Il faut bien protéger la Vega, rassurer les paysans et décourager l'audace des seigneurs voisins.

Par délicatesse, le jeune garçon ne précise pas que les voisins sont seigneurs chrétiens.

– Veux-tu que nous nous éloignions ? propose-t-il.

Contre lui, l'adolescente vient de tressaillir. Son corps s'est ramassé. Ses yeux ont lancé un éclair bleuté. La jeune fille paraît hypnotisée par l'une des silhouettes à cheval.

Regard de feu, lèvre volontaire, le cavalier est tout ce qu'elle craint. Pourtant il dégage grandeur et noblesse, concède la jeune fille. Sur sa tunique grenat que rehaussent l'or et le noir, une fine cotte de mailles dessine sa poitrine de guerrier. Son chef, qu'il tient orgueilleusement dressé, arbore un casque d'un gris mat dont les côtés, bordés de pierreries, lui descendent jusqu'aux mâchoires, encadrant un mâle visage dont la barbe brune et l'œil étincelant disent la fougue contenue et l'assurance de qui n'a jamais connu la défaite. A son épaule pend une cape de lourd brocart qui ne demande qu'à s'envoler au vent de quelque galopade. A sa hanche brille la garde sertie de perles du poignard fait à sa main, tandis que des plis de sa robe émerge le baudrier gravé d'émaux en filigrane où repose l'alfarge assassine. Son écu, disque d'un cuir écarlate émaillé d'or d'où pendent des ornements du même métal, flambe dans le soleil. D'argent presque aussi scintillant sont ses étriers – qu'il porte courts, comme pour atténuer d'un port fringant la souveraineté de son allure. Aussi fier que son maître, et tout aussi fougueux, son destrier affiche tapis de selle damassé d'écarlate et harnachement d'un cuir souple qui, à son chanfrein, son encolure et son poitrail, fait jouer les ors et les vermeilles sur le noir luisant de sa robe.

Ardents et retenus l'un et l'autre, irradiant la puissance et une suavité farouche, cheval et cavalier semblent ne faire qu'un. Un seul être qui respire l'orgueil et la noblesse, la passion, la complicité et, remarque Isabel intriguée, comme une infinie solitude partagée. L'un piaffe, l'autre apaise. L'un danse d'impatience sur ses jambes nerveuses, l'autre lève un bras auguste et sourit à la foule. Derrière ce sourire victorieux qui accueille l'hommage et dit l'appétit des combats, se devine comme une ombre secrète.

– Il est impressionnant notre prince, n'est-ce pas ? se méprend l'adolescent. Par lui, depuis bientôt sept ans, les Grenadins ont retrouvé leur fierté. La paix règne. Le royaume est prospère. Surtout : il est enfin libre. Certains reprochent encore au sejid Abu al Hassan Ali d'avoir détrôné son père, le doux Aben Nassar Saad. Moi, je dis que si un fils doit respect à celui qui lui donna la vie, pour un roi le devoir est son royaume. Plutôt que de courber l'échine, verser tribut et faire force serments d'amitié à notre légitime ennemi, notre sultan – que Dieu lui prête longue vie, à lui et à ses descendants – a reconquis les places qui nous furent enlevées. Aussi brave sur le champ de bataille qu'habile en son administration, il a redonné leur fierté à nos guerriers. Et aux sujets de Grenade leur honneur perdu.

Mais Isabel l'écoute à peine. Un frisson la fait trembler, qui n'est plus de terreur mais d'une voluptueuse souffrance. Comme elle a chaud soudain. Un soupir vient de lui échapper. Ainsi, ce redoutable guerrier est l'émir soi-même ? Rien d'étonnant, se raisonne-t-elle, à ce qu'elle l'ait remarqué entre tous. N'est-ce pas Don Sancho qui hier encore répétait que « La noblesse, quand elle est de l'âme autant que de la naissance, est modèle pour chacun. C'est pourquoi elle attire les regards, versant au cœur l'admiration de la vertu et la soif de l'imiter. »

Le sultan déjà s'éloigne en direction de l'Alhambra. Il est passé près de l'adolescente. Son regard peut-être l'a effleurée, comme il semble effleurer toute chose. Derrière lui, tout aussi fiers, les cavaliers de sa suite à leur tour défilent. Trop occupée à tenter de justifier son trouble, Isabel ne leur prête pas attention. L'un d'eux, pourtant, s'est arrêté à moins de cinq pas d'elle. Il l'a dévisagée un instant puis, la figure empourprée, s'est aussitôt détourné. Un homme l'a rejoint, à qui il a glissé quelques mots. Le serviteur a quitté le cortège et disparu dans la foule. Mais la jeune fille n'a rien remarqué.

– Tu as raison : ton sultan ne manque pas de noblesse, commente-t-elle pour son compagnon... Maintenant, si nous regagnions le faubourg chrétien. J'ai hâte de trouver assistance auprès des miens, ajoute-t-elle dans un frisson.

Main dans la main, les deux jeunes gens fendent la foule. L'air fleure bon les mille essences des parfumeurs, et les onguents des droguistes, et le cuir des selliers alentour, et le crottin des chevaux qui grimpent au loin la colline rouge. Bientôt, comme ils s'écartent de la place, empruntant une rue qui grimpe, assez large pour laisser passer deux cavaliers de front, le tumulte se perd en rumeur. Étreints par un malaise confus, tous deux peu à peu se taisent. Est-ce la mélancolie de cette fin de journée ? Est-ce la crainte de ne pas trouver assistance auprès de ces Mozarabes dont dépend le sort d'Isabel ? Leurs mains se sont lâchées. Chacun, perdu dans ses pensées, avance tête basse, l'œil au ras des plantes folâtres qui risquent leurs tiges entre les briques.

Soudain, surgie de nulle part, une ombre bondit sur Isabel. Le cri de la jeune fille meurt sous la main brutale qui se plaque à ses lèvres. Un bras lui enserre la gorge. Un autre lui broie la taille. Elle suffoque. Elle se débat. Indifférent à ses ruades, son assaillant la soulève et la tire en arrière, dans une ruelle étroite et sombre où ses yeux ne distinguent plus rien. Affolée, ses doigts agrippant en vain l'étau qu'elle tente de battre, de tordre, de griffer, Isabel plante ses dents dans la main qui la bâillonne. Un juron étouffé lui répond, suivi d'un coup sec sur la nuque qui la laisse à demi étourdie.

« Fouad, songe-t-elle, désespérée : pourquoi n'a-t-il pas crié ? »

– C'est bon, le gosse ne nous gênera plus, intervient une voix nasillarde qu'aussitôt elle reconnaît.

– Et celle-là, qu'est-ce qu'on en fait ? grogne son agresseur. C'est une véritable furie.

– Fouad, que lui avez-vous fait ? gémit l'adolescente terrorisée.

A force d'agiter la tête au risque d'étouffer tout à fait sous la poigne qui se resserre, elle vient d'apercevoir une forme pâle, à quelques pas, dans l'impasse. On dirait un paquet de linge bleu avachi contre le mur : le corps inerte de son compagnon.

Électrisée par la fureur, Isabel se débat de plus belle. Son coude a dû atteindre un point sensible car son ravisseur relâche son étreinte. Une ruade encore, un coup de tête au hasard, et l'adolescente lui échappe, qui court en direction de Fouad.

– Ah, non ! Pas cette fois ! grince derrière elle la voix nasillarde.

Elle n'a pas le temps d'atteindre la forme prostrée : le grincement, à son oreille, s'est mué en explosion. Dans un jaillissement d'étoiles qui lui transpercent le cerveau, Isabel s'écroule, assommée.

V

SES paupières sont lourdes, ses lèvres desséchées sur une saveur amère. Quand elle bouge la tête, des milliers d'aiguilles lui transpercent la nuque. Des jacassements brouillés lui parviennent, disputes et rires féminins mêlés à des cris d'enfants dont un accent aigu, parfois, lui vrille la tempe. Où est-elle ? Pourquoi son corps lui fait-il si mal ? Isabel n'en sait trop rien. Les images de son rêve étaient douces pourtant : des hommes prostrés en prière, la lumière qui étincelle sur le casque d'un fier cavalier, et l'enthousiasme de Fouad, à ses côtés...

Fouad ! Cette fois, l'adolescente a gémi. L'agression, Fouad à terre dans une ruelle sombre, la voix nasillarde qui la poursuit : elle est à Dar al Anouar ! Les brutes de tout à l'heure – ou était-ce d'hier ? – sont hommes d'Aben Barrax. Elle est à nouveau prisonnière.

Tout à fait réveillée cette fois, Isabel se dresse sur la paillasse qui lui a servi de couche. D'abord, elle se croit seule dans la longue galerie où une lumière tremblée pénètre à raies mesurées. Puis elle distingue, à l'autre bout, une forte silhouette vêtue de bleu et de vert pâle qui monte la garde devant l'unique issue. Comme averti de son éveil, l'homme s'est tourné vers elle. Dans son visage d'ébène, l'adolescente ne distingue que le blanc des yeux et des dents tandis qu'avec un rictus il lui intime l'ordre de ne pas bouger. Puis il revient à la porte et échange des mots précipités avec un interlocuteur invisible.

Péniblement, la jeune fille se met debout et vacille vers la lumière. Elle est si faible et son corps, comme roué de coups, l'élance si fort qu'elle doit s'appuyer au mur pour progresser. Quand enfin elle gagne la première fenêtre, elle pose à la grille son front douloureux. Par le moucharabieh, son œil morne discerne les orangers et les lauriers en fleurs de quelque jardin intérieur dont l'éclat ricane. Rien, pourtant, ne peut l'atteindre. Submergée par la détresse, elle n'entend pas la porte s'ouvrir. Elle ne voit pas foncer sur elle la silhouette furieuse. Et quand une gifle lancée à toute volée la renverse à demi, c'est de stupéfaction autant que de douleur qu'elle se retourne d'un bloc, cueillie aussitôt par une deuxième gifle.

– Tiens ! Tiens ! Et tiens encore ! grince une voix féminine qui halète de rage. Ça, c'est pour t'apprendre l'obéissance. Ça, pour que tu comprennes qu'une esclave n'échappe jamais à son maître. Et ça, pour avoir provoqué la colère de Siddi Aben Barrax. Car c'est lui qui t'a repérée dans les rues de Grenade, chrétienne stupide ! Lui qui a appris ta fugue du même coup, et ne manquera pas de nous en tenir rigueur. Pourtant, c'est à sa chère Fleur de Soleil qu'il devra s'en plaindre... Tiens ! Prends ça encore ! Et ce n'est rien à côté de ce qui t'attend au retour du maître.

Sur le visage d'Isabel, sur sa tête et ses bras relevés en un bouclier dérisoire, les coups pleuvent sans qu'elle trouve la force de les rendre. Anesthésiée par la colère, l'adolescente ne ressent rien. Rien que la volonté forcenée de tenir debout sous l'assaut, et l'orgueil de ne pas faire à la mégère la joie de demander grâce.

– Jamais, tu m'entends, jamais on n'a fait pareil affront à Bassila, siffle la voix haineuse qui commence à s'épuiser, tandis que les coups s'espacent.

D'un regard par-dessus ses bras, Isabel prend la mesure de son adversaire. N'étaient la voix aiguë et les bijoux qui alourdissent encore la silhouette trapue, la femme pourrait passer pour un homme tant ses gestes sont brutaux, carrée sa stature et rudes les traits de son visage.

– Tu vas savoir ce qu'il en coûte de chercher à mettre la gardienne des femmes en faute, fulmine la matrone.

– Auriez-vous peur, que vous perdiez ainsi toute maîtrise ? hasarde un filet de voix provocateur.

Isabel tient à peine sur ses jambes. Mais son regard sec étincelle de défi.

– Quoi, morveuse, tu en demandes encore !

Déjà, Bassila lève à nouveau la main. Mais un coup d'œil à la jeune fille la fait changer d'avis. Est-ce le dédain affiché par la bouche tuméfiée ? Ou l'inquiétude en découvrant les traces que sa rage a laissées au visage de sa victime ? Le maître a ordonné d'enfermer la captive, mais de ne la molester sous aucun prétexte. Sans doute compte-t-il s'en charger lui-même.

– Range ta paillasse, se reprend la mégère. Ensuite, tu rejoindras les autres. A leur contact, tu perdras vite tes mauvaises manières, et cette insolence que tu affiches encore. Désormais, tu n'auras plus une minute à toi. Sache que tu es sous ma garde, dans l'appartement des femmes. Quant à ta protectrice, ne compte pas sur son aide : j'ai fait en sorte qu'elle ne se mêle plus de nos affaires, grimace la vieille. Après tout, ce n'est que justice : c'est elle qui a permis ton escapade.

– Mais elle n'y est pour rien, proteste Isabel, inquiète pour la mauresque blonde dont le sourire paisible lui adresse soudain un reproche muet. C'est moi qui...

– Vas-tu te taire, à la fin ! Et obéir. Nulle n'a son mot

à dire quand Bassila a parlé... Mais puisque tu t'inquiètes pour ta complice, ajoute la matrone, sardonique, sache que son sort dépendra de ta conduite.

Ainsi réduite au silence, l'adolescente retourne à sa couche. L'affrontement l'a brisée. Et le remords de savoir menacés ceux qui lui sont venus en aide.

« Se résigner, songe-t-elle sombrement tout en roulant sa paillasse. Se résigner, et attendre... »

Attendre quoi ? Elle l'ignore. Du fond de la nasse noire dans laquelle elle se sent tomber, une étincelle de vigilance s'obstine à brûler.

*
* *

Depuis plus de trois semaines qu'elle vit recluse à Dar al Anouar, Isabel mesure le sens des paroles de Bassila : pas une minute, elle ne s'est trouvée seule. Cette compagnie forcée la plonge peu à peu dans une léthargie qu'elle n'a plus la force de combattre.

Du lever au coucher du soleil, chaque jour ressemble au précédent. La toilette, la coiffure, l'habillage prennent des heures. On échange des conseils, des recettes, des onguents. On peste contre la masseuse du hammam qui vous a malmenée. On gémit contre le henné qui s'efface à vos paumes. On se mire, on s'admire, on se congratule, du venin plein les flatteries. Et puis l'on passe à autre chose : quelques notes de musique, tirées du luth et de la cithare, de la flûte, du pipeau et des tambourins. Quelques pas d'une danse paresseuse, quelques ondulations du ventre tandis que les bras s'élèvent et frémissent. Mais le cœur n'y est pas et le mouvement retombe vite. On en revient aux friandises, croquées d'une dent distraite tout au long du jour, aux sorbets de la sierra, aux commérages, aux disputes, aux vantardises. Nuée de moineaux affolés, on se précipite, quand elle passe, sur la marchande de verroteries et d'amulettes qui cache dans ses jupes, plus précieuses qu'aucune babiole, les mille et une rumeurs de Grenade. Lorsque le jour enfin s'achève, on s'en retourne à sa couche : celles qui ont les faveurs du maître dans une chambre à part, ou une alcôve attenant au patio des femmes, les anonymes toutes ensemble dans la longue galerie où Isabel a repris conscience au lendemain de sa fugue.

Pour la jeune fille qui rêve de solitude, la nuit est à peine préférable au jour. Dans la pièce rendue brûlante par tant de corps qui reposent, elle reste éveillée des heures, à compter les battements de son cœur et les plaintes de ses compagnes. L'absence de silence est peuplée de soupirs et de ronflements. Parfois l'une des femmes geint dans son sommeil : sans doute le maître la chérit-il en songe, sous ses baisers la chair féminine reprend son sens et ses sens perdus... Une autre, qui le jour affichait sa gaieté, pleure à petits sanglots d'enfant. Une troisième ronronne, blottie contre son amie de cœur, tandis qu'une autre encore frissonne sous la caresse des ombres qui jamais ne comblent son corps affamé...

Les nerfs tendus par elle ne sait quelle attente, cette nuit Isabel est fiévreuse. Zaynab et Joumana, les deux fillettes qui parviennent parfois à la tirer de son abattement, lui ont transmis cet après-midi un message de la mauresque blonde : Siddi Aben Barrax vient d'arriver à Dar al Anouar.

Dans la volière surexcitée, Isabel s'est morfondue toute la soirée. Depuis que la nuit est tombée et que toutes, autour d'elle, reposent, l'angoisse la maintient en alerte.

VI

DANS la chambre où depuis de longues minutes Abbas l'a laissée seule, Isabel grelotte. Le brasero rougeoie, pourtant, entre les brûle-parfum et l'éclat mouvant des candélabres. Tendue de lourds tapis, réchauffée de sofas aux coussins damassés d'or, l'alcôve invite à la langueur. Jusqu'au chant de la fontaine qui, par les jalousies étoilées, lui conseille de s'abandonner. L'air est tiède, caressant. Mais la jeune fille frissonne sous les voiles translucides dont les femmes viennent de la revêtir.

Au souvenir de la scène, l'adolescente réprime un tremblement de honte.

La journée avait bien commencé, pourtant. A croire que ses cauchemars de la veille étaient vains. Dès le matin, une Bassila plus hostile que jamais était venue l'informer que Malika la faisait mander. Impatiente de revoir enfin la mauresque blonde dont les attentions discrètes depuis des semaines adoucissaient sa réclusion, Isabel avait emboîté le pas à un eunuque dont l'intriguaient le nom et la mine sévère. Abbas, l'avaient appelé ses compagnes dans un salut révérencieux. Était-ce ce même Taciturne dont lui avait parlé la petite Zaynab ? A en juger par son expression fermée, c'était lui – et l'adolescente s'étonnait qu'il pût être l'ami de Malika la chaleureuse. Docile, elle avait suivi l'homme qui l'entraînait vers de vastes jardins où pépiaient des centaines de volatiles enivrés de lumière.

C'est là, sous la charmille, que Fleur de Soleil l'attendait. Quelques minutes avaient suffi pour qu'auprès de la favorite Isabel se détendît. Nourrie par les missives que transmettait de l'une à l'autre la jeune Zaynab, fière d'être leur complice, une timide complicité les unissait déjà. Ce matin, elle s'était épanouie. Cancanière, Malika avait rapporté à Isabel l'émoi qu'avait causé dans le sérail sa scandaleuse disparition. Comédienne, elle avait rejoué la fureur du Taciturne et les trésors de séduction qu'il lui avait fallu déployer pour lui faire oublier l'atteinte portée à son autorité. Mime, elle avait singé Bassila, évoquant une rancœur vieille de douze ans déjà quand elle-même, semblable à Isabel aujourd'hui, n'était qu'une jeune captive effarouchée que la mégère avait prise en grippe. Enfin, quand elle avait confié à l'adolescente avoir, par l'entremise d'un Abbas plus taciturne que jamais, envoyé un homme en ville afin de retrouver le jeune Fouad et de le rassurer sur le sort de sa compagne d'un jour, Isabel lui était tombée dans les bras. Malika avait pensé à tout ! Absente, elle avait tout deviné des blessures de sa protégée et des moyens de la rasséréner. Invisible, elle avait tout manigancé pour exaucer ses désirs secrets et atténuer son effroi. Elle avait même obtenu du prince, le matin même, que la chrétienne fût affectée à son service et enlevée à la garde de Bassila. Isabel, en quelques minutes, découvrait qu'autant qu'à ses cheveux d'or Fleur de Soleil devait son nom à la chaude lumière de son cœur.

Peu à peu, oubliant l'état de captive que chaque instant passé derrière les moucharabiehs lui avait douloureusement rappelé, l'adolescente avait cru trouver un début d'apaisement. Sans indiscrétion ni contrainte, les deux jeunes femmes parlaient et se taisaient ensemble. Les minutes passaient, qui devenaient des heures. A toutes deux il semblait, non qu'elles se découvraient, mais qu'elles se reconnaissaient. Née des fièvres de l'une et de la patience de l'autre, attisée par plusieurs semaines d'une correspondance de plus en plus confiante, une amitié avait germé, qui se déployait cet après-midi avec la vigueur d'une jeune plante longtemps privée de lumière.

Bercée par le grelottement des eaux dans les vasques aux reflets rosés, le regard perdu dans l'ombre des feuillages où perçaient quelques rais du soleil printanier, Isabel se laissait gagner par la suavité de l'heure. Bientôt, les paroles de sa nouvelle amie avaient formé une vague lointaine et rassurante d'où prendre son envol. Loin au-dessus des jardins, par-delà les murs tapissés de verdure, son âme s'était élancée, légère, vers quelque rendez-vous d'oiselle. Isabel n'était plus Isabel, mais une parcelle de sensation flottant dans l'air parfumé. Sa vie n'était plus sa vie, mais celle de tout ce qui existe. Tantôt elle se sentait hirondelle qui virevoltait dans la lumière avec des grâces malicieuses, tantôt goutte de rosée perlant au cœur assoiffé du lys des champs. Tantôt elle devenait nuage et parcourait l'espace infini des mondes, tantôt abeille vrombissante toute à son labeur d'ouvrière... A Martos comme à Grenade, chez son père comme chez son geôlier, nul n'avait jamais soupçonné l'intensité de ces rêveries qui par instants la ravissaient. Elle-même ne comprenait rien à ces absences dont elle revenait étourdie avec, aux lèvres, une action de grâce pour ce qu'elle appelait « la visite de l'ange ».

Si Malika avait remarqué la distraction de sa compagne, et l'expression émerveillée qui nimbait son visage, elle se gardait d'en rien dire. Le sourire semblait si rare à la bouche de la jeune fille, et si précieuse la lumière qui scintillait depuis quelques minutes dans ses prunelles, que la favorite au contraire remerciait le Très-Haut d'accorder un réconfort à son amie. Elle reprendrait bien assez tôt la froide mesure de la réalité. Rien que ce qui l'attendait ce soir, et que Malika était chargée de lui annoncer, risquait de flétrir pour longtemps son front si grave, déjà, dans son innocence.

A cette innocence, à cette ignorance de jeune barbare élevée sous des cieux chrétiens, Fleur de Soleil s'apprêtait à mettre fin. D'avance, elle haïssait les mots qu'elle allait prononcer. Tout comme elle haïssait la jalousie qui malgré elle lui mordait le cœur, serpent venimeux niché à l'endroit même où elle aurait voulu n'avoir que tendresse envers l'adolescente qu'il lui fallait instruire.

– Écoute, amie. Écoute les paroles de Malika.

Alertée par le ton solennel, Isabel avait fixé sur sa compagne un œil interrogateur.

– Comme tu le sais, notre maître est revenu de Medina Alhambra, où le retenaient les attentions de l'émir – que le Compatissant le guide toujours. Dès son retour, Siddi Aben Barrax a exprimé le désir de te connaître enfin.

Le sens de ce désir ne l'avait pas atteinte que déjà la jeune fille se raidissait. Ainsi, ses craintes de la nuit ne l'avaient pas trompée. L'épreuve de force approchait. D'instinct, elle avait porté la main à sa gorge, là où se cachait sous l'étoffe la médaille rassurante.

– Me voir ?... Quand ça ?

– Ce soir, habibti. A l'heure où l'étoile de Vénus embrase les cœurs au feu sacré de l'amour.

Devant le silence éperdu de son amie, Malika s'était lancée :

– Cette nuit est la nuit de tes noces, Isabel. Demain, en se levant sur toi, le soleil dévoilera une femme là où il avait laissé une enfant. Je serai fière, alors, de serrer contre mon cœur celle qui sera devenue ma sœur.

Les yeux agrandis par l'horreur, la chrétienne fixait sa compagne et ne la voyait plus. Tout juste avait-elle conscience d'une main posée sur son bras. Par-delà le visage amical, des images au goût de sang remontaient à sa mémoire. Terre humide à ses genoux, sanglot des femmes violentées dans l'âcre odeur des flammes. Puis, dans les reflets blafards du petit jour, brûlure à ses poignets rougis par la corde et masque effrayant de la honte au visage tuméfié des captives.

Comme elle brûle, soudain, cette corde, tandis que la secoue la course du cheval qui l'emporte. Pour un peu, elle en hurlerait de douleur mais...

– Isabel, ma douce ! Isabel, je t'en supplie : reprends-toi !

Malika avait saisi son amie et la secouait vigoureusement. Elle l'avait vue s'affaisser sur le banc. Maintenant, elle semblait revenir à elle.

– Tu m'as fait peur !... Ton visage a pris la teinte des ossements. Tes yeux ont battu la campagne. J'ai cru qu'une horde de djinns s'emparait de ta raison.

– Tu as vu juste, Malika. C'était la horde de tes frères qui fondait sur les miens.

– Allons, enfant, calme-toi. A quoi bon tant d'amertume ? Crois-tu nos femmes moins à plaindre que les chrétiennes lorsque tes frères incendient leurs villages, tuent leurs fils et leurs époux, et les emmènent en esclavage ? Es-tu de celles qui prétendent que le Très-Haut accompagne les guerriers de leur camp ? Ici, au nom de Muhammad, le Comblé de louanges, là-bas, au nom d'Issa ben Meryem, celui que vous appelez Jésus : n'est-ce pas toujours le même scandale ?

Doucement, la voix alourdie de tristesse, Fleur de Soleil égrenait les mots d'une vieille complainte. A la chrétienne révoltée, elle tentait de transmettre la conscience de la fatalité, et d'inculquer l'antique acceptation des femmes.

– Homme et Femme nous a créés le Miséricordieux. Aux uns, Il donna les armes du fer, pour la chasse et la protection des leurs, aux autres, celles de l'amour, pour que la vie soit, de jour en jour. Qu'y pouvons-nous, nous, humbles femmes, si nos hommes retournent contre eux leurs armes ? Qu'y pouvons-nous si à la jouissance de nos bras ils préfèrent la furie des combats ? Peut-être est-ce notre faute, aussi...

Elle avait enfin capté l'attention de sa compagne.

– Et toi, petite ! Toi qui gémis contre ta destinée. Sache que rien ne nous arrive jamais que n'ait écrit le Tout-Puissant. De tout mal, si tu le Lui offres, Il peut faire naître un bien. Puisque tu hais si fort la guerre, apprends donc les armes des femmes. Peut-être le Compatissant accordera-t-Il à tes caresses le pouvoir d'éloigner des batailles l'homme que tu aimeras.

Puis Malika s'était tue. Isabel l'avait vue pâlir, sans en comprendre la raison : la favorite venait de souhaiter à son amie le pouvoir de détourner des périls de la guerre celui qu'elle, la préférée, avait échoué à retenir... Mais était-ce bien au maître qu'elle songeait ? Une image flottait dans sa rétine, que rien à ce jour ne justifiait : un homme, aux pieds de la chrétienne, un homme richement paré dont la silhouette lui était familière mais n'était pas celle d'Aben Barrax, renonçait la guerre et la gloire pour les bras de sa bien-aimée. Qui était cet homme ? Par quel miracle la captive se trouvait-elle auprès de lui ? Malika n'en savait rien. Tout cela était absurde. Mais la vision avait été si intense, si palpable l'émotion de cette scène invraisemblable, qu'elle hésitait à n'y voir qu'un effet de son imagination.

– Tu dois m'écouter, amie, avait-elle repris dans un effort. Tout à l'heure, les femmes viendront te chercher. Elles savent les goûts du maître et s'occuperont de ta toilette.

– Tu me demandes de me résigner ? Ces femmes vont me parer, me préparer au déshonneur, et je devrai me laisser faire, victime consentante qu'on amène au sacrifice !... Oh, Malika, je t'en supplie ! Toi qui as tant fait déjà, ne peux-tu détourner de moi ton maître ? J'ai peur, Malika, si tu savais comme j'ai peur !

– Voyons, enfant : qu'y a-t-il de si terrible dans l'amour d'un homme et d'une femme ?

– Qui te parle d'amour ? Où vois-tu l'amour, dans ces gestes obscènes que miment parfois les esclaves, et qui les font glousser ?... L'amour, ce n'est pas ça ! L'amour, c'est... je ne sais pas, moi ! Un sentiment, une flamme, un miracle. L'appel de deux âmes qui s'élisent, l'accord de cœurs jumeaux unis pour l'éternité...

De l'effroi ou de la passion, Malika ignorait ce qui donnait au regard de l'adolescente la flamme qui incendiait ses prunelles. Effrayée par ses excès, elle avait tenté de raisonner sa compagne :

– Zaynab m'a répété les histoires que tu lui racontes. Elles sont belles, tes histoires. Mais ce ne sont que des contes. Dans la vie vraie, les princes et les princesses charmantes empruntent d'autres visages...

Elle lui parlait comme à une enfant. Une enfant fragile et fantasque qu'un réveil brusque eût pu briser.

– L'amour est chose plus simple que tu ne crois. Et parfois, ma douce, c'est tant mieux. Car ce que ne disent pas tes contes, c'est que l'union des cœurs est imparfaite sans la bienheureuse union des corps. Et que la fusion des âmes n'a lieu que si l'amante rejoint son bien-aimé.

Sous la voix étrangement rêveuse, Isabel avait retenu un frisson. Pourquoi ces paroles indécentes parvenaient-elles à la troubler ?

– Mais ton Aben Barrax n'est pas mon bien-aimé, avait-elle plaidé. Je ne le connais pas. Je ne l'ai pas élu. Jamais je ne l'aimerai !

– Qu'en sais-tu, innocente ? avait murmuré Malika soudainement douloureuse.

– Je le sais parce que... Parce que c'est le tien, voilà ! Et que chez nous, on ne partage pas. Je vois tes yeux, quand tu en parles : on les croirait traversés d'arc-en-ciel.

Tu l'aimes, c'est évident. Et lui aussi, il t'aime, avait-elle ajouté, sensible à la souffrance de son amie : ne t'appelle-t-on pas sa favorite ?

– C'est vrai, Isabel, je l'aime. Comprends donc combien il m'en coûte de t'imaginer auprès de lui...

– Alors, pourquoi n'empêches-tu pas ça !

– Je n'ai pas le choix, habibti. Il est le maître. Je ne suis, comme tu dis, que sa favorite : celle auprès de qui il revient quand il est las d'autres aventures. C'est sa fidélité à lui. Telle est la loi de la nature, qui fait l'homme pour plusieurs femmes et la femme pour un seul homme qu'elle partage avec d'autres. Alors, quitte à le partager, je préfère que ce soit avec mon amie, avait conclu Malika dans un souffle.

– Mais c'est horrible !

Isabel n'en revenait pas. Blessée pour sa compagne, elle n'osait plus se plaindre.

– Pas si horrible que ça : tu le découvriras peu à peu. Nous sommes heureuses de vivre entre femmes. Un homme, c'est bon pour la nuit. Ça ne partage rien de nos goûts; de nos rêves, ni de notre univers. Voilà pourquoi l'homme vit au-dehors, il travaille, il combat, tandis que nous vivons protégées du monde et de sa violence. Et lorsqu'au soir l'homme vient à nous, c'est dépouillé de toute morgue, pour le plaisir et la tendresse... N'est-ce pas aussi bien ainsi ?

– Mais tu ne m'entends pas, Malika : je ne suis pas comme vous, moi. Si cet homme me touche, j'en mourrai !

– Tu déraisonnes, Isabel. Ta vie et ta mort sont entre les mains du Compatissant, et de Lui seul... D'ailleurs, Siddi Aben Barrax n'est pas un bourreau.

Les yeux dans les yeux de son amie, une main courageuse lui effleurant la joue, Fleur de Soleil s'efforçait d'être rassurante.

– Tu es belle, Isabel, quoique un peu efflanquée. Tes

cheveux sont des vagues de feu, d'océan sont tes prunelles. Le maître ne résistera pas à l'appel de ton regard marin. Je le connais : il te bercera de caresses. Tes lèvres, qu'on croirait un fruit de grenade, avec douceur il en boira le suc. Dans l'incendie de ta crinière, ses doigts tresseront des couronnes et au creux de ton ventre, tendrement, il coulera le feu de son désir. Tu verras, enfant : si tu ne te raidis pas, si, mieux, tu t'abandonnes et laisses en toi monter l'attente, alors tu connaîtras l'ivresse. Crois-moi, habibti... La première fois est parfois douloureuse. Mais tu trouveras entre les bras de l'homme des joies sans mesure. Même la chair de ta chair, le tendre babil de l'enfant sur ton sein ne saurait procurer pareil bonheur.

– Comment peux-tu parler de bonheur ! Suis-je née esclave pour me réjouir de caresses qu'on m'impose ! D'ailleurs, tu es obscène avec tes promesses. Obscène et folle ! Mais pour l'ivresse, tu as raison : ce soir, je serai ivre, oui. Ivre de désespoir et de haine.

– La terreur t'aveugle, Isabel, s'était insurgée la favorite. Moi qui suis née libre, comme toi, je t'assure que je ne regrette rien de la vie que le Miséricordieux a choisie pour moi. Oui, je suis l'esclave de mon maître. Mais tu apprendras que pour les femmes de Grenade la liberté est un esclavage et l'esclavage une liberté autrement plus savoureuse. Oui, j'aime les caresses d'Aben Barrax. Mais nul ne me les impose. C'est l'amour, et lui seul, qui mène entre nous la danse... Ta colère est vaine, Isabel, avait-elle ajouté, radoucie. Comme sont vaines sans doute mes paroles. Essaie pourtant de me croire : je ne souhaite que ton bonheur. Pour l'heure, notre commune destinée exige que s'étreignent les deux êtres que j'aime : Aben Barrax, mon homme, et toi, ma presque sœur... Je t'offre mon homme, Isabel ! avait lancé la mauresque dans un élan déchirant. Quelle plus grande preuve d'amour puis-je te donner ? Alors, ne peux-tu me faire confiance ?

Pendant quelques secondes, les deux femmes avaient

retenu leur souffle. Le silence les enveloppait, suspendu au-dessus de la cruelle offrande.

– Écoute, un peu, la sagesse, avait repris la voix frissonnante de Malika. Ne résiste pas, et tu vivras comme une initiation féconde l'épreuve qui tant t'effraie. Affronte ton destin avec la paix au cœur. Ni ce soir ni jamais il ne t'arrivera rien que le Très-Haut n'ait décidé pour toi. Crois-moi : tu n'as pas d'autre choix que de suivre, à l'instant, les femmes chargées de ta toilette. Ensuite, Abbas te conduira jusqu'au maître. Là... que le Miséricordieux t'inspire...

Malika s'était levée. Tandis qu'au bout de l'allée apparaissaient Nour et Salma, elle avait attiré vers elle le visage de son amie. L'une consolait l'autre, mais leurs yeux à toutes deux étaient endeuillés. Leurs lèvres frémissaient d'une angoisse jumelle. Le maigre visage de la cadette implorait un espoir, la bouche tremblante de son aînée s'efforçait de sourire. Fleur de Soleil se retenait de serrer dans ses bras cette rivale chère que la vie lui donnait. Elle brûlait d'envie, en berçant Isabel comme l'enfant sauvage qu'elle était encore, de bercer son propre chagrin. Mais elle s'était contentée d'un baiser sur le front de l'adolescente, en guise de bénédiction.

– Va, maintenant, petite fille. Je devrais t'exhorter à la douceur, à la docilité. Mais je sais que tu n'en feras qu'à ta tête. Tu n'es pas de chez nous, Isabel. La soumission t'est étrangère. Peut-être de cette faiblesse sauras-tu faire une force...Va, et suis ton étoile.

Une seconde, sous la tendresse désespérée de cette voix, Isabel avait cru flancher. Pour un instant, s'abandonner. Poser la tête sur cette épaule ronde, laisser couler les larmes que depuis des jours elle retenait. Puiser à cette chaleur femelle un peu des forces qu'elle sentait lui manquer... Non ! Ce n'était pas le moment. Elle avait un combat à mener. L'Arabe la voulait ? Il allait voir ce qu'il en coûtait de provoquer une Solis. « Vainqueur ou mort » :

telle était la devise de Don Sancho Jimenez. Certes, il en était mort. Mais son sang demeurait vif dans les veines d'Isabel : elle saurait porter haut les couleurs de son père.

Brusquement, elle se sentait prête à relever le défi. L'orgueil à ses joues donnait un éclat neuf. Sans le vouloir, Malika l'avait mise sur la voie : même si ce n'était que pour une nuit, la dernière peut-être, « Insoumise » serait la devise d'Isabel de Solis.

Las, les heures suivantes lui avaient fait perdre beaucoup de sa superbe. Rien ne l'avait préparée à l'humiliation qui l'attendait.

D'abord, Nour et Salma l'avaient entraînée jusqu'à une salle surchauffée, étuve tapissée de mosaïques multicolores où clapotait, scintillante dans les vapeurs brûlantes, l'eau d'un large bassin. Là, sans égards pour ses réticences, une esclave noire lui avait retiré ses vêtements. Transie malgré la chaleur, Isabel avait tenté de lui échapper, mais Salma s'était portée au secours de la Nubienne et, moitié riant moitié grondant, avait poussé la jeune fille vers le bain.

Rouge d'une rage impuissante, Isabel s'était glissée dans l'eau fumante. Sans doute les femmes allaient-elles quitter la pièce... Elles s'étaient précipitées au contraire, nues toutes trois et se jetant dans l'eau sans honte ni pudeur. Salma avait voulu lui ôter la médaille qu'elle portait au cou. Pour protéger son seul bien, l'adolescente avait reculé brutalement, éclaboussant les trois femmes sans leur échapper.

– Ne sais-tu pas qu'il est impie de représenter le visage humain ? haletait Salma qui bataillait avec les doigts d'Isabel. Entre nous, ça n'a pas d'importance : à chacune ses talismans, puisque de toute façon les imams les condamnent. Mais tu ne peux porter ça devant le maître.

Comme la captive résistait, Nour avait argumenté :

– Si c'est nous qui te l'ôtons, tu la retrouveras, ton amulette. Mais si tu attends que Bassila te l'arrache...

La rage au cœur, Isabel avait cédé. Privée de la précieuse médaille, elle avait perdu le courage de résister.

L'instant d'après, les trois femmes la savonnaient de la tête aux pieds, avec des gloussements de gamines effrontées. L'une s'emparait d'une toile rêche, gommant, frottant son corps jusqu'au sang. L'autre s'attaquait à sa chevelure, l'enduisant d'une pâte argileuse dont la texture gluante la faisait frissonner de dégoût. Énergiques, précises, les femmes s'activaient autour d'elle, sur elle, comme sur une poupée de chiffon. Minutieusement orchestrés, leurs gestes s'accompagnaient d'un incessant bavardage dont Isabel ne saisissait que des bribes.

Lavée, gommée, poncée, malaxée, la jeune fille n'était plus qu'un bloc de chair brûlante. Elle en avait presque oublié sa honte, tant la tête lui tournait de ces mains posées sur elle, de ces regards impavides braqués sur sa nudité, de cette chaleur aussi, de ces arômes puissants d'herbes et d'huiles mêlées.

Enfin, elle avait cru son supplice terminé. On l'avait allongée sur une banquette de pierre couverte d'une fine natte. Du regard, elle cherchait l'étoffe dont voiler son ventre quand une paume sèche avait saisi son bras. Une pression, une secousse : Isabel poussait un cri de douleur. La Nubienne venait de lui arracher la peau ! Nour et Salma riaient aux éclats.

– Tiens-toi tranquille, dit la première en la maintenant aux épaules. Ce n'est qu'une épilation. Hajar n'a pas sa pareille pour nous faire des peaux satinées. Pas un poil ne lui échappe. Tu verras : quand tu sortiras de ses mains, chaque parcelle de ton corps sera plus douce que le creux de l'aile de la colombe.

– Ce n'est pas très agréable, dit la seconde. Mais on finit par s'habituer.

– Est-il vrai que vous, chrétiennes, n'avez aucun souci de votre corps ? reprit Nour. On dit que vous ne vous épilez pas, que vous ne vous oignez pas d'huiles parfumées, que vous ne nourrissez pas de henné vos cheveux. On dit que vos imams vous obligent à tenir votre corps en si grand mépris qu'il vous arrive de ne pas vous laver pendant des semaines entières... Est-ce vrai ?

– Vous ne pensez donc pas à vos hommes ? Quel plaisir peuvent-ils trouver à vos côtés, si vous ne vous faites pas désirables ?

– Voyons, Salma, tu sais bien que les guerriers chrétiens sentent mauvais eux aussi. Et qu'ils ne craignent pas le ridicule en affichant, en plus, du mépris pour nos bains et nos hammams. N'oublie pas que ce sont des barbares qui préfèrent leur crasse à la saine volupté du corps...

– Isabel, tu ne dis rien ?

Isabel n'entendait pas. Chaque geste de Hajar la laissait pantelante. L'impertinent babil des concubines ne la distrayait pas de l'humiliante souffrance. Après les bras, la Nubienne s'attaquait aux jambes. Fascinée, l'adolescente suivait le rythme des bras vigoureux, la pression des doigts et de la paume sur la boule brunâtre qu'on lui appliquait sur la peau avant de l'arracher d'un geste vif. Progressivement, l'esclave remontait vers la chair tendre de la cuisse. Voilà qu'elle lui écartait les genoux, pressait la pâte tiède dans les replis de son intimité et, d'une sèche torsion, arrachait les bords de la toison fauve. Cette fois, Isabel n'avait pu retenir son cri. Si Nour et Salma ne l'avaient agrippée, elle aurait bondi sur la Nubienne, prête à lui arracher les yeux. De la douleur ou de la honte, elle ne savait quelle souffrance était la plus cuisante. Effroi, colère, impuissance : la jeune fille était près de défaillir.

Maintenant encore, dans la pénombre de l'alcôve, elle en suffoque d'indignation. Le rouge lui est monté aux joues, dont nul, songe-t-elle avec un sourire amer, ne portera cette fois témoignage. C'était bien assez de tout à l'heure, quand son corps était livré aux mains de ces folles créatures, et ses oreilles à leurs propos grivois.

Car la vêture lui avait été une nouvelle épreuve. Après les vivacités de la toilette, Nour et Salma s'étaient mises à ruisseler d'une obscène sensualité. Comme alanguies par l'approche d'une nuit qu'elles feignaient d'envier à leur compagne, elles l'avaient cajolée, esquissant autour d'elle l'indécent ballet de leurs caresses et de leurs poses. Tandis qu'elles lui tressaient les cheveux, ou soulignaient d'antimoine ses yeux assombris par l'anxiété, les courtisanes lui susurraient d'impudiques conseils dont chaque intonation la giflait.

Fixaient-elles à sa hanche le saroual de soie mauve ? Aussitôt, d'un balancement de hanches, elles mimaient une danse lascive qui leur découvrait le nombril et prêtait à la cambrure de leurs reins des sinuosités de serpent. Drapaient-elles sur sa gorge la chemise de gaze moirée ? L'une feignait alors de la lui arracher, tandis que l'autre tombait en pâmoison, tirant de sa poitrine haletante les gémissements d'une chatte en chaleur. Nouaient-elles à sa taille la large ceinture tressée d'argent ? C'était, lèvre entrouverte et œil mouillé, pour mieux évoquer les mains viriles qui bientôt l'en libéreraient. Le voile enfin, posé sur sa chevelure qu'elles avaient ramassée en chignon sur sa nuque, leur avait été l'occasion d'un concours d'œillades lancées par-dessus leurs mains nouées. Elles riaient, elles s'entraînaient l'une l'autre sans prendre garde à l'horreur de la chrétienne. On aurait cru deux gamines possédées par quelque démon lubrique.

L'arrivée de Bassila les avait calmées. Écartant les deux esclaves d'un geste impérieux, la matrone s'était avancée jusqu'à Isabel. Elle avait tourné autour de l'adolescente comme vautour au-dessus de sa proie. De son œil de maquerelle elle l'avait inspectée, jaugeant chaque détail d'une toilette qui, de la pointe des sarbils brodés à la racine des cheveux rougie au henné, devait appeler la caresse ou l'outrage. Son regard, par-delà les étoffes soyeuses, scrutait le grain de la peau et soupesait la chair. Tandis que Salma et Nour guettaient sur la face impavide une expression satisfaite, Isabel avait senti le feu de la honte lui grimper au visage.

Enfin, d'un hochement de tête, la gardienne des femmes avait daigné approuver. Puis elle s'était retirée, annonçant aux deux jeunes femmes l'imminente arrivée d'Abbas. A Isabel, elle n'avait pas adressé la parole.

A peine avait-elle disparu que l'eunuque apparaissait dans l'embrasure de la porte. Aussitôt, Nour et Salma s'étaient esquivées, non sans lancer à Isabel un sourire soudain fraternel.

Énigmatique toujours, mais courtois, Abbas avait salué la jeune fille. Sans un mot, il lui avait fait signe de le suivre. Lorsque, au seuil de l'alcôve, elle avait hésité, il s'était contenté de la fixer. Sous l'œil qui ne cillait pas, l'ultime espoir de résistance avait quitté l'adolescente. Ne lui restait que l'orgueil, qui lui avait fait relever le menton, cambrer la taille et fouler d'un pas ferme l'épais tapis de soie. Le temps d'accommoder son regard à l'ombre de la chambre inconnue, Isabel avait retenu son souffle. Derrière elle, la tenture était retombée.

La jeune fille s'est laissé tomber sur un coussin de cuir pourpre. Les feux du candélabre, au-dessus d'elle, tissent à sa silhouette les raies tremblées d'une auréole. Dans l'ombre du voile arachnéen, son visage tapi invite à la douceur. Seul l'éclat de son regard, fixé sur la tenture qui tout à l'heure révélera la face de l'homme, exprime la tension que son corps réprime. Ponctuées par les battements de son cœur qui s'affole, les minutes s'écoulent, suspendues, murmurantes. Bientôt, du palais endormi où toute rumeur s'apaise, elle ne perçoit plus que la chanson de l'eau, là-bas, dans le patio. L'ambre et le musc dans les brûle-parfum couvrent les senteurs de jasmin. La mèche cireuse crépite au-dessus de sa tête qui, doucement, s'incline dans le creux de sa main...

Épuisée par l'inquiétude et l'attente, l'esprit brassé par les visages chimériques qu'elle prête à son geôlier, Isabel s'est-elle évanouie ? Lorsque la tenture frémit et qu'une haute silhouette se glisse dans la chambre, elle ne s'en aperçoit pas. Lorsque la forme silencieuse se penche sur elle, elle ne bouge pas... Jusqu'à ce que le contact d'une main à son menton la fasse sursauter.

A un souffle de son visage, deux prunelles luisantes plongent en elle leur lame grise. Isabel voudrait se dégager, mais la prise des doigts reste ferme. Dans l'étroite face de rapace, la bouche esquisse un sourire goguenard qu'accentue l'éclat tranchant de l'iris.

– Te voilà en ma possession, chuchote une voix métallique.

La jeune fille retient un frisson de dégoût.

D'un doigt nonchalant, l'homme lui effleure la lèvre. A sa bouche entrouverte flotte une moue gourmande. Sur la peau d'Isabel, l'écœurante haleine agit comme un coup de fouet : révulsée, l'adolescente a jeté sa tête en arrière, n'obtenant de l'inconnu qu'un grognement amusé.

– Tu ne me trouves pas à ton goût, peut-être. Il faudra pourtant t'y faire...

Dans un rugissement de rire, Aben Barrax a relâché son emprise. Isabel, aussitôt, bondit derrière l'abri du candélabre.

– Brave petite chrétienne, ironise le prince en avançant vers elle. Je vois que la captivité ne t'a rien ôté de ta vaillance. Tant mieux. Le goût des tendres éplorées m'a depuis longtemps passé. J'attends de mon indocile quelques voluptés autrement épicées.

D'un geste qu'elle n'a pas vu venir, l'Arabe la saisit à la taille. Isabel en a le souffle coupé : faite pour le lourd cimeterre, cette main lui broie les reins. De toute la force de ses bras, elle s'arc-boute et repousse le visage penché sur elle. Son geste lui attire un nouveau rire.

– Résiste, ma belle fugueuse, résiste. C'est ainsi que tu me plais. Montre-moi de quoi tu es capable... Remarque, j'en ai déjà quelque idée : tu hurlais et mordais comme une diablesse, l'autre nuit, quand le Tout-Puissant m'a donné de te cueillir en ta cachette. Il m'a presque fallu t'assommer pour te faire tenir tranquille.

Isabel pousse un cri.

– Le cavalier de l'aube, c'était vous ?

– Prétendrais-tu ne pas t'en souvenir ?

– ... Vous qui m'avez arrachée à mon père ? Vous qui m'avez emportée jusqu'ici...

– Le cavalier, c'était Abu al Silia, mon écuyer. Si grands que soient tes charmes, ma jolie, je me devais cette nuit-là à d'autres conquêtes. Mais celui qui t'a découverte dans ce verger, celui que tu as griffé, mordu, battu avec une prometteuse ardeur, ton ravisseur en un mot, et qui dépose ce soir ses hommages à tes pieds : c'était moi, oui.

Accompagnant ses mots d'un ample salut railleur, Aben Barrax une fois encore abandonne sa prise. Mais Isabel ne bouge plus. C'est à peine si elle esquisse le geste de serrer son poing contre sa gorge, à l'endroit où, il y a quelques heures encore, pendait le médaillon que Salma lui a confisqué.

Tout lui revient, soudain. Sa chair brusquement se souvient. Chaque son, chaque odeur, chaque inflexion de ce corps mâle alors pressé contre le sien lui reviennent en un éclair. La peau, l'haleine, la voix. Jusqu'au rire, ce même rire qui voilà un instant la paralysait de dégoût : elle reconnaît son rugissement victorieux.

Le silence, chape glacée, est tombé sur la chambre. Surpris par l'immobilité de sa proie, Aben Barrax lui lance un regard soupçonneux. Son rire s'est éteint. Pour mieux la contempler, il a reculé jusqu'au fond de l'alcôve. Et quand il porte à sa bouche la figue que sa main a prise au hasard sur la table basse, on croirait qu'il savoure un avant-goût de la chair tendre qu'à la lueur du candélabre il détaille à loisir. Sous le saroual translucide, ses yeux devenus rêveurs caressent la courbe des cuisses qu'ombre le contre-jour. Déjà, le creux de sa paume croit épouser la rondeur de la hanche dont l'innocente lui offre le spectacle. Déjà, ses doigts dans le vide se crispent autour de la taille étroite, et son visage en flammes cherche braise plus brûlante encore contre le ventre fleur. Plus haut, tendant sous leur poids l'étoffe soyeuse de la chemise, les seins de la jeune fille sont deux suaves grenades dont l'aguiche, en transparence, la pointe brunie au henné.

Comme sensible à la voracité de ce regard, la gorge vient de frémir, excitant chez Aben Barrax une soif de fruit mordu à pleine pulpe.

– Assez ri maintenant, grommelle du fond de l'alcôve la voix rauque de désir. Approche.

Isabel, dans un sursaut, reprend conscience de l'instant. Elle se voit, debout dans la lumière. Elle voit Aben Barrax, assis dans la pénombre. Entre eux, ce regard qui la profane. Et cette voix qui feule et la souille. Et son corps à elle, corps maudit puisque désirable, corps ennemi qu'elle voudrait briser, flageller, lapider jusqu'à ce qu'il n'en reste rien pour exciter la convoitise qu'elle lit dans la prunelle de l'homme. Hormis la fureur glacée qu'elle sent monter en elle, contre elle, Isabel ne ressent plus que froideur et vide. A croire que les yeux du maure l'ont dévorée vive.

Toute révolte l'a quittée. Avec elle tout instinct de survie. Ce n'est plus l'homme qu'elle hait : c'est elle, fille stupide prise dans les filets que tisse sa coupable apparence. Jamais comme en cet instant elle n'a compris les sermons de Doña Elvira pour qui toute chair était impure, et tout corps voie directe vers l'enfer.

Mais l'ennemi s'impatiente. Quittant d'un bond sa couche, il marche sur sa proie.

– Tu ne parles pas. Tu ne bouges pas. Ne serais-tu, finalement, qu'une de ces tristes pucelles tout juste bonnes à satisfaire le caravanier altéré au retour du désert ? Tu me déçois beaucoup : tu m'avais laissé espérer de plus vifs ébats.

La rage, avec le désir, pousse le maure vers la jeune fille immobile. D'une main, il attrape sa nuque. Vorace, sa bouche glisse à son cou et mord à pleines dents l'attache de l'épaule. Sur la chair dorée, une tache violacée aussitôt apparaît, qu'il contemple dans un grognement de plaisir.

La captive n'a pas tressailli.

Fouetté par son indifférence, Aben Barrax plaque Isabel à terre. Des lèvres et des dents, il fouaille la gorge qui brûle bientôt sous ses morsures. Ses mains avides écartent l'obstacle de la chemise. Éclair d'or dans la pénombre, la poitrine en jaillit, qui l'affole. Sur les fruits ronds que taquine la lueur du candélabre, la vue des tétons lui tire une plainte goulue. Haletant, il déchire le saroual dont les lambeaux épars signent la débâcle de la jeune fille, et plante entre les cuisses l'aigu de son genou.

Isabel, pour ne pas crier, s'est mordu les lèvres. Du sang mêlé de larmes lui coule dans la gorge. Le khôl à ses tempes dessine deux traînées noires. Sa tête lui fait mal, qui a cogné le sol. Et ses seins, et son ventre, que la bête écartèle. « Jamais, songe-t-elle, hébétée, jamais je ne me remettrai du cauchemar de cette nuit. Que ne suis-je morte avec son père le soir de l'incendie ! »... Ne pas penser, surtout. Ne pas ressentir. Essayer de s'abstraire, une fois encore, comme chaque fois que la souffrance menace de se muer en folie.

A travers ses larmes, Isabel a gardé les yeux grands ouverts. Loin au-delà de son bourreau, son regard se perd dans l'entrelacs géométrique du plafond en bois de cèdre. « On dirait des étoiles, observe-t-elle, absente. Des étoiles, des soleils, un monde derrière le monde, l'immensité d'un ciel où se réfugier loin des hommes... »

Comme s'il avait deviné que sa victime lui échappait, Aben Barrax redouble de fureur.

Est-ce de colère ou de désir ? Sa main vacille lorsqu'elle s'empare de la hanche rougie, déjà, au feu de sa violence. Est-ce de peur ou de plaisir ? Son souffle halète et se plaint, tandis qu'il se vautre sur le corps inerte de la jeune fille. Ses doigts ont beau fouailler les cuisses raidies, son ventre se presser contre la chair passive écrasée sous son poids : Aben Barrax gémit et gronde, Aben Barrax frappe et se tord, Aben Barrax est impuissant.

Surpris, mais point vaincu, le maître relève la tête. Des yeux, il cherche à dérober le regard de la chrétienne, espérant ranimer dans leur eau suppliante l'ardeur qui le fuit. Les prunelles océanes sont tendues vers le vide. Leur bleu de nuit a viré au gris. Nulle soumission dans ces yeux-là. Ni douleur, ni honte. Les prunelles d'Isabel sont aveugles. La captive a trouvé refuge dans l'absence. Une fois encore, elle échappe à son geôlier.

Dans les veines d'Aben Barrax, le vide coule en flux glacé. Du corps inanimé entre ses bras, le néant peu à peu le gagne. Son propre désir s'absente. Incrédule, il voudrait ranimer ses sens. Mais la bête, dans son ventre, gémit piteusement. Et se recroqueville. Sa virilité n'est plus que chair pitoyable qui aspire à l'oubli. La bouche amère, le buste roide, l'homme contemple sa défaite. Sur le corps devenu inviolable, Aben Barrax, vaincu, s'écroule.

VII

LORSQU'Abbas soulève la tapisserie, l'aube frileuse l'a précédé. Par les moucharabiehs, elle a glissé ses bleus. C'est à peine, tant elle l'effleure avec délicatesse, si elle tire un frisson à la forme prostrée qui gît sur le tapis. « A croire, songe l'eunuque, que l'aube est animée, et comme lui mortifiée par le spectacle de l'alcôve dévastée. »

Au pied du candélabre, hiératique arbre mort aux bourgeons calcinés, les lambeaux d'étoffes éparpillés entre les coussins témoignent de la colère du maître. Jusqu'à la table basse, renversée, dont les gobelets et les victuailles répandus prêtent à la scène un air de désastre. Dans un coin, silhouette recroquevillée que les voiles maladroitement rassemblés laissent à demi nue, la chrétienne s'est mise à geindre. Elle dort, pourtant. Jusque dans son sommeil, une face grimaçante la poursuit.

Sur la gorge, les épaules, le flanc de la captive, aux traces violacées l'eunuque peut tenir le compte des coups et des morsures. Ni les cernes bleutés, ni les joues noircies d'antimoine qu'il devine à travers les cheveux emmêlés, ne parviennent à défigurer l'adolescente. A peine s'ils l'habillent d'une ombre émouvante, et la font vulnérable. Plus désirable encore, songe l'émasculé. Seules ses lèvres fermées sur un rictus amer témoignent du cauchemar que furent ses dernières heures. De ses cuisses, que la jeune fille maintient fébrilement serrées, l'eunuque ne distingue pas grand-chose. Juste une estafilade, peut-être, et les marques de doigts en un sillon rougi. Mais de sang : point de trace.

Interloqué, le Taciturne s'est penché davantage. Le temps d'enregistrer au passage la finesse de la peau au ventre de la dormeuse, ses craintes sont confirmées : pas de sang, pas de dépucelage.

Abbas n'en revient pas.

La chrétienne aurait-elle déjà connu l'homme ? Il aurait juré qu'elle était pucelle. Sa grâce un peu raide, ses gaucheries de fille fleur, jusqu'aux brusques rougeurs qui la trahissaient quand les femmes échangeaient des propos salaces : tout l'avait convaincu de son ignorance des choses de l'amour. L'Incrédule se serait-elle jouée de lui ? Impossible, pourtant. Le tromper : passe encore. Mais tromper la gardienne des femmes : voilà qui est inconcevable. On n'échappe pas à Bassila. C'est elle qui chaque soir prépare à l'amour l'esclave choisie par le maître. Elle qui veille à la discipline, à la santé et la toilette, à la docilité des concubines, usant quand elle le juge bon des boissons enivrantes qui les rendront soumises. Elle, surtout, qui vérifie la virginité des filles et s'en porte garante. Comment cette Isabel aurait-elle pu déjouer sa vigilance ? Abbas ne comprend pas. Les preuves sont là pourtant. A moins que...

L'eunuque, troublé, récapitule les signes de la débâcle nocturne.

D'abord, comme le lui ont appris à l'instant les esclaves de chambre : l'inhabituel retour du maître en ses appartements à l'heure où la lune trônait encore à l'aplomb de la nuit. Ensuite : sa fureur, dont le jeune Abd al Kadir croisé à la fontaine porte sur la joue le souvenir cuisant. Jusqu'à ce corps martyrisé et cependant indemne... Tout prouve la déconvenue de cette nuit fatale.

Plongé dans ses pensées, le Taciturne a marché jusqu'aux jalousies. Autour du patio, les premiers mouvements s'éveillent d'une journée qui s'annonce difficile.

Lorsque, alerté par un froissement de tissus, il se retourne enfin, la chrétienne s'est relevée. Nuque tendue, bouche dédaigneuse, l'œil qu'elle darde sur lui a les éclats du défi. La gamine apeurée n'est plus, qu'hier au soir il conduisait au maître. Une femme lui fait face, métamorphosée. Celle dont la pudibonderie fait la risée du sérail arbore sa nudité comme un guerrier son armure. Sa gorge, qu'elle n'a pas daigné couvrir, lance l'éclat provocant d'une chair dorée. Ses jambes, que rien n'habille, s'exhibent avec une dignité tranquille. Nulle rougeur, sous les noires traînées, ne vient hâler ses joues. Nul trouble sous ses paupières. Le regard d'un bleu ombrageux qu'elle plonge dans l'œil du Taciturne se refuse à ciller. Même ses lèvres, dont le sommeil tout à l'heure révélait l'amertume, dessinent maintenant un sourire mordant qu'Abbas ne leur a jamais vu.

Ce n'est pas une fille déchue, c'est une souveraine auréolée d'or rouge que contemple l'eunuque. Il ne s'est pas trompé : l'adolescente, par quelque sortilège, a mis le maître à terre... Mais elle est inconsciente des représailles suspendues au-dessus de sa tête !

– J'aimerais quitter ce lieu, Abbas.

Isabel a rompu le silence la première.

– As-tu idée de l'endroit où tu dois me conduire ?

Les mots sont de soumission. Mais l'intonation narquoise dresse un bouclier autour de la captive.

– Ton maître ne t'a rien dit de ses intentions à mon égard ? insiste la voix hautaine.

Aucun doute n'est possible : l'adolescente sait la menace, mais son mépris est le plus fort. Abbas ne s'y trompe pas.

Et observe avec un commencement d'estime la presque enfant qui croit le défier. Loin de la briser, son martyre de la nuit semble l'avoir grandie. Maintenant, dignement, elle fait face au péril.

– Le maître ne m'a rien dit, Damoiselle, répond-il enfin.

En entendant le terme de respect, Isabel se détend.

– Tu devrais t'asseoir un instant, poursuit l'eunuque. Si tu veux bien m'attendre, je cours chercher de quoi te couvrir. Puis je te ramènerai à l'appartement de Fleur de Soleil.

A la douceur de la voix, Isabel comprend qu'elle vient de gagner un allié.

De sa ceinture, Abbas a tiré un large mouchoir qu'il tend à la jeune fille dont les yeux, malgré elle, se sont embués. Avec une gaucherie empreinte de pudeur, il se détourne alors. Et quitte la pièce.

Il était temps. Isabel n'aurait pu feindre plus longtemps. Ses jambes que l'orgueil soutenait se mettent à vaciller. Sa main, tremblante soudain, cherche à couvrir une nudité qui la brûle. Sur la couche intouchée, Isabel rendue à la solitude peut enfin se laisser aller aux sanglots.

*
* *

Réveillée par Abbas, Malika a bondi hors de sa chambre. Sur sa tunique de nuit, elle a jeté une mante et s'est lancée dans la fraîcheur du patio qu'elle traverse en hâte. Ses paupières sont lourdes du repos écourté. Sa chair à la tiédeur ensommeillée frissonne dans l'air du petit matin. Mais son esprit galope, anxieux, jusqu'à cette folle amie dont l'eunuque n'a rien su lui dire que d'incohérent. Elle en a déduit qu'il lui cachait quelque chose. Quelque chose de grave. La chrétienne serait-elle en danger ? Aurait-elle défié le maître au point de le porter à bout ? Celui-ci, sous l'effet de la colère, l'aurait-il par trop malmenée ?

Sans un regard pour la fontaine dont l'eau chante au soleil levant un hommage cristallin, la favorite file à pas pressés au-devant de l'adolescente.

Lorsque du fond d'un corridor apparaît une forme trapue qui trébuche et chancelle, elle a du mal à y reconnaître Abbas et Isabel. La lourde silhouette supportant la fragile, tous deux ne forment qu'une silhouette ivre. « Qu'est-il arrivé à l'adolescente, que l'eunuque doive la soutenir de la sorte ? » songe Malika en se précipitant.

– Isabel, c'est moi, souffle-t-elle en atteignant le couple.

Le regard blessé de la jeune fille lui tire un frisson de remords. Le sourire, aux lèvres tuméfiées, hésite entre ironie et souffrance :

– Tu avais raison Malika, tente de railler l'adolescente : je suis toujours de ce monde...

– Viens, habibti, s'empresse Fleur de Soleil, épouvantée par les ravages qu'elle lit sur le visage de son amie. Viens dans ma chambre. Nous allons te soigner. Tu parleras plus tard.

Soutenue par l'eunuque et la favorite, Isabel se laisse faire. Son corps, que l'adversité maintenait, laisse filer ses dernières forces entre les mains amies. Honteuse de s'abandonner, trop lasse pour résister, elle assiste en somnambule au ballet de formes agitées qui bientôt se déroule autour d'elle.

D'abord, comme tous trois pénétraient dans les appartements de Malika, celle-ci a dû affronter une silhouette hostile :

– Sors de là, Amina ! l'a entendue gronder la jeune fille. Plus un mot à ce sujet ou tu quittes mon service !

Surprise par une dureté dont elle ne soupçonnait pas son amie capable, l'adolescente n'a vu qu'une vieille femme, marmonnante et grinçante, qui s'éloignait à petits pas furieux. Que lui veut cette folle qui se retourne pour braquer sur elle les cinq doigts de sa main grande ouverte en un geste de protection contre les mauvais esprits ?

Nour et Salma ont surgi à leur tour, détournant le cours fragile de ses pensées. A leur approche, Isabel s'est raidie.

– Là, Isabel, là... Laisse-toi faire, l'apaise la voix de Malika. Salma et Nour sont nos amies : elles viennent pour te soigner.

Avec une délicatesse qui la fait douter des humiliants instants de la veille, les deux jeunes femmes en effet l'entourent de soins affectueux. Une fois encore, elles la déshabillent, la baignent, la sèchent et l'enrobent de tissus soyeux. Leurs gestes aujourd'hui sont suaves. Et semblable à des caresses le contact de leurs mains légères. Elles ne rient plus ni ne babillent, remarque la jeune fille. Leurs regards graves la pousseraient même à se moquer, si elle ne se sentait si douloureuse. Sur ses bleus, sur ses plaies, Nour étale des huiles qui nettoient, affirme-t-elle, et des baumes qui bientôt apaisent ses élancements. Sur son visage aux traits tirés, Salma dépose des onguents qui en répareront les outrages, assure-t-elle, comme si Isabel se souciait d'être belle !... Même Hajar, soudainement apparue, commence à s'activer sur elle avec une ardeur paisible, jusqu'à détendre sous ses massages son corps violemment contracté.

Entre leurs mains expertes, Isabel se sent retourner à l'enfance. On la cajole, on la dorlote : le plus noir du cauchemar s'embrume. Et lorsque son regard croise celui de Malika, une lueur de reconnaissance en traverse le bleu éteint.

Mais quand la favorite tente de l'interroger, d'un doigt posé sur sa bouche, Isabel la réduit au silence. Son visage brusquement fermé hurle une supplication muette. Ne pas la forcer à parler ! Ne pas l'obliger à revivre l'horreur d'une nuit répudiée de sa mémoire...

Le soleil peu à peu décline. Sur la couche de la favorite, Isabel depuis des heures repose. Ce soir comme au premier jour, Malika veille sur sa protégée. Tout doucement, de crainte de l'éveiller, elle a regagné son lit. Dans ses bras, l'adolescente endormie se réfugie aussitôt. Et c'est bouleversée par un fol élan de tendresse que Fleur de Soleil à son tour aborde au rivage des songes.

VIII

Comme chaque après-midi depuis le retour des beaux jours, les deux jeunes femmes se sont installées au jardin des roses, à l'abri d'une charmille où viennent s'égarer les papillons. Zaynab et Joumana les accompagnent : Isabel leur a promis une histoire. Une histoire vraie, a-t-elle assuré. Les deux fillettes ont du mal à cacher leur impatience.

Seule Malika a remarqué la nervosité de son amie. Elle en soupçonne la cause : demain, selon le calendrier chrétien, sera la date anniversaire de son arrivée parmi elles. Tant de lunes se sont écoulées, treize précisément, qu'on aurait pu croire apaisée la captive que personne, depuis les violences des premières semaines, n'est venu importuner.

A la surprise du harem survolté, au lendemain de cette nuit que les femmes désœuvrées brodaient de mille versions funestes, l'ire du maître avait tardé à se manifester. Un jour, une semaine, un mois... Les concubines s'étaient lassées d'attendre. Isabel s'était lassée de craindre. Et Bassila, furieuse d'être tenue en dehors d'un drame dont elle avait le soupçon, s'était résignée à voir impunie l'insolente chrétienne. Seuls Abbas et Malika savaient ce qu'il leur avait fallu déployer de conviction chez l'un, de séduction chez l'autre, pour amener le prince à leurs vues.

– Cette fille me fait horreur ! fulminait, les premiers jours, Siddi Aben Barrax.

Il rejoignait sans le savoir l'opinion de la vieille Amina.

– C'est une diablesse, une épouse du Malin dont le corps de glace est destiné à prendre dans ses rets l'âme fidèle des Croyants.

Ni l'eunuque ni la favorite n'avait relevé qu'à en juger par le souvenir cuisant qu'il en gardait, c'était moins l'âme que le corps du maître qui s'était trouvé figé dans la glace. Abbas, fin diplomate, avait seulement fait valoir la beauté prometteuse de la chrétienne et avancé, en sa qualité de grand officiant des plaisirs du prince, qu'il regretterait de voir gâché pareil joyau.

– Laissez-moi faire, avait-il suggéré, et je vous garantis que d'ici quelques mois, bien nourrie, bien dressée, la jouvencelle sera une perle que tout seigneur vous enviera. Pourquoi, dès lors, ne pas la céder à l'un d'eux ? Vendue à prix d'or ou offerte à quelque prince dont vous désirez les faveurs, avait-il ajouté : dans les deux cas, elle vous serait précieuse.

Comme le maître émettait des doutes sur les possibilités de dompter pareille forcenée, ç'avait été au tour de Fleur de Soleil de déployer ses arguments :

– Ce qu'on ne peut obtenir par la force se gagne par la douceur, murmurait-elle à son amant abandonné entre ses bras. Pense, Seigneur, à tes coursiers : la pouliche la plus rebelle ne fait-elle pas la fierté de tes écuries, une fois que ta main l'a amadouée ? Quand la badine est sans effet, l'art du cavalier ne consiste-t-il pas à manier la caresse ? Laisse-moi faire, mon prince. J'ai la confiance de cette enfant. Me crois-tu incapable de l'amener à la raison ?

– Certes, non, avait concédé Aben Barrax. Je te crois très puissante au contraire. N'es-tu pas, précisément, en train de m'amener où je ne voulais pas aller ?

De charmeuse guerre lasse, il s'était rendu. Pourvu que ne croisât pas son chemin celle qui était le souvenir vivant de sa défaillance : que lui importait après tout son sort ?

Pendant des semaines, on n'avait plus parlé de la jeune rétive. A peine si, de temps en temps, Siddi Aben Barrax demandait à Abbas comment elle se comportait, ou à Fleur de Soleil si elle ne s'était pas lassée, encore, de son jouet. Jusqu'au jour où, retour de la cité royale, il s'était soudain inquiété de la captive.

Comme l'eunuque lui vantait ses charmes grandissants, maintenant qu'elle n'était plus apeurée, comme la favorite évoquait sa grâce, son goût pour le luth et pour les contes qu'elle inventait à loisir pour elle-même et les petites princesses Joumana et Zaynab, le prince avait donné des ordres. Désormais, Isabel serait formée aux arts de la danse, de la musique, de la poésie, à celui de parler avec aisance comme d'écouter avec grâce : à l'art de plaire en un mot, et de conquérir les âmes les plus raffinées. Pour ce faire, il lui ferait envoyer des maîtres réputés.

Les deux complices, étonnés, avaient bien cherché à savoir à quelle âme raffinée était destinée leur protégée, mais Siddi Aben Barrax avait coupé court à leur curiosité d'un sourire entendu. Des maîtres de musique et de poésie avaient bientôt frappé aux portes du palais. La vie d'Isabel en avait été transformée.

Al Malek, trois fois par semaine, venait lui enseigner la musique. A cet homme sensible, elle s'était tout de suite accordée. Leur commune passion pour le chant les rapprochait déjà. Les délicatesses de l'artiste qui toujours semblait deviner les états d'âme de son élève, adaptant à sa joie ou sa peine la mélodie dont il lui proposait l'étude, les avaient rendus intimes sans qu'il leur fût besoin d'échanger la moindre confidence. Depuis que Zaynab et Joumana s'étaient jointes aux leçons, tous quatre formaient une équipe aussi joyeuse que studieuse.

Avec al Fargani, les débuts avaient été plus rudes. Poète bien en cour, philosophe à ses heures et très imbu de sa personne, il rechignait à enseigner à une femme, qui plus était une esclave, les arcanes de son art. D'autant que si ladite esclave étrangère maîtrisait la langue arabe, allant jusqu'à composer d'agréables couplets, elle ne savait pas l'écrire. Aussitôt, il avait exigé qu'un maître de calligraphie lui fût adjoint. Ce qui, loin d'effaroucher son élève, l'avait enthousiasmée. C'est alors qu'il avait commencé à la considérer. Une femme qui voulait apprendre ! Et qui y parvenait vite, ma foi : depuis la légendaire Wallada, princesse et poétesse de Cordoue la mauresque, voilà qui ne se voyait plus guère en al Andalus... Leur complicité datait de là.

Au fil des jours, gagnée par la même ardeur qui, à Martos, la poussait à s'enfermer dans la bibliothèque pour y dévorer les ouvrages que son père choisissait pour elle, Isabel avait presque oublié son état de captive. Sa vie s'était transformée ? La chrétienne se métamorphosait. Et Malika, maîtresse de danse à ses heures, veillait sur l'éclosion de son cher papillon.

« C'est qu'Isabel va sur ses seize ans, songe Fleur de Soleil, et n'a plus rien d'une enfant. A son âge, j'étais deux fois mère, déjà. »

Rêveuse, elle suit des yeux l'adolescente dont la chair pleine appelle la caresse que sa pensée ignore. Sous les voiles bleutés dont aime maintenant se vêtir Isabel, sa gorge épanouie provoque les regards sans qu'elle paraisse en rougir. Lorsqu'aux bains, auxquels elle prend désormais un voluptueux plaisir, elle se penche pour faire ruisseler l'eau fumante entre ses seins, Fleur de Soleil a remarqué sa taille étroite, prête à casser sous l'élancement du dos qu'elle a large et droit. Sa nuque translucide, fragile comme colonne d'albâtre, ploie alors sous le poids des longues tresses rousses que l'humidité alourdit. Et lorsqu'à l'heure des leçons que lui donne la favorite, au son du luth, de la flûte et du tambourin, elle s'abandonne à la danse, ses bras puissants qui ondoient dans un scintillement ambré paraissent modelés pour l'étreinte.

Tout, chez la chrétienne, respire le désir, un appétit de croquer la vie à pleines bouchées gourmandes. Même ses moments d'absence, lorsque, soudain pensive, elle se retire à l'ombre de rêveries secrètes, disent son caractère passionné. Son corps, son cœur, son âme, tissés d'ardeur et de volupté, semblent façonnés par le feu. Pourtant la jeune fille continue de s'enfuir, effarouchée, quand les femmes énervées par la chaleur échangent leurs recettes d'amour. De la nuit qui aurait dû l'initier, elle n'a jamais reparlé. Pour Fleur de Soleil qui voit dans ce silence la marque d'une terreur ineffaçable, c'est le seul sujet d'alarme.

Insolite au harem, le statut d'Isabel lui vaut la curiosité agacée des autres esclaves. Certes, le maître dédaigne ses appas, et plus d'une est soulagée de ne pas l'avoir pour rivale. Mais Siddi Aben Barrax ne s'en désintéresse pas pour autant. En l'autorisant à suivre les leçons d'al Malek le musicien et, fait plus rare encore, en faisant venir pour elle des maîtres de poésie, de philosophie et autres sciences obscures dont la saine prudence recommande pourtant de ne pas encombrer l'esprit des filles, le maître lui marque un intérêt inexplicable.

Entre elles, ses compagnes ont surnommé Isabel Alemaha, la Savante, expression ironique puisque appliquée à une femme. Mais peut-on la dire femme, murmurent-elles, cette fille étrange qui préfère l'étude aux soins de sa parure, cette sauvageonne dont la grâce animale excite les jalousies sans qu'elle paraisse s'en réjouir, cette insoumise enfin, dont les fréquents éclats de rire ne suffisent pas à faire oublier d'autres éclats : ceux de sa colère, par exemple, quand on a tardé à lui rendre la médaille impie qu'elle porte toujours au cou, ou de son dédain chaque fois qu'est évoqué devant elle le respect que toutes doivent au maître ?

De ce surnom qu'on lui donne, de ces surveillances intriguées auxquelles elle se sait soumise, de la distance qui spontanément s'est creusée entre les femmes et elle, Isabel ne paraît pas souffrir. Son esprit, son corps même, sont ailleurs, tout entiers consumés par la métamorphose qu'elle vit à son insu. Malika, durant des mois, s'en est réjouie. Mais, depuis quelques jours, l'humeur de l'adolescente s'est assombrie. Et Fleur de Soleil se surprend à craindre quelque nouvel éclat de son imprévisible protégée.

Pour l'heure, Malika la blonde et Isabel la rousse devisent. Sous la charmille qui les protège des assauts du soleil, elles ont retiré leur voile. Leurs cheveux dénoués brillent d'or et de feu dans les trouées de lumière. Elles offrent leur front pâle à la caresse de l'air. Complices, abandonnées, les deux jeunes femmes se tiennent par la main, et leurs regards sourient. A leurs pieds, miniatures attentives, Zaynab et Joumana reposent. L'une tend vers la jeune fille un visage recueilli, l'autre a posé sa tête sur ses genoux. Toutes deux attendent l'histoire promise. L'œil perdu dans la roseraie droit devant elle, Isabel s'est lancée. Ses lèvres ont égrené les premiers mots du conte et les trois autres écoutent. Même les oiseaux, bientôt ravis, suspendent leur vol au-dessus de la tonnelle.

– Dans l'austère demeure de pierre froide et grise, raconte Isabel, les murs se réchauffaient au contact de Doña Lucia. La jeune épousée était si joyeuse, et si énamouré de Don Sancho son époux, que le château jusque-là endormi se réveillait plein d'ardeur. Chaque jour était une fête où accouraient des alentours preux chevaliers et gentes dames. L'après-midi se déroulait en joutes sous l'œil grisé des femmes, ou en promenades insouciantes au parc du domaine. Le soir, on allumait de grands feux aux cheminées des salons. Et toute cette jeunesse se retrouvait dans ses plus beaux atours. Ici, les poètes chantaient à leurs belles odes et zéjeles composés en leur honneur. Ailleurs, autour de Don Sancho dont le savoir était fameux, on devisait en latin, évoquant l'astrolabe d'Azarquiel ou la carte du monde d'al Idrissi, qui en faisait rêver plus d'un comme elle me ferait rêver plus tard... Certains échangeaient des vers ou faisaient cercle autour de Doña Lucia qui racontait comme nul autre les fables de la Kalila wa Dimna, où les animaux tiennent la place des hommes et sont plus sages que bien des hommes, des femmes ou des petites filles.

– Nous sommes très sages, nous, Isabel ! proteste l'impétueuse Zaynab.

– Comme l'était Doña Lucia. De toutes ces nobles dames, elle était la plus douce, la plus généreuse, la plus belle aussi. C'est normal : elle était la plus aimée. Pas un jour ne passait sans que Don Sancho lui fît un présent. Pas une nuit sans qu'ils échangeassent mille preuves de tendresse. On eût dit que cet amour ne pouvait avoir de fin... Or, voilà qu'un bonheur plus grand encore fut annoncé aux jeunes époux. Bientôt, Doña Lucia serait mère. Don Sancho était fou de joie ! Déjà, il débattait du prénom à donner à son héritier...

– Évidemment, plaisante Malika, il était sûr d'avoir un fils.

La grimace au visage d'Isabel coupe court à sa moquerie. Happée par ses souvenirs, l'adolescente a fermé les yeux. Quand elle reprend la parole, sa voix s'est assombrie.

– Si grande était sa fierté que Don Sancho omit de rendre grâces à Dieu. Si folle était sa joie qu'il oublia qu'en cette vallée de larmes rien ne dure jamais, surtout pas le bonheur qu'à tort s'attribuent les hommes.

– Ce que le Miséricordieux a donné, Il peut le reprendre, murmure Fleur de Soleil.

– C'est précisément ce qui arriva... Par une soirée d'hiver, un bon mois avant la nuit sainte où nous, chrétiens, fêtons la naissance du Sauveur...

– Un sauveur ?

Joumana a redressé la tête, intriguée.

– Le Seigneur Jésus, oui. Celui que vous nommez Issa, fils de Meryem. Mais c'est un autre sujet. Je t'expliquerai plus tard, si Malika le permet... Donc ce soir-là, reprend la jeune fille, Doña Lucia sentit venir les premières douleurs. Aussitôt, elle appela auprès d'elle Fida, sa nourrice, et Artaja sa sœur de lait...

– Artaja ? Celle qui te racontait toutes ces histoires sur notre cité de Grenade ? interrompt Zaynab curieuse.

– La même, Zaynab, la même... La nuit dont je vous parle, donc, tandis que Fida préparait l'eau brûlante et le linge immaculé, Artaja rassurait Doña Lucia. Le petit se présentait mal. Doña Lucia gémissait. Bientôt, elle se mit à pleurer, à crier, à hurler. Bientôt encore, elle ne dit plus rien. La douleur l'épuisait. Fida avait demandé de l'aide. Don Sancho, derrière la porte, était tombé à genoux. Il priait, mais un peu tard, priait et suppliait le Ciel de lui garder sa Bien-Aimée...

Suspendues aux lèvres de leur aînée, les deux enfants retiennent leur souffle. Fleur de Soleil, elle, a compris. Et serre entre ses mains les doigts glacés de son amie.

– Le combat dura toute la nuit. Au matin, à la place du fils attendu, ce fut une fille qui parut, aussi rouge que sa mère était pâle et blanche. Quand l'enfant lança son premier cri, Doña Lucia, exsangue, avait rendu son dernier soupir... Ma mère est morte en me donnant la vie.

Un silence tremblé a envahi la rotonde. Instinctivement, Joumana s'est dressée, jetant ses bras autour du cou d'Isabel qui se laisse faire, absente. Zaynab, les yeux humides, se serre contre Malika dans un élan de tendresse jalouse.

C'est le moment que choisit une silhouette essoufflée pour jaillir au milieu d'elles :

– Zaynab, Joumana, vous voici enfin ! Voilà des heures que je vous cherche.

Assia, la nourrice des fillettes, est une paysanne replète auxquelles ses formes généreuses et ses joues rosies par la course donnent un air d'impétueuse innocence.

– Pardonnez-moi, Dame Malika, se reprend-elle. Mais ces enfants me rendent folle. Elles disparaissent sans prévenir. C'est que Setti Kerama les réclame.

– Tu as entendu, Joumana ? la coupe Fleur de Soleil. Ta mère te réclame. Et toi aussi, Zaynab... Allons, mes enfants chéries, insiste-t-elle comme les fillettes font mine de résister. Vous avez eu votre histoire. Elle était triste, c'est vrai. Mais il est bon parfois de méditer sur les voies du Compatissant, qu'il ne nous appartient pas de déchiffrer. Demain, un autre jour, Isabel vous en contera la suite. Elle sera forcément plus heureuse, puisque la voilà parmi nous.

Indifférente aux propos de son amie, Isabel se tient immobile. Son regard fixe sans les voir les trois silhouettes qui s'éloignent. Elle est très loin d'ici, à Martos, dans l'austère demeure retournée au froid et au silence. Don Sancho, fou de douleur, est devenu un gouverneur intraitable. A la cour de Justice comme sur les champs de bataille, il brûle son désespoir. Ses hommes l'admirent. Sa fille le craint. Maintes fois elle s'est fait rapporter ses actes de bravoure et ses justes sentences. Pendant des années, c'est tout ce qu'elle a su de lui. Artaja était toute sa famille. Lui, il était cette figure terrifiante qu'on n'évoquait qu'en chuchotant. Elle ne le voyait jamais.

– J'avais tué sa Bien-Aimée, songe-t-elle, inconsciente d'avoir parlé. J'ai longtemps cru qu'il me tenait en horreur.

Jusqu'à ce dimanche de mai... Il y a trois ans déjà, mais Isabel s'en souvient comme si c'était hier. Cet après-midi-là, un livre de poésie à la main, elle s'était installée dans le jardin, à l'ombre de son chêne favori. Elle demeurait assise à rêver sur son banc de pierre, quand au bout de l'allée Don Sancho était apparu... Depuis combien de temps ne s'était-elle trouvée seule face à lui ? Des mois, des années peut-être.

Il était trop tard pour s'enfuir : son père l'avait vue. Il marchait droit sur elle. Son pourpoint était cendre et sang. Une plume argentée se balançait à sa toque. De loin, il avait fière allure, tandis qu'il s'avançait vers sa fille clouée par la timidité.

Isabel croit sentir encore le sang qui battait à ses tempes et ses mains molles, soudain, qui avaient laissé échapper leur ouvrage. A mesure qu'approchait la silhouette crainte, Isabel discernait le détail de ses traits. Le visage était beau, quoique empreint de lassitude. Toute sévérité l'avait quitté, à croire que celle-ci n'était qu'un masque destiné à museler elle ne savait quelle faiblesse. La lèvre était mince et ferme. Moins tranchante cependant que dans sa mémoire. Les yeux surtout, les yeux braqués sur elle, lui étaient une surprise. De leur eau bleue, glaciale, elle gardait des souvenirs cuisants. Or cette eau, aujourd'hui, était nimbée d'or liquide. On l'eût dite embrasée par le soleil printanier. Dans les pupilles qu'ombrait une paupière tombante, elle croyait lire une attention bienveillante qu'elle ne leur avait jamais vue. Se trompait-elle ? Non : c'était bien de l'amour, une tendresse pudique, mais passionnée, qu'elle discernait tout à coup dans l'œil de Don Sancho.

– Moi, je ne faisais qu'attendre. Je m'étais levée, tendue comme corde qui va rompre. Mon livre était à mes pieds, je ne songeais pas à le ramasser. Mes bras paralysés tombaient le long de mon corps. Seuls mes yeux étaient vifs, qui galopaient vers lui et se jetaient dans ses bras.

Don Sancho l'avait rejointe. C'était un bel homme : il la dépassait de deux têtes. Son œil la surplombait et la fixait toujours. Comme Isabel, pétrifiée, n'esquissait pas un geste, un sourire avait attendri les traits paternels. C'était un sourire grave, d'une bonté profonde.

– Soudain, deux mains se portèrent à mon cou. D'une étrange pression, mon père levait vers lui mon visage. Mon menton reposait entre ses paumes offertes comme en un calice. Nos regards se parlaient. Nos lèvres étaient muettes.

Elle avait eu chaud. Puis froid. Elle rêvait de se jeter au cou de cet inconnu, son père. Trop d'années de silence les avaient séparés. Prise dans une gangue contre laquelle son amour était impuissant, Isabel se savait paralysée. Son souffle était suspendu. Sa gorge lui faisait mal, à force de retenir les mots de la tendresse.

– Enfin, il retira ses mains. Son œil brillait encore. Son sourire était triste. Il fit un pas en arrière. Moi, je ne bougeai pas.

Le père et la fille n'avaient pas échangé un mot.

Entre Isabel et Malika, le silence se prolonge. La favorite, attentive, respecte l'émoi de sa compagne. A ses joues rosies d'émotion, à son souffle précipité, elle mesure la violence du souvenir. Regard perdu au fond d'une allée, celle qui lui fait face ou celle d'où, jadis, avait surgi Don Sancho, l'adolescente laisse échapper une larme.

– Oh, Malika, si tu savais ! Si tu savais combien je m'en suis voulu ! Jour après jour, j'ai revécu cette scène. J'étais horrifiée par ma stupidité. J'avais reçu l'appel de ses yeux, j'avais perçu la souffrance de qui ne sait pas dire « je t'aime ». Et je n'avais pas su, je n'avais pas pu y répondre !

Ce même soir pourtant, Don Sancho l'invitait à partager le souper qu'habituellement il prenait seul dans la bibliothèque. Sur sa vie, sur ses lectures, il avait interrogé sa fille. Comme il la voyait éblouie par tant d'ouvrages, avide de savoirs dont son précepteur ne lui avait rien dit, il lui avait proposé un accord. « Libre accès pour toi à la bibliothèque. Mais à une condition : je choisirai pour toi les livres et, une fois la semaine, tu me rendras compte de tes lectures. »

– Libre accès à la bibliothèque. Et mon père tout à moi une fois par semaine. Imagine ma joie !

Durant deux ans, son père l'avait initiée aux mystères du monde. Les lettres, bien sûr, qu'elle aimait déjà, et la poésie, mais l'histoire aussi, qui l'enrichissait de la mémoire des hommes, et la géographie, qui étendait son imagination aux dimensions d'un monde illimité, et l'astronomie enfin, cette danse fantastique des astres sous la voûte infinie... Don Sancho, peu à peu, lui avait désigné les portes qui ouvrent aux cœurs attentifs les secrets de la nature. Il lui en avait fourni quelques clefs, lui indiquant qu'il y en avait bien d'autres, qu'elle aurait à trouver par elle-même. Chaque semaine, leur unique rencontre les faisait veiller jusque tard dans la nuit. Isabel se passionnait pour l'étude. Mais elle aimait par-dessus tout voir Don Sancho pris au feu de leurs échanges. Le savoir et l'amour, pour elle, ne faisaient qu'un.

Jamais plus son père ne l'avait regardée comme cet unique après-midi, au jardin. Jamais elle n'avait eu l'occasion de lui dire sa tendresse : toujours, la réserve de Don Sancho la tenait à distance, au seuil de l'impudeur. Mais elle avait pu, par la grâce de cette insatiable curiosité qu'ils avaient en commun, goûter à ses côtés des heures lumineuses... Cela avait duré deux ans. Deux années seulement.

Depuis un an, jour pour jour, Don Sancho n'est plus.

Autour des deux femmes, le jour a poursuivi sa course. Le soleil a depuis longtemps entamé sa descente, flirtant avec les ombres au pied des arbres en fleurs. L'air s'est tempéré d'ocre rose. La lumière, qui ondule et frissonne, a des reflets de miel sur lesquels s'attarde l'œil de Malika.

– Je sais, maintenant, pourquoi tu montres pareille ardeur aux leçons d'al Fargani, souffle Malika qui comprend du même coup l'humeur sombre de son amie.

Cet homme dont jamais jusqu'à ce jour elle n'a parlé, ce Don Sancho muré dans le deuil d'une jeunesse heureuse et qui, une fois, une seule, avait tendu la main vers la mendiante d'amour qu'était alors, qu'est toujours Isabel : c'est cet homme qu'elle pleure aujourd'hui.

– Nous ne perdons jamais ceux que nous aimons, murmure-t-elle à sa compagne. Au Paradis, ils nous attendent. Et sur cette terre d'où ils paraissent absents, au fond de notre cœur, si nous savons écouter, ils continuent de nous aimer.

– Tu es bonne, Malika, répond Isabel, rêveuse. Et je te demande pardon de t'avoir assombrie avec mes souvenirs. C'est que ce soir, tu vois, je ne sais pourquoi, ils sont revenus tous à la fois.

– Je sais pourquoi, moi, Isabel. Et je suis heureuse que tu aies bien voulu me les confier. Si tu veux...

– Je ne veux rien ! coupe l'adolescente qui a bondi sur ses pieds et pris sa compagne par la main. Assez pleuré sur mon compte. Si nous allions plutôt sur la terrasse. C'est l'heure, il me semble : vois comme le jour a baissé...

Habituée aux brusques changements d'humeur de sa protégée, Malika se laisse entraîner. Au fond, elle est soulagée : peut-être la crise est-elle déjà passée, dont elle suivait depuis quelques jours avec anxiété les prémices ?

Le ciel, à l'ouest, se nimbe de reflets rosés. Dans les allées que parcourent les deux amies, les ombres se sont allongées. Frénétiques, les oiseaux se rassemblent et s'égosillent au chevet du jour qui les quitte. L'air plus que jamais embaume la rose et le laurier. Les arbres doucement frémissent et murmurent sous la caresse d'un vent frais tombé de la sierra.

Avide de s'étourdir, Isabel feint de se perdre dans les dédales du palais où son amie tant de fois l'a entraînée. Ici, elles sont passées tout à l'heure. Elle reconnaît, à travers le moucharabieh, le patio enjasminé où glisse la silhouette pressée d'une esclave. Elles ont dépassé l'appartement des femmes dont les cancanements s'estompent dans son dos. Caché derrière une tenture, voici l'escalier que Fleur de Soleil lui révélait il y a bientôt un an. Happée par le gouffre noir, c'est à peine si elle devine la silhouette de sa compagne quelques mètres au-dessus d'elle. Le goulot est si étroit, dont chaque fois elle doit escalader à tâtons les hautes marches, que ses épaules de part et d'autre frôlent la pierre glacée. L'humidité, brusquement, la transperce.

– Heureusement que nous sommes bientôt arrivées, murmure-t-elle dans un frisson.

L'escalier grimpe toujours, lové autour de lui-même comme autour de quelque trésor. Pas un son ne l'atteint. On le croirait retiré du monde.

Enfin, les voilà qui débouchent sur une terrasse perchée. Quelques marches en plein air les mènent plus haut encore. Et lorsque, d'un élan qui est devenu rituel, les deux amies se retournent : c'est le ravissement.

Frappée de plein fouet par le soleil couchant, la cité royale s'embrase sous leurs yeux. De la terrasse où, réduites au silence, les jeunes femmes contemplent le paysage, on ne voit qu'elle. Elle : al Hambra, la Vermeille, la merveille, un incendie de rouges et d'ors qui lance comme autant de flammes ses tours dressées sur le bleu de la nuit.

A cette heure féerique où le jour défie les ténèbres, l'éclat du ciel rivalise avec l'eau du plus pur saphir. Sur l'obscurité translucide se découpent les murailles qu'on croirait flamboiement du rubis, du grenat, de la topaze, du diamant jaune : Isabel, une fois encore, en a le souffle coupé.

Lorsque Malika, un soir vers la même heure, l'avait menée ici pour la première fois, l'adolescente avait éclaté en sanglots. C'était quelques jours à peine après la nuit funeste. Elle se sentait fragile encore. Par tant de beauté, par cette preuve fugace que Dieu et les hommes conjuguaient leurs œuvres pour que fût bénie chaque nuit commençante, elle s'était laissée transporter.

Depuis, c'est leur secret à toutes deux. Un émerveillement rituel par lequel elles renouvellent leur alliance. Et cette alliance amoureuse, Isabel le devine confusément, englobe Grenade tout entière, jusqu'à cette cité royale qu'elle regrette de ne devoir approcher jamais.

Burgos, novembre 1502

Isabel avait compris qu'elle avait succombé aux charmes de sa nouvelle vie le jour où le hammam lui était apparu comme un lieu de délices. Ainsi du moins me l'avoua-t-elle, au terme de bien des confidences.

Elle rosissait ce matin-là, ma sœur Isabel. Elle quêtait dans mon regard l'autorisation de poursuivre – comme si ce qu'elle avait à me confier devait porter atteinte à ma pudeur de religieuse.

Je dois avouer qu'un instant j'ai craint d'avoir à m'en montrer choquée. Mais quoi ? Ne l'aimais-je pas assez, cette jeune sœur que le Ciel m'avait récemment donnée ? Ne la connaissais-je pas suffisamment pour savoir que de tout spectacle, comme de toute expérience, la pureté de son regard tirait cela seul qui enrichissait ? Aussi l'avais-je invitée à poursuivre.

Longtemps, commença-t-elle de m'expliquer, elle avait subi avec une indignation mêlée de honte l'épreuve des bains. La vue des corps féminins qui circulaient à demi nus dans les vapeurs étouffantes l'emplissait de dégoût. Comme la révoltait la barbarie des massages et l'humiliait l'épilation, surtout au moment où, son œuvre accomplie, l'esclave zélée scrutait jusqu'au plus doux renglement de sa chair la nudité de la captive, l'assurant qu'elle avait atteint le velouté du creux de l'aile de la colombe...

La langueur néanmoins, et le délassement, avaient fini par dissoudre ses raideurs, balayant du même coup ses réticences. Avec une curiosité teintée d'élans voluptueux, elle se laissait désormais captiver par le ballet fantomatique autour du bassin. Cris des enfants aux ventres rebondis qui se jetaient dans l'eau brûlante avec force éclats de rire ; claquement des sandales aux semelles de liège sur les dalles glissantes ; clapotement de l'eau dans les vasques et sur la peau luisante des houris ; écho assourdi des appels, des confidences, des murmures qui d'une alcôve à l'autre rebondissaient : ondoyante et quiète, la rumeur était propice à l'abandon. Comme l'étaient les silhouettes féminines qui, nues le plus souvent, parfois vêtues d'une chemise transparente ou d'une serviette blanche nouée à la taille, déambulaient avec lenteur, révélant à son œil rêveur la diversité des formes, des couleurs, des textures de ces chairs vaporeuses.

Jamais, dans son Martos natal, elle n'avait imaginé de corps autrement qu'engoncé dans des vêtements dont elle ne percevait même plus l'inconfort. Le hammam lui laissait voir des beautés dénudées qui l'emplissaient d'un respect vaguement mélancolique. Tantôt elle s'étonnait de l'extravagance d'un sein, rondeur mystérieuse qui, loin de la faire ployer, prêtait une noble assurance à la silhouette gracile qui l'arborait. Tantôt la fragilité d'une gorge mûre, entre volupté et résignation, éveillait en elle une tendresse triste. Comme l'émouvaient les cernes bistre au visage d'une concubine dont le ventre arrondi annonçait l'enfantement à venir. Il y avait les poitrines en bouton et celles, veinées de bleu, des mères allaitant, les générosités d'odalisques et les maigreurs de garçonnes, la sensuelle insolence des femmes épanouies et la grâce un peu gauche des filles à peine nubiles. Il y avait, dans les rais de lumière que filtraient les lucarnes multicolores, l'éclat nacré des chairs pâles, le velouté des peaux noires, les nuances infinies des bruns, depuis le pain d'épice jusqu'aux reflets ambrés, qui se fondaient dans le brouillard...

– Je vous parle des corps, ma mère, n'en soyez pas choquée. Les corps sont des visages qui ne savent mentir. Au fil des mois, j'ai plus appris d'eux que des mots et des livres. L'âme, savez-vous, est inscrite dans cette chair que tant de nous méprisent.

Ces corps, m'expliquait-elle encore, lui paraissaient si vulnérables, et si souverains à la fois, qu'Isabel se surprenait à s'interroger sur la nature de leur puissance. Revenant à ses propres bras façonnés par la danse, à la lourdeur de ses seins, à la douceur de sa peau entre les cuisses fuselées, à la soie de sa chevelure dénouée qui, jusqu'aux chevilles, l'enrobait de flammes, elle se découvrait vulnérable elle aussi, et forte, pleine de langueurs et d'appétits qui la faisaient rougir.

Quand pareilles émotions l'assaillaient, elle s'empressait de quitter le bord du bassin où l'avait prise sa coupable rêverie. Parfois, elle se laissait glisser dans l'eau fumante. Là, elle fermait les yeux. Elle savourait la brûlure de la vapeur à ses poumons et l'enlacement de l'eau purificatrice. Elle s'aspergeait le visage, souriait de la caresse des vaguelettes à ses épaules et à sa gorge. Elle n'était plus que sensation, délice du corps et de l'esprit. Parfois, elle préférait briser ce corps trop présent. Et s'en allait le soumettre à la rudesse des masseuses qui opéraient dans les alcôves voisines.

IX

Grenade, mai 1473

Aujourd'hui, allongée sur le dos, Isabel s'est abandonnée à l'art de Hajar. Entre les mains expertes, sa chair luisante d'huile parfumée a résisté d'abord, et l'a brûlée. Pétri, frappé, malaxé, son corps n'est plus qu'une pâte docile sous les doigts de l'esclave nubienne. Délicieuse sensation d'être une vague brassée par la marée. Languide, le nez chatouillé par les senteurs de romarin qui s'échappent de son traversin, la jeune fille laisse sa pensée voguer au gré de ses souvenirs...

Hier, pour quelques instants, la pièce du sérail qui leur sert de salle d'études a pris pour elle des allures de chambre des supplices. Al Malek venait d'écouter sans mot dire le chant que depuis cinq semaines elle travaillait sans le contenter.

– Retire-toi, Isabel, avait-il laissé tomber. Désormais, je ne veux plus d'autres élèves ici que Zaynab et Joumana.

Les deux petites avaient baissé la tête.

Ainsi, son chant une fois encore avait blessé l'oreille du musicien ! Elle était sûre de ne pouvoir faire mieux, pourtant. Tandis qu'hors de sa gorge bondissaient les vers d'Ibn Zamrak, elle avait senti fondre les contours de son corps. A l'unisson du luth, son être avait vibré, semblable à une septième corde pincée par quelque main céleste. Rarement elle s'était sentie aussi légère, aussi puissante qu'en ces instants, libre de parcourir les espaces infinis sur les ailes de la mélodie qui avait pris possession de son âme. Pendant de longues minutes, elle s'était laissé voguer sur les ondes magiciennes, portée par un souffle qui remontait, lui avait-il semblé, du centre de la terre. Le cœur irradié de lumière, la tête vide de toute pensée, elle avait épousé le ciel qu'elle apercevait au loin, par-delà les jalousies.

Quand le silence était retombé, la sensation d'être à nouveau prisonnière de son corps lui avait paru déchirante...

Et le maître était mécontent.

– Va, maintenant, avait-il insisté.

Mais ses yeux se plissaient d'un rire silencieux.

– Mon rôle s'achève ici, ma petite Isabel. Si fameux musicien que le Miséricordieux ait bien voulu me faire, je ne suis qu'un fils des hommes. Par ta voix, toi, tu réjouis les anges du ciel.

Soulagement, fierté, reconnaissance... La jeune fille en aurait pleuré.

– Prends garde, cependant, l'avait calmée al Malek. Que ce don ne soit pas pour toi occasion d'orgueil. Ce que le Très-Haut nous accorde, c'est pour tourner vers Lui notre cœur et celui de nos frères. Sois généreuse de ton chant, enfant. Par lui tu réjouiras les esprits assombris. Et si la détresse ronge un jour ton cœur – que Dieu éloigne de toi cette heure ! – tu découvriras qu'à toi-même ton chant peut être consolation.

Cher al Malek ! Comment avait-il deviné que le chant lui était tapis magique pour fuir sur les ailes du vent ses fréquents accès de mélancolie ?

Tandis que Hajar l'oblige à se retourner, attaquant maintenant la courbe nouée de ses épaules, l'esprit de la jeune fille repart vers d'autres lieux, d'autres voyages, d'autres extases.

C'était dans son ancienne vie, du temps où, disparue l'ardente enfant qu'elle avait été du vivant d'Artaja, Isabel n'était plus qu'une adolescente solitaire qui tentait d'accueillir d'une humeur égale les plaisirs et les déplaisirs. Du temps où elle se pliait aux sécheresses de Doña Elvira, attendait toute la semaine son unique rencontre avec Don Sancho, et enfouissait sa détresse dans les sombres recoins de son âme. Parfois, le soir, lorsqu'elle priait la Vierge, la seule mère qui lui restât, c'était avec la maigre espérance que son devenir de femme lui serait plus doux. Cet Alonso de Venegas que Don Sancho lui destinait était plutôt joli garçon. Son regard la faisait rosir quand, fièrement, sur son alezan, il marchait au pas près d'elle, sous la surveillance attentive de la duègne.

C'était, si sa mémoire est bonne, par un après-midi d'hiver, l'année qui avait précédé son enlèvement. Ce jour-là, elle s'était sentie communier avec l'univers.

Alonso de Venegas venait de se faire annoncer. En l'absence de Don Sancho, Isabel avait aussitôt proposé une promenade à cheval. Au grand dam de Doña Elvira, le jeune homme l'avait appuyée. Bientôt, tous trois chevauchaient au cœur d'un paysage féerique que la neige étreignait de silence. Sur les arbres revêtus de givre, sur la rondeur des talus, sur la pente adoucie des coteaux la nature figée étincelait. On eût dit que quelque miroir céleste s'était brisé, saupoudrant l'espace de ses myriades d'éclats scintillants. Le souffle et la transpiration des chevaux enveloppaient les cavaliers d'une chaleur vaporeuse. Étouffés par le tapis neigeux, les bruits semblaient ne les atteindre qu'au travers d'un songe.

Pour résister à l'envoûtement, Isabel avait lâché un cri. Son cheval avait bondi en avant. La cavalière aussitôt accompagnait le mouvement : grisés d'une même vigueur, l'adolescente et son coursier s'étaient lancés au galop dans la pente droit devant... Déjà, Don Alonso les rattrapait. Il galopait à leurs côtés. Les jeunes gens avaient éclaté de rire. Dans l'œil du jouvenceau brillait une lueur de défi.

Oublieuse des convenances, de Doña Elvira terrorisée, de tout ce qui n'était pas cette irrépressible soif de vitesse, de vent et de liberté, Isabel avait excité son destrier. De ses fesses, de ses reins, de tout son corps ferme et souple, l'amazone épousait sa monture. Elle précédait son mouvement, communiait avec sa fougue et s'enivrait de sa puissance. Don Alonso avait relevé le gant. Les joues en feu, les yeux brillants, il poussait son cheval à grands cris. Isabel avait senti un feu délicieux lui couler dans les veines. Un rire inextinguible s'était emparé d'elle, rire sauvage, rire de folle, auquel elle s'était abandonnée sans parvenir à démêler, des amples foulées de son destrier ou du garçon qui chevauchait tout près, ce qui embrasait son corps. Un instant, elle avait cru perdre conscience. Tout son être, en milliers d'éclats enflammés, fusionnait avec l'espace alentour. Elle n'était plus Doña Isabel de Solis, noble damoiselle accompagnée de son promis : elle était un après-midi d'hiver fait de muette blancheur, d'embruns glacés et de centaures emballés en une chevauchée fantastique...

Plus tard, retournée à sa chambre, elle s'était interrogée sur cet accès de passion où son confesseur eût sûrement dénoncé l'influence du Malin. Mais tandis qu'elle le vivait, et aujourd'hui qu'à demi endormie dans les langueurs du hammam elle le ressuscite : elle ne sait rien de plus désirable.

– Isabel, Isabel, réveille-toi !

Le rire de Salma tinte à ses oreilles. Une main fraîche la secoue jusqu'à la faire tomber du banc couvert de mosaïques où elle s'est assoupie.

– Viens vite, reprend la jeune esclave en tendant une serviette à son amie. Il n'y aura bientôt plus de place dans la salle de repos. Nour et Malika y sont déjà : Hayat a des nouvelles pour nous.

– Pour nous, vraiment, grommelle l'adolescente fâchée d'être arrachée au songe. N'est-ce pas plutôt un de ces secrets d'alcôve dont vous faites vos délices ? Le dernier caprice du sultan ou les malheurs de quelque concubine délaissée ?

– Non, je t'assure, cette nouvelle nous concerne toutes. Toi. Moi. Tous les habitants de Dar al Anouar.

D'une main autoritaire, Salma entraîne sa compagne. Dans le mince corridor qui longe l'étuve, la voûte étoilée de lucarnes répand son frémissement multicolore. Malgré les lourdes parois de brique, des exclamations leur parviennent. Quand les deux jeunes filles débouchent sur le patio couvert, une volière en pleine effervescence les accueille.

Autour de la fontaine qui égrène ses notes fraîches, les femmes de Dar al Anouar paraissent survoltées. Elles sont une trentaine à parler en même temps. Les unes sont assises sous les galeries où friandises, jus de fruits et eaux parfumées à la rose, à la menthe ou à la fleur d'oranger leur ont été servis. Les autres tournoient autour de Hayat la retardataire, celle par qui la nouvelle est entrée au hammam. Toutes babillent et s'interpellent avec le même entrain.

Jamais Isabel, qui a appris à savourer le calme du ravissant salon, ses murmures feutrés, ses rires étouffés, ses soupirs voluptueux bercés par le bruissement de l'eau, n'y a entendu semblable tumulte. Intriguée, elle rejoint Malika et Nour dans leur alcôve. Et Salma, enfin, daigne la mettre au courant :

– Le mois prochain, pour le Mahragan, Siddi Aben Barrax donne une fête.

– Ici même, à Dar al Anouar ! la coupe Nour, ravie.

– Devine qui est invité ?

– ...

– Toute la cour, ma chère, et nos meilleurs chefs de guerre. Rien de moins. Il y aura l'alcaide de Loja, Ali al Attar, le plus vaillant général du royaume...

– Lui, c'est un vieillard, interrompt Nour avec impatience. Il y aura surtout al Zagal, le Valeureux.

– Al Zagal ?

– Oui, le prince Muhammad Abu Abdallah, frère cadet du sultan, émir de Malaga, guerrier réputé auprès des hommes pour sa bravoure, auprès des femmes pour sa beauté, résume Fleur de Soleil dans un sourire.

– Et Salim Kumasa, et Ibn Kumasa son fils, qui lui a succédé dans la fonction de vizir...

– Et les frères Venegas, Redwan le guerrier et Abu al Qasim le ministre.

– Venegas ? sursaute Isabel. Mais c'est un nom de chez moi ! J'ai connu autrefois un jeune homme, Don Alonso de Venegas. Il venait parfois chez mon père...

– Sans doute sont-ils cousins, explique posément Malika, la seule à ne pas partager l'excitation générale. Il arrive que des chevaliers andalous un jour choisissent de prêter allégeance au roi de Grenade plutôt qu'à celui de Castille. Cela n'empêche pas leurs descendants d'entretenir les meilleures relations avec la plupart de leurs parents, de l'autre côté de la frontière. Ils sont nombreux, chez nous, les chrétiens d'al Andalus convertis à l'Islam. Te rappelles-tu ces cavaliers à tunique blanche et cape noire qui entouraient notre sultan – que le Tout-Puissant le bénisse – le jour de ta fugue ? Ils sont tous renégats d'origine chrétienne et forment pourtant sa garde personnelle : c'est dire s'ils sont des nôtres.

Troublée, Isabel ne commente pas. Ainsi, deux cousins de son promis ont quitté les rangs de Castille. Et ils ne sont pas les seuls : d'autres chrétiens comme elle se sont laissés captiver par Grenade. Sans y être contraints, ils se sont même convertis...

Un instant, dans sa mémoire, glisse au milieu des capes noires la silhouette fière d'un cavalier vêtu de pourpre et d'or.

– Le sultan..., murmure-t-elle.

– Viendra-t-il, à votre avis ? interroge Salma.

– Je crois que c'est l'enjeu même de cette fête, commente Malika. Vous n'êtes pas sans savoir les fréquentes absences de Siddi Aben Barrax, ces derniers mois : notre émir l'a retenu plus d'une fois auprès de lui. Si Abu al Hassan daigne nous rendre visite le soir du Mahragan, son amitié pour le maître sera établie à la face de tous.

– Mais s'il ne vient pas ? questionne Isabel.

– S'il ne venait pas, c'en serait fait de nos espérances. Mais il ne faut pas y songer : Siddi Aben Barrax ne prendrait pas le risque d'un camouflet. Il n'organiserait pas pareille soirée s'il n'était sûr de lui, conclut la favorite, confiante.

– De la haute politique, en somme, ironise la jeune fille... Ce sont affaires d'hommes.

– Mais enfin, Isabel : nous serons là nous aussi ! s'exclame Nour.

– A-t-on jamais vu une fête sans hétaïres ? complète Salma.

– Même ou surtout quand il s'agit de politique, les femmes sont indispensables, commente Fleur de Soleil. De cette réunion vous serez l'ornement, l'harmonie répandue sur les mésententes, le baume sur les jalousies et la souplesse sur les raideurs de l'orgueil. Il dépendra de vous toutes que cette soirée soit faste...

– De nous ? Pourquoi de nous ? Tu ne seras pas là ?

– Non, Isabel. Ni moi, ni Setti Kerama, l'épouse du maître, ni aucune des affranchies. Ne t'ai-je pas répété souvent que pour les femmes de Grenade la liberté était un esclavage voilé et l'esclavage une liberté autrement savoureuse : en voilà un exemple. Tandis que vous vous amuserez et vous mêlerez aux grands du royaume, nous, les femmes libres ou affranchies, ne participerons que des yeux, à l'abri des moucharabiehs...

– Et... moi ? risque la jeune fille.

– Tu es des nôtres, évidemment ! répondent ensemble Nour et Salma.

– Pourquoi crois-tu qu'Aben Barrax t'ait fait enseigner le chant et la danse, la poésie et l'art de discourir selon nos usages, si ce n'est pour que tu lui fasses honneur le jour venu ?

Dans la voix de son amie, Isabel a cru percevoir un trouble. Mais quand elle l'interroge du regard, Malika balaye ses questions d'un geste.

– Tu n'as nul souci à te faire, habibti. Tu chantes et danses comme nulle autre. Tu n'as jamais manqué de repartie, il me semble. Il te faudra simplement tempérer un peu tes humeurs. Montre-toi souple, rieuse, insouciante, telle que tu sais l'être aussi. Je suis sûre qu'il ne t'arrivera rien que de bon.

– Regarde-toi un peu, Isabel ! renchérit Salma. Tu ne veux pas t'en rendre compte, mais tu es le joyau de Dar al Anouar. Je doute que le maître veuille te cacher plus longtemps, surtout à de si nobles convives.

Furieuse, Isabel fusille la jeune fille du regard. Laquelle, sans se démonter, éclate d'un rire malicieux. Elle sait les pudeurs de son amie, et s'en amuse sans les comprendre. Pour elle, tout est tellement plus simple. Née femme en terre d'Islam, ne concevant d'autre bonheur que de plaire et d'enfanter, elle ne partage rien de cet étrange orgueil qui ronge sa compagne, ni de ses exigences mystérieuses, ni de ses brusques besoins de solitude...

X

C'EST aujourd'hui Mahragan. Pour fêter son jour le plus long, Grenade a soigné sa parure. Lavées à grande eau, ses ruelles se sont vêtues de roses, de jasmins, de lauriers en fleurs. A chacun de ses carrefours, musiciens et baladins font assaut d'art et d'adresse pour le grand plaisir des badauds prompts à s'émerveiller. Sur ses places à peine plus grandes qu'un voile de femme, on a dressé les bûchers qui perceront tout à l'heure de leurs centaines de feux de joie la première nuit de l'été.

Perchée sur sa terrasse favorite, refuge contre les criailleries du harem, Isabel observe le ruissellement de la foule le long des venelles. Des quatre coins de l'Albaicin, un petit peuple joyeux dévale la pente vers la médina et vers le fleuve où bat le cœur des réjouissances. D'en haut, la jeune fille en découvre les danses et les farandoles. Elle perçoit les notes endiablées de sitaras improvisés que rythment tambours de basque et tambourins. Elle s'amuse des facéties des noceurs qui lancent des guirlandes de fleurs au visage des belles dévoilées. Un instant, elle s'imagine les rejoindre, songeant à l'insouciant Fouad dont le visage dans sa mémoire s'estompe. Près de deux années ont passé : le reconnaîtrait-elle seulement ?

Des chants, des rires, des cris ravis grimpent dans le ciel clair. L'allégresse est contagieuse. Réconfortée par la bonne humeur qu'irradie la cité joueuse, la jeune fille est prête à replonger dans l'atmosphère survoltée du sérail.

Ces dernières semaines, l'effervescence y fut à son comble. Même les menaces du Taciturne ne suffisaient pas à calmer l'excitation des houris. Ç'avait été à qui obtiendrait des couturières les étoffes les plus chatoyantes pour son saroual, ses voiles et sa djubba de soie flottante, à qui exigerait les broderies les plus délicates, d'or et d'argent tressées, pour son col, ses manches et les coquets sarbils de cuir multicolore dont se chausser pour le grand soir. Certaines s'étaient exercées jour et nuit, jusqu'à en perdre la voix, aux moaxajas et aux zéjeles chantés des meilleurs poètes. D'autres s'étaient brisé le corps à force de répéter leurs danses. Même Isabel, réticente d'abord, s'était laissé gagner par la frénésie de ses compagnes.

Ce soir, tandis qu'elle jette un dernier regard aux rousses murailles de l'Alhambra, elle ignore si en elle l'emporte la révolte de paraître en esclave ou l'ivresse de se mesurer à si noble assemblée. Son chant saura-t-il distraire des princes qu'elle imagine lointains, orgueilleux, volontiers blasés ? Sa danse saura-t-elle les émouvoir, eux que les raffinements de la cour ne peuvent plus surprendre ? Il lui tarde, a-t-elle confié ce matin à Malika, de vérifier si les longues heures passées à s'anéantir pour faire un avec la musique ont porté leur fruit. Comme il lui tarde – quoi qu'elle ne l'ait point avoué – de revoir celui dont le nom est sur toutes les lèvres : le cavalier de pourpre et d'or dont l'altière solitude lui laisse un souvenir ambigu.

L'adolescente n'a pas eu le cœur de s'épancher des inquiétudes qui lui serrent le ventre. Comment son amie la comprendrait-elle ? N'a-t-elle pas l'art de se réjouir de tout ? De savourer les instants de bonheur sans songer à se lamenter quand ils s'achèvent. De pleurer sans honte ni révolte aux heures de déconvenue. D'accueillir, enfin, d'un même cœur tout événement comme un présent du Ciel... Depuis plus d'un an qu'elle la voit chaque jour à l'œuvre, Isabel a appris à respecter l'animale simplicité de Malika. Point de veille ni de lendemain, à en croire la favorite : rien qu'un éternel présent auquel se donner tout entière.

Un jour que la chrétienne s'indignait de ce fatalisme, Fleur de Soleil s'était expliquée :

– Connais-tu ces vers du poète cordouan :

Hier s'en est allé, et pour demain j'ignore
Si je le saisirai. Pourquoi m'en affliger ?...

Isabel ne connaissait pas.

– Ce poète avait raison, habibti. Pourquoi pleurer le passé, puisqu'il n'est pas ? Pourquoi s'inquiéter de l'avenir, puisqu'il est tout aussi illusoire ? Hormis cet instant présent qu'il plaît à Dieu de m'accorder, et par quoi Il se manifeste, je ne sais rien, moi qui ne suis pas savante. Mais cela, oui, je le sais. Comme je sais que je m'y dois toute, car chaque seconde qui naît et meurt est souffle du Créateur sur moi, sa créature.

La jeune fille avait compris que son amie lui donnait là une leçon d'abandon à la divine Providence. Depuis, souvent, elle avait tenté de l'imiter. Encombrée d'elle-même, lourde de peurs anciennes et de soifs informulées, chaque fois elle avait trébuché.

Ce soir plus que jamais, elle aspire à une légèreté dont ses violences la privent. Captive de soi-même bien plus que d'Aben Barrax, Isabel s'en veut de ses raideurs. Malika l'a devinée, qui en la quittant lui a glissé :

– Détends-toi, Isabel. Souris. Tu es belle au-dehors, et belle au-dedans. Fais-toi confiance, un peu ! Rentre ces griffes qui ne déchirent que toi. Tu verras que ta présence a le pouvoir de donner la joie aux autres autant qu'à toi-même.

A l'instant de gagner le patio où la fête a commencé sans elle, la jeune fille se rappelle les mots pleins de promesse. Lorsque, à peine atteint le long bassin autour duquel s'ébattent les convives, elle croise le regard d'un séduisant seigneur, c'est à Malika, plutôt qu'à lui, qu'elle adresse un sourire timide. Aussi est-elle surprise de le voir comme en réponse faire un pas vers elle.

Sous le taylasin d'un blanc immaculé, le visage tanné est celui d'un homme du grand air. A son œil qui ne cille pas, Isabel devine l'habitude du commandement. Au sourire de sa bouche gourmande, elle décèle l'appétit de vivre. A sa noble prestance, enfin, à la joyeuse assurance qui elle ne sait pourquoi lui rappelle le royal cavalier dont elle espère ce soir la venue, elle reconnaît un chevalier. Alors qu'il est près de la rejoindre, un mouvement des convives les sépare. Isabel en profite et s'esquive. L'insistance du mâle regard continue de lui brûler la nuque. Elle est troublée, ce soir, surprise et ravie de puiser dans un regard masculin l'assurance qui lui manque.

Comme aimantée par les pensées de son amie, Salma surgit à ses côtés.

– Toi alors, tu fais vite ! lance-t-elle avec une moue rieuse. A peine daignes-tu paraître que déjà tu arraches un regard à celui que toutes, ici, rêvent de conquérir. Comment fais-tu, dis-moi ?

– De quoi parles-tu ? rosit Isabel. Ou plutôt, de qui ?

– Ne fais pas l'innocente : je t'ai vue lui sourire à l'instant.

– Sourire à *qui* ? s'impatiente la jeune fille. Je suis étrangère et prisonnière ici, rappelle-toi. Comment veux-tu que je sache le nom de quiconque hors de cette maisonnée ?

– Doucement, amie, ne t'emballe pas ! J'oubliais que tu étais la seule femme de Grenade à ignorer l'existence du sejid Muhammad Abu Abdallah. Le preux, le noble, le valeureux al Zagal, frère de notre émir – que le Compatissant le bénisse –, champion de nos tournois, capitaine de nos troupes africaines et grand briseur du cœur de nos dames.

– Voilà pourquoi il lui ressemble, murmure, songeuse, Isabel.

– Tu ne trouves pas qu'il est mignon ?

– Voyons, Salma ! proteste la jeune fille que l'effronterie des femmes cloîtrées n'en finit pas d'étonner. Est-ce une manière de parler d'un prince ?

– Prince ou mendiant, n'est-ce pas un homme ? Le regard qui tout à l'heure t'a fait rougir était-il d'un pur esprit ? ajoute Salma, malicieuse.

Les joues de la chrétienne s'enflamment.

– Il n'y a aucun mal à ça, tu sais, insiste l'impertinente. Dieu n'a-t-Il pas créé l'homme pour l'amour ?

– Il m'avait semblé qu'Il l'avait créé pour la guerre plutôt, rétorque comme pour elle-même la fille de Don Sancho.

– La guerre est une invention des hommes, l'amour une invention de Dieu : ne t'enseigne-t-on pas cela dans tes précieuses tablettes ?

L'adolescente ne répond pas. Salma glisse d'autorité son bras sous le sien et l'entraîne le long du patio vers le grand salon où les hôtes de marque se tiendront tout à l'heure. Autour des deux jeunes femmes, les propos fleurissent, feutrés, portés par les langueurs du luth, l'accent aigrelet de la viole et le souffle grave de la viole de gambe. En passant, Salma désigne à sa compagne Ibrahim Ali al Attar, le gouverneur de Loja, Salim Kumasa et Yusuf Ibn Kumasa, l'ancien et le nouveau vizir. Un peu plus loin, elle signale à son attention deux orgueilleux seigneurs, les frères Venegas, Abu al Qasim et Redwan, qu'on dit hostiles aux Kumasa. Isabel tente de trouver à leurs visages mâles une ressemblance avec le Don Alonso d'une autre vie. En vain : hormis le teint hâlé du plus jeune, qui trahit le cavalier, rien de ces visages que la barbe mûrit ne lui rappelle son jeune promis.

A l'instant où les deux amies s'apprêtent à franchir le seuil du salon d'honneur, une vague de silence vient se briser à leur nuque, et les force à se retourner. A l'autre bout du patio, là où s'enchevêtre un bosquet de fines colonnades, une silhouette bronze et or se découpe dans l'espace que laissent les courtisans autour d'elle. Long, mince, les épaules larges, resplendissant dans son ample durra de soie moirée, celui que tous attendaient vient de faire son apparition : la jeune chrétienne, comme les autres captivée, assiste à l'entrée d'Abu al Hassan Ali, prince nasride, vingt et unième sultan de Grenade.

Flanqué d'un Aben Barrax rayonnant, le souverain traverse le patio. Isabel reconnaît sa façon de tenir haut sa tête coiffée du bonnet conique dont les pans retombent et s'enroulent élégamment à son cou. De loin, le regard du prince semble d'une eau si noire que quiconque voudrait s'y mesurer, imagine-t-elle, s'y noierait. La barbe, qu'il porte fine au menton et sur la lèvre, lui dessine une bouche charnue dont l'expression sévère fait oublier la sensualité.

« Il n'était pas si sombre l'autre jour, tandis qu'il caracolait sous les acclamations de son peuple, songe l'adolescente. Faut-il qu'il préfère ses sanglantes chevauchées aux heures paisibles de sa cour... »

Sur le passage du souverain, il n'est pas un convive qui ne s'incline. Certains se précipitent pour lui baiser le genou. D'autres saisissent sa main pour la porter à leurs lèvres. Si ces marques de respect impressionnent la jeune fille, c'est à peine si elles retiennent l'attention du sultan. A deux reprises seulement, l'émir s'est arrêté. La première fois, Isabel attentive a vu son visage se réchauffer d'un sourire tandis qu'il donnait l'accolade à Ali al Attar, son fidèle général. La seconde, elle avait à peine eu le temps de reconnaître le séduisant seigneur de tout à l'heure que, virile, fraternelle, une longue étreinte unissait les deux princes. L'espace de quelques secondes, le sultan s'abandonnait à la joie simple d'être un chevalier parmi les siens, heureux de serrer contre lui ses frères de sang et d'armes. L'instant d'après, il reprenait cette distance qui semble lui être une seconde nature et, toujours guidé par son amphitryon, continuait son chemin vers le salon d'honneur.

Depuis un moment, tapie derrière la tenture qui tombe en larges plis le long du chambranle, Salma tente d'attirer l'attention de son amie. Elle tire avec insistance un pan de sa djubba, mais toute à sa contemplation Isabel n'y prend pas garde. Un grand vide s'est creusé autour d'elle. Un grand silence aussi. Lorsqu'enfin elle s'en rend compte, elle est seule sur le large tapis qui marque le seuil de la salle d'honneur. La suite royale est à six pieds devant elle.

Effrayée, elle esquisse un mouvement de retraite. Trop tard : l'œil furieux d'Aben Barrax vient de la repérer. L'adolescente tente un pas en arrière. A peine a-t-elle ébauché son geste qu'Abu al Hassan l'aperçoit à son tour. Une ride de surprise parcourt son grand front. Plus sombre que jamais sous la paupière tombante, son regard hésite entre hauteur et courroux. Quelle est cette impudente qui ne s'écarte pas à l'approche du sultan ? semble-t-il demander.

L'émir a ralenti le pas. Sans un mot, il fixe l'esclave pétrifiée. D'un coup, Isabel a oublié les leçons de Malika. Sourire, fuite, révérence : que faire ? Elle n'a plus la tête à rien. Un regard de velours noir vient de la clouer sur place.

Comme sensibles à la panique qu'elles lisent au front juvénile, les prunelles de nuit sont traversées d'éclairs narquois. Elles caressent le beau visage crispé, effleurent la bouche ronde, s'attardent sur la pommette avant de plonger, nonchalantes, dans l'iris violacé que l'émotion dilate. Une lueur amusée peu à peu les réchauffe. C'est qu'elle est désarmante, cette créature aux abois dont la gorge palpite mais dont l'œil de tempête refuse de ciller. Elle réveille des souvenirs d'affût, de traque, de relance, quand l'attente se fait griserie, la reddition ivresse et l'ultime corps à corps fontaine des délices.

Clouée sous le regard qui posément la dénude, troublée par le sourire gourmand qu'elle voit s'épanouir aux lèvres jusque-là sévères, Isabel sent le feu lui monter aux joues. Dans un sursaut de révolte, elle s'arrache à la langueur qui l'assaille et s'abîme en une révérence tardive. Puis elle bondit en arrière et disparaît dans l'ombre protectrice de la tenture.

– Tu l'as échappé belle, souffle Salma à son oreille. Aurais-tu oublié que tu étais en face de notre sultan ? Ou bien, folle que tu es, cherches-tu à le provoquer ?

Mais Isabel n'entend plus rien que les battements de son cœur. Ses yeux dévisagent son amie sans la voir. Son teint pâle, et la grimace absente plaquée sur ses traits, disent assez son désarroi pour que Salma aussitôt s'apitoie.

– Ne t'inquiète pas, se méprend-elle : ton joli minois a désarmé le sejid Abu al Hassan. Quant au maître, tout à la fierté de recevoir notre souverain, il aura bientôt oublié ton impair.

Prudemment, comme on cherche à détourner de son chagrin une enfant capricieuse, la mauresque prend l'adolescente par la main et l'entraîne vers le coin du salon où les danseuses, regroupées, commentent à mi-voix la soirée.

– Avoir en si peu de temps retenu l'attention de nos deux émirs : voilà un exploit que t'envieraient bien des femmes, reprend l'intarissable Salma. Tu n'es pas si maladroite, finalement. Peut-être même qu'avec tes mines d'ingénue, de nous toutes tu es la plus habile.

En d'autres temps, l'impertinent babil lui mettrait les nerfs à vif. Ce soir, Isabel y trouve un apaisement.

– Où étiez-vous passées ? les interrompt Nour qui vient à elles, la mine inquiète. J'ai cru que vous n'arriveriez pas à temps. Vois, indique-t-elle à la chrétienne : déjà les princes ont pris place autour de notre émir. Je te rappelle que tu danses juste avant moi.

A l'autre bout de la pièce, dans la direction désignée par l'hétaïre, le sejid Abu al Hassan trône sur le sofa ouvragé que le maître a fait réaliser à son intention. Un sourire absent aux lèvres, le souverain paraît écouter sans entendre les conversations qui l'entourent. A sa gauche, parlant d'abondance, Siddi Aben Barrax tente de capter son attention. A sa droite, d'humeur badine, le bel émir de Malaga taquine l'esclave qui, fleur à l'oreille et carafe d'or fin à la main, leur sert d'échanson.

Ainsi placés côte à côte, l'un aussi sombre que sa durra de soie bronze, l'autre aussi brillant que le vert vif et le bleu qui à la manière castillane décorent par mi-partie sa djubba, les frères royaux forment un tableau saisissant, tout d'harmonie et de désaccord. Taille haute et mâle visage, tous deux sont de noble prestance. Quinze années au moins les séparent, mais ils ont pareille lèvre voluptueuse sous la droiture du nez fermement dessiné. Leurs regards du même brun sans fond expriment à part égale la force et l'autorité. Un sang jumeau coule dans leurs veines. Sang de guerriers. Sang de rois. Mais tandis que l'un, allègre, paraît croquer l'instant à pleines dents insouciantes, l'autre en prend la mesure avant de l'embrasser. A l'un la témérité, la fougue, le bon plaisir que réjouit chaque conquête de main joyeuse menée. A l'autre l'orgueil, la ferveur, la sombre passion qu'aucune victoire jamais n'apaise. L'un est gorgé de soleil, l'autre nimbé de nuit, songe Isabel. Et c'est sur le prince de nuit que ses regards s'attardent.

Tandis qu'elle rêvassait, la fête a pris son essor. En un ballet silencieux d'eunuques et de servantes, les plats raffinés circulent. Passent les chevreaux dans leurs bouquets de coriandre, les perdrix au miel, les alouettes relevées d'ail qui rivalisent de senteurs avec les lièvres nappés de safran, les esturgeons au fenouil, les mulets au cédrat confit. Passent aussi, pour délier les langues et rafraîchir les gorges, les sirops, le vin et l'hydromel dont les vapeurs suaves portent l'assemblée à la détente. Les voix grimpent, les poses s'alanguissent. Les yeux scintillent dans l'air chargé de parfums. Même le sultan, observe Isabel, commence à se détendre. Elle vient d'entendre son rire, un rire rauque, vite étouffé, sur lequel elle tente d'imaginer le timbre de la voix inconnue.

Le maître vient d'esquisser un geste en direction des musiciens. Ceux-ci aussitôt haussent la note. La jeune fille sent son cœur cogner à sa poitrine. Khadidja, heureusement, doit danser la première.

Elle a la peau sombre, les hanches fines, les bras nerveux. Avec sa silhouette longiligne et sa poitrine plate, son allure de jeune adolescent ne manque pas de grâce. Lorsqu'elle bondit face à l'alcôve où conversent les princes, les regards aussitôt se suspendent à ses gestes. Nonchalamment d'abord, au rythme de la plainte qui grince et murmure, la forme androgyne frémit, se courbe et se déploie dans le scintillement des voiles mordorés. Ses bras virent et se tordent autour de sa taille, sa tête ploie, son corps ondoie : on la croirait serpent fantastique dont la chair d'ébène s'enrichirait d'ailes moirées.

Tandis que la musique enfle et gronde, l'animal mythique s'éveille. Il s'ébroue, il se déroule, et ses ondulations vénéneuses hypnotisent l'assistance. Souveraine, la Soudanaise joue de cette fascination. Comme le tempo se libère, tour à tour languide et brûlant, brutal et insinuant, des mémoires de steppe l'embrasent. Elle vire, elle tourne, elle se consume. Elle est le feu dans l'herbe sèche, l'incendie et les bêtes qui fuient. Son corps luisant de sueur n'est bientôt qu'un brasier ardent dont les flammes noires se reflètent dans l'œil dilaté des convives.

A peine Khadidja s'est-elle consumée qu'une forme voluptueuse la remplace. La flûte s'éteint. Le chalumeau souffle à peine. Seul gémit, langoureux, l'agaçant appel de la viole. Machouka s'est mise en mouvement. Et Isabel s'efforce de ne pas voir dans ses lenteurs les épanchements d'une amante.

Car Machouka quand elle danse pétrit la chair même du désir. La gorge pleine, la hanche féconde, elle tangue des épaules et des reins. Avec une féline indolence, elle feint de s'abandonner, elle hésite, elle se reprend... pour mieux s'offrir tout entière. Ses yeux cernés par le khôl, ses fines mains serties de henné, jusqu'à ses pieds minuscules dans les sarbils de cuir ouvragé susurrent la fragilité de l'amour naissant. Ses épaules plantureuses, son sein qui frémit sous le voile, son ventre qui roule et se creuse affichent la toute-puissance de l'amour désirant. Le suave sourire enfin, à sa bouche, la clarté à son front lisse, l'arc tendre de ses bras ouverts prétendent à l'innocence de l'amour, toujours...

Comme chaque fois qu'elle contemple Machouka, Isabel croit entendre la voix de Fleur de Soleil qui chuchote :

– Tu ne sais rien de l'amour, petite fille. Tu ignores que l'union des cœurs est imparfaite sans la bienheureuse union des corps. Que la femme cueille dans les bras de l'homme des joies sans mesure...

Au lieu de l'importuner, ces paroles qu'elle jugeait obscènes la trouvent ce soir vulnérable. Tandis qu'elle guette son tour, elle se surprend à s'interroger sur ce mystère d'aimer qui n'est pas si odieux, peut-être. Pour la première fois, elle soupçonne une trouble noblesse à cette offrande femelle dont Machouka et Malika savent se faire les prêtresses. Elle se sent gauche soudain, et vaine, et incertaine... Est-ce ainsi que l'une après l'autre ont sombré dans la luxure les pauvres écervelées que le Ciel lui a données pour compagnes ?

– Ressaisis-toi, Isabel, ordonne la fière voix des Solis.

– Abandonne-toi, ma fille, souffle la tendre voix d'Artaja.

Son corps aura le dernier mot. Son corps qui frémit à l'appel du luth et vient de capter, tendu déjà par le désir, le cri du chanteur aveugle qui chaque fois l'arrache à la terre. Lorsqu'éclate la mélopée vibrante, la jeune fille sans plus songer à rien file sur les ailes du chant. Ses mains, dont elle offre les paumes au ciel, s'ouvrent loin devant elle. Elles oscillent, elles s'écartent, et embrassent l'univers. Ses hanches roulent sous la caresse du son. La voix grimpe le long de son dos, monte, grandit, prête sa fougue et sa douleur à la chair de l'adolescente. Ses épaules bientôt frissonnent et s'embrasent. Puis sa tête à son tour prend feu, brassée par les vagues lentes qu'illumine l'or en fusion de ses cheveux.

Le miracle une fois encore s'est produit : portée par le chant souffrant de l'homme au regard éteint, Isabel se fond dans le destin d'une autre. Pour un drame qui n'est pas le sien, elle sanglote et supplie. Elle pleure, gronde. Elle maudit. Elle déchire de ses ongles pâles l'odieuse face de l'absence. Son visage comme son corps mime les émotions à mesure que le chant les suscite. Tous deux s'offrent et s'extasient, appellent, attirent et puis repoussent...

La danseuse n'est plus Isabel de Solis, fille de Don Sancho Jimenez, captive de Siddi Aben Barrax forcée de distraire les assassins de son père. Pas plus qu'elle n'est la gamine incertaine qu'un regard narquois suffisait tout à l'heure à paralyser. Comme chaque fois qu'elle danse, comme chaque fois qu'elle chante, elle laisse là sa vie, illusoire mémoire d'une étroite existence. Elle devient autre. Elle devient toutes. Bien fol qui ne voit en elle qu'une esclave jolie offerte en spectacle. Elle est ici. Elle est ailleurs. Elle a quinze ans, mille ans, et ne mourra jamais...

Les deux princes ne s'y trompent pas. Ils ont interrompu leur échange pour mieux la suivre des yeux. Pour l'un elle est la délicieuse effrontée qui s'est enfuie tout à l'heure après lui avoir souri, pour l'autre l'effarouchée qui frémissait sous son regard. Sans s'être concertés, ils contemplent avec un même plaisir la jolie fille rousse aux manières insolites.

Captivés l'un et l'autre, les frères royaux échangent un regard. A leur côté, Aben Barrax retient son souffle. Sur le visage du souverain, il guette la trace d'une émotion qui justifierait ses plans.

Conscient peut-être d'être observé, Abu al Hassan a fixé sur sa face un sourire lointain. Seul son œil mobile sous l'ombre biaisée de la paupière vogue au gré des mouvements de la danseuse. Il boit la goutte de sueur qui brille à la gorge de la jeune fille, soupèse la fragilité d'une nuque que la chevelure dégage, effleure le velouté d'une chair au creux du bras dressé. Il ne s'était pas trompé : cette gazelle est de la race dont rêvent les meilleurs chasseurs. Rien n'est feint de ses langueurs ni de ses insoumissions. Sa fierté de solitaire, sa grâce fuyante de bête des bois, et cette candeur impudique qui s'offre comme un défi : tout chez cette fille d'or et de nuit appelle la caresse et l'outrage. Jusqu'à cette lueur qui folâtre dans sa pupille et qu'on voudrait voir se noyer dans les eaux de la volupté.

– Belle recrue, n'est-ce pas, Monseigneur ? intervient Aben Barrax comme s'il lisait dans les pensées du prince. Cette pucelle est une perle rare dont j'espère...

– Pucelle, dis-tu ? Veux-tu donc me faire accroire que tu es assez fou pour détenir cette perle rare et n'y avoir pas porté la main ?

– Peut-être a-t-elle paru si rare, précisément, à votre humble serviteur, qu'il ne s'est pas jugé digne d'en user.

– Ne te fais pas plus modeste que tu n'es, ni plus sensible à l'innocence. Un mensonge d'un de nos conseillers nous indisposerait, gronde le souverain en plongeant dans l'œil de son hôte l'acier trempé de son regard.

Mais Aben Barrax ne se laisse pas troubler. C'est à peine si sa paupière a frémi. Al Zagal, un instant détourné du spectacle, sourit de son habileté.

– Les joyaux les plus précieux de Grenade ne méritent-ils pas l'écrin sans pareil de notre royale Alhambra ? poursuit l'autre sans se démonter. Il est bien naturel, Sire, que j'y aie aussitôt songé. Ce serait pour moi un honneur si Son Altesse voulait bien accepter ce présent qui ne déparera pas, je l'espère, les beautés de son harem.

Ignorante de l'échange dont elle est l'objet, Isabel danse toujours. Son souffle est de plus en plus court. Ses joues de plus en plus cuivrées. Et dans ses yeux chavirés flottent les éclats d'une ferveur sauvage.

– Je te sais gré de ton sacrifice. Voilà qui ajoute à cette nuit de Mahragan un feu que, certes, je n'attendais pas. Mais avant d'accepter ton présent avec l'enthousiasme qu'il paraît mériter, je serais curieux de savoir si ta précieuse jouvencelle converse avec la même grâce qu'elle met à danser. Tu serais bien inspiré en l'invitant à nous rejoindre, que nous en jugions par nous-mêmes. Qu'en pense mon frère ? ajoute Abu al Hassan en se tournant vers al Zagal dont l'amuse la grimace narquoise.

– J'en pense que tes désirs sont des ordres, sourit l'émir de Malaga. Voilà même qu'on les devance : c'est là, si tu veux m'en croire, preuve que tu sais t'entourer de courtisans habiles. Bien que j'aie tout lieu ici d'être jaloux, je t'en félicite, mon cher frère... Faisons donc venir cette ravissante. Je suis comme toi curieux de la voir de plus près, et saurai faire bonne figure à ton heureuse fortune. Mais peut-être devrions-nous nous hâter, ajoute-t-il : il me semble que la donzelle prend la fuite !

Isabel en effet vient de se retirer. Au lieu de rejoindre ses compagnes, comme l'ont fait Khadidja et Machouka, elle a traversé le salon et, dédaigneuse des regards qui la dévorent, se presse vers le patio.

– Quelle mouche la pique ? s'exclame Abu al Hassan. Ses yeux sont d'une orgueilleuse, sa danse d'une sauvageonne, et maintenant voilà qu'elle s'esquive. Ta perle rare serait-elle indocile, mon cher hôte ? Es-tu sûr de vouloir nous en faire présent ? Après tout, observe-t-il, sarcastique, nous n'aimons guère qu'on nous résiste et ne sommes pas réputés pour notre patience.

– C'est une erreur, Sire, juste une erreur, bredouille Aben Barrax que sa belle assurance a quitté. Cette Isabel est captive de fraîche date, et chrétienne de surcroît. Elle ignore encore nos lois.

– Mais se plie volontiers aux siennes, insinue le prince cadet.

– Je la fais appeler tout de suite. Messeigneurs verront aussitôt...

– Trêve de mots, tranche le sultan. Nous attendons... Mais toi, mon frère, d'où te vient cet air entendu ?

Aux lèvres d'al Zagal flotte un sourire. Lui seul, pendant que les deux autres conversaient, a suivi des yeux la danseuse tandis que mouraient ensemble le son du luth et la voix frêle de l'aveugle.

C'était il y a un instant. Le corps de l'hétaïre, dans un long frisson, était retourné à l'immobilité. Comme égaré encore sur les rives de la danse, son esprit avait paru hésiter à regagner le cercle enflammé des yeux braqués sur sa personne. Le prince l'a vue jeter autour d'elle les regards étonnés de qui ne sait plus où il est. Comme, s'étant ressaisie, elle lançait un coup d'œil vers l'alcôve royale, al Zagal a cru voir pâlir son joli visage trempé de sueur. La seconde d'après, saisie d'une mystérieuse fureur, la jeune fille aux allures sauvages revêtait une invisible armure. Tête haute et regard fermé, il a eu le temps de l'observer tandis qu'elle tournait les talons et fendait la foule des convives. Quelque chose, il ne sait quoi, avait fouetté son humeur fière.

Burgos, novembre 1502

ELLE sanglotait du dedans, la pauvre enfant. Elle sanglotait et ne savait pourquoi.

D'autres, qui l'auraient aperçue quelques instants plus tôt, n'auraient vu d'elle que l'orgueil et la sûreté de soi. Mais moi qui l'ai connue, qui l'ai aimée ; moi qui peux me vanter d'avoir reçu plus tard ses confidences de femme : je sais qu'elle n'était alors qu'une enfant éperdue de détresse, au cœur de qui la rage et le doute livraient leur trop humaine guerre.

Elle avait couru tout au long du patio, bousculant au passage les convives étonnés. A mesure qu'elle laissait derrière elle le poids de cent regards, elle sentait fondre sa superbe et l'envahir les larmes. Et c'est juste à temps, comme l'abattait le premier sanglot, qu'elle avait pu quitter l'espace livré à tous et franchir la porte étroite qui menait au gynécée.

La fête au-dessous d'elle battait son plein. Elle en percevait les échos, comme d'une mascarade dont elle aurait fui les tromperies. En même temps, elle souffrait de s'en sentir exclue. « A qui la faute ? » songeait-elle, aux prises avec ses contradictions. Au cœur de la parade, quand tous les yeux fixés sur elle avaient crié l'admiration, la reconnaissance, et un autre sentiment qu'elle s'était refusé à déchiffrer, elle s'était sentie seule, soudain. Et nue. Et mutilée : l'homme au regard de nuit discourait avec l'abominable Aben Barrax. Il n'avait pas daigné la voir.

De cette indifférence ou de la honte d'avoir si mal placé son attente, elle ne savait plus ce qui provoquait sa fureur. Plus tard, bien plus tard, déliée depuis longtemps des heurs et malheurs qu'allait nouer pour elle cette nuit de la Saint-Jean, elle sourirait avec tendresse au rappel de son ignorance d'alors. A voir la rieuse nostalgie sur son beau visage d'amante, je comprendrais que pour rien au monde elle n'eût souhaité avoir été sage avant l'heure.

Pour ma sœur Isabel, il n'y avait pas à changer une seconde à la céleste orchestration du temps. Si elle jouissait de la douceur où baignaient nos échanges, elle avouait avoir joui tout autant des heures de passion aveugle. Toujours elle se refusa à renier le moindre de ses errements passés. Un confesseur sûrement l'en aurait blâmée. Je dois avouer qu'il me fut doux de n'être que sa confidente : ce n'était pas à moi d'en juger. Me l'eût-on demandé que, Dieu me pardonne... mon âme est femme, si ma conscience est religieuse : de tout, je l'aurais absoute. Pour moi, nulle n'aura été plus entière, plus pure, plus sauvagement fidèle qu'elle sut l'être en chaque circonstance de son étrange existence. Fidèle à la vie qui courait dans ses veines, au feu qui consumait son cœur, à l'espérance qui fortifiait son âme. Si parfois elle se révolta, cela ne dura jamais que le temps de reprendre son souffle, et d'accueillir chaque fois davantage la sinueuse destinée que lui proposait le Ciel.

Mais revenons à cette nuit d'été où, dans les feux d'un palais grenadin, se jouait le sort d'une orpheline qui vivait son premier chagrin de femme. Il avait fallu de longues minutes à l'eunuque chargé de la ramener pour deviner sa cachette...

XI

Grenade, juin 1473

– Te voilà donc, belle insolente, l'accueille une voix grave.

L'œil noirci encore par les orages, la nuque raidie avec outrance, Isabel esquisse la révérence enseignée par Malika.

– Il t'arrive sans doute de manquer au respect que tu dois à tes maîtres, poursuit la voix dont le timbre rauque et l'accent railleur lui font courir le long de l'échine un frisson d'agacement, mais tu danses à ravir, ma foi. Nous nous sommes laissé dire, le sejid Muhammad et moi-même, que ton chant était plus charmeur encore...

– Plaise à Messeigneurs d'indiquer la musique qui leur siérait, répond à contrecœur l'adolescente : je suis là pour les satisfaire.

Sa voix saupoudrée de givre tempère la soumission du propos. Mais au fond de ses iris enténébrés se risquent quelques paillettes d'or. Un instant, un bref instant, tandis que son regard accroche le regard du sultan, Isabel sent poindre le trouble de tout à l'heure. Une lueur amusée filtre sous les paupières tombantes, coulant en elle son onde impérieuse. Une vague moqueuse ourle les lèvres princières, qui la frappe au creux de la poitrine. Et quand un rire incrédule vibre à ses oreilles, elle doit rassembler autour d'elle les bribes de sa colère pour résister à l'envie de sourire.

– Qui es-tu, toi qui ne baisses jamais les yeux devant le sultan ?

– Pardonnez-la, Sire, intervient Siddi Aben Barrax. Isabel n'est...

– C'est à Isabel que nous parlons, le coupe Abu al Hassan. Alors, Damoiselle ?

– Vous savez l'essentiel, Monseigneur, répond l'hétaïre en inclinant le front avec une humilité feinte. Je ne suis qu'une esclave de votre hôte.

Le ton de sa voix est aussi tranchant que ses paroles semblent modestes. Le sejid al Zagal lui jette un regard intrigué. Aben Barrax a blêmi, mais n'ose plus intervenir. Le souverain, impénétrable, dévisage en silence la jeune fille qui a relevé le menton et rive à nouveau sur lui le bleu assombri de sa prunelle.

– Tu me parais bien rétive pour une esclave, laisse-t-il enfin tomber.

Sa voix de basse est restée neutre. Mais son visage a repris sa sévérité coutumière.

– N'importe, conclut-il après un silence que nul n'a osé interrompre. Il nous plaît de croiser parfois un regard fier. Surtout quand il nous vient de si attrayante personne. Nous diras-tu, au moins, d'où tu tiens cet air hautain et ce caractère volontiers insolent ?

– De mon père, sans doute.

– Mais encore ?

– Votre Honneur ignore tout de lui, hésite la jeune fille qui à évoquer Don Sancho sent refleurir son amertume.

Des mots en effet se précipitent à ses lèvres. Elle voudrait en atténuer la violence mais, balayant toute prudence, ils se déversent comme malgré elle.

– Aussi noble par le cœur et vaillant par l'épée qu'il ait

été, s'entend-elle poursuivre, mon père ne fut jamais qu'un parmi les centaines de chrétiens que vos hommes ont occis. C'était il y a bientôt deux ans, par une nuit d'algarade semblable à beaucoup d'autres, m'a-t-on assuré depuis.

Un silence de plomb est tombé sur l'alcôve. C'est à peine, tant l'atmosphère est lourde, si la musique paraît y pénétrer encore. Aben Barrax retient un soupir horrifié. Al Zagal paraît se divertir. Le sultan demeure étrangement calme. Dans les yeux qui, incorrigibles, continuent de le fixer, il lit la crainte, le défi et une peine si profonde qu'elle retient dans sa gorge la réplique acerbe.

– Son nom ? Me diras-tu son nom, ou est-ce trop demander ?

Mais Isabel a remonté trop loin, et avec trop de ferveur, le cours de ses souvenirs.

– Il avait l'œil bleu et, comme vous, la paupière tombante, remarque-t-elle, atone. Sa démarche était raide d'avoir guerroyé. Son front était las d'avoir lu tant de livres. Sa bouche était durcie par trop grande solitude...

Autour d'elle, l'ambiance menaçante vire à l'effarement. C'est qu'elle ose, l'impudente. Elle ose défier encore l'autorité souveraine. La patience de l'émir ne saurait durer.

– Tel était mon père, conclut la jeune fille, insensible à l'accueil : le plus noble des hommes. Le plus amer. Le plus seul, aussi... Vous me demandez son nom ?

A ses paupières perle une larme. Mais sa voix enfle et tremble tandis qu'elle redresse la taille :

– Il s'appelait Don Sancho. Don Sancho Jimenez de Solis. Il était gouverneur de Martos.

Un silence stupéfait accueille ses derniers mots. Sans en comprendre la cause, Isabel perçoit l'onde de respect autour d'elle. Mal à l'aise, Aben Barrax s'agite sur son siège. Les deux émirs au contraire paraissent se détendre. Jusqu'à ce que le souverain, radouci, laisse tomber aux pieds de la jeune fille un improbable hommage :

– Tu as raison, jeune fille : ton père était aussi noble par le cœur que vaillant par l'épée.

– Vous vous moquez, Seigneur, proteste Isabel. Il ne l'aurait pas toléré. Et je...

– Évite-toi une nouvelle insolence, coupe Abu al Hassan : nous avons vraiment connu Don Sancho. Parfois même il fut des nôtres. Non qu'il ait jamais trahi la cause des chevaliers de Calatrava, ne prends pas cette mine outragée. Mais du temps où régnait Aben Nassar Saad, mon père, j'ai vu plusieurs fois Don Sancho combattre en nos tournois. Il n'était pas rare, lors des trêves frontalières, que des chevaliers chrétiens vinssent à la Sabika se mesurer aux nôtres en des combats festifs qui duraient parfois des semaines. Don Sancho y vint lui aussi. Il était, je me rappelle, parmi les plus audacieux. Un cavalier hors pair et un batailleur acharné, tu peux m'en croire.

Ainsi, l'homme au regard de nuit a connu Don Sancho. Il l'a respecté. Il l'a aimé peut-être.

Comme s'il devinait ses pensées, Abu al Hassan reprend le fil des images anciennes.

– J'étais prince héritier, alors. En des circonstances que ma mémoire préférerait oublier, j'eus l'occasion de connaître mieux, et d'apprécier Don Sancho. Les chevaliers de Calatrava venaient, à notre grande douleur, de s'emparer d'Archidona. Mon père crut bon, alors, de proposer une trêve au roi de Castille, cet Henri IV que même chez vous on affuble du surnom d'Impotent. Pendant plusieurs belles journées du printemps 1464, les plus grands seigneurs d'al Andalus furent les hôtes de Grenade. Je sais bien des amitiés qui se nouèrent alors dans la fine fleur des chevaliers chrétiens et maures. Et j'ai souvenir de Don Sancho, si fier et si attentif néanmoins, dont la noble courtoisie et la conversation délicate surent mettre du baume au cœur de nombre d'entre nous, tandis que nous enterrions dans une triste fièvre les beaux jours d'Archidona la mauresque.

Isabel n'en revient pas. Elle a du mal à retenir la question qui lui brûle les lèvres.

– Étions-nous amis ? la devance le prince. Je ne le prétends pas. Comme tu l'as dit toi-même : partout où il allait Don Sancho était seul. Par destinée peut-être – on disait à l'époque qu'il avait eu l'heureuse fortune de connaître, mais pour la perdre aussitôt, l'âme jumelle que tout homme appelle de ses vœux et que le Très-Haut n'accorde qu'à ses favoris...

Un ange passe, qui a pour l'orpheline le visage mille fois réinventé de Doña Lucia, sa mère.

– Nous ne fûmes pas intimes, reprend Abu al Hassan. Mais nous avions l'un pour l'autre, je crois, l'estime que l'on ne peut avoir qu'entre semblables. Par le cœur, si ce n'est par le sang, ton père était un prince, jeune fille, sois-en assurée.

Tout en parlant, le sultan s'est levé. Prenant l'adolescente par le coude, il l'a entraînée hors de l'alcôve. Sur leur passage, les esclaves s'écartaient, les convives écarquillaient les yeux. Elle, elle ne voyait que lui. Lui qui après des mois de longue mort ressuscite Don Sancho, lui restituant un père inconnu, toujours admirable et plus que jamais aimé. Lui dont elle s'aperçoit qu'il l'a menée très à l'écart, en un patio paisible qu'il lui semble reconnaître. La musique n'y parvient qu'en un écho lointain qui se mêle, mélancolique, à la chanson modeste d'une ronde fontaine. Le sol y est de marbre. La fraîche galerie y est percée de taches sombres qui sont autant de tentures fermées sur des chambres où, ce soir, nul ne sommeille : le hasard les a menés au lieu même d'où, fraîchement recluse, elle avait cru s'élancer et s'enfuir. Au flamboiement des lustres a succédé la pâle lueur d'une lune qui, comme en cette nuit d'il y a bientôt deux ans, drape le long patio d'un voile de féerie. Dans le ciel étoilé, des traînées orangées signalent les feux de Mahragan si semblables à ceux de la Saint-Jean...

Dans la quiétude du lieu, le silence retombé prend les allures d'une présence aux aguets. A la jeune fille attentive, la silhouette du souverain paraît plus massive encore que tout à l'heure, lorsque dans les salons il dominait la foule. Dans le clair-obscur qui le nimbe, son visage paraît taillé à la serpe. Isabel en discerne les contours, les reliefs fièrement dessinés qu'un halo met en valeur. Tandis que demeurent dans l'ombre la joue creusée sous la barbe et les yeux à l'abri des noirs sourcils, les lueurs capricieuses modèlent le front haut, le nez droit, la bouche voluptueuse. N'était la braise du regard, on croirait un être végétal, mélange de force noueuse, d'entailles et de mousses sous la broussaille des boucles brunes : la rude écorce de quelque arbre séculaire auprès de qui chercher refuge.

– Te voilà bien silencieuse. En serait-ce fini de tes impertinences ?

Plus proche, plus rauque, la voix la fait sursauter. Deux doigts s'accrochent à son menton, la forçant à relever la tête.

– Tu es belle, Damoiselle, quand tu es en colère. Mais je te trouve plus belle encore lorsque je te vois radoucie.

Dans les yeux qui se rapprochent, la braise est devenue brasier. La bouche s'entrouvre sur un sourire carnassier. L'étreinte aussitôt la brûle de cette haleine étrangère qui la cerne et la laisse frissonnante. Isabel tente de fuir. Mais heurte du pied la fontaine et manque perdre l'équilibre. Un bras aussitôt la retient et, fermement, lui enserre la taille.

– Sais-tu seulement ce que tu fuis, jeune fille ? Est-ce moi ? Est-ce toi-même ? murmure la voix chaude aux accents railleurs.

Une langueur traîtresse l'envahit. Douceur. Vertige. Engourdissement malin qui lui coupe le souffle et l'oblige à entrouvrir les lèvres en quête d'un peu d'air. Mais ce sont d'autres lèvres que sa bouche rencontre. Des lèvres de soie, de soif, qui la chatouillent et l'enivrent. Des lèvres dont la caresse la somme d'oublier ce qui n'est pas l'étreinte. C'est suave, sauvage, bienfaisant. Ça inquiète, et ça émerveille. Pour la seconde fois cette nuit, l'adolescente soupçonne qu'elle a quinze ans, mille ans, et ne mourra jamais. Une voix fluette lui conseille la fuite. Une force plus puissante la pousse à s'abandonner. Tout son être gémit.

– Il ne faut pas, Monseigneur, parvient-elle à soupirer. Vous n'avez pas le droit...

– Le droit ?

Le sultan part d'un rire qui secoue la jeune fille arrimée à son flanc.

– Le droit ? répète-t-il dans un hoquet. Mais c'est le sultan qui le fait ! Ne sais-tu pas que le précieux Aben Barrax, que tu sembles estimer si fort, t'a offerte à moi tout à l'heure ? Tu es à moi, ma belle, toute à moi !

Mais son rire s'éteint bientôt. Isabel s'est raidie contre lui. Furieuse, elle s'arrache aux bras dont elle rêvait l'instant d'avant être la captive. Et crache son indignation à la face d'un Abu al Hassan médusé.

– Offerte ? Il a osé m'offrir ! Mais qui est-il pour me donner, pour me vendre, pour me troquer en échange de quelque vile charge que vous ne manquerez pas de lui accorder ?

Son mépris claque comme un fouet.

– Et qui êtes-vous, vous, reprend-elle, pour disposer de moi ? Roi de Grenade : la belle affaire ! Qui m'aurait imposé le respect si je ne vous voyais, sous vos beaux atours et vos douces paroles, plus barbare et trompeur que lui ! Vous me prendrez, bien sûr : comment y échapperai-je ?

Sa voix un instant se brise.

– Vous me prendrez par la force, puisque vous ne connaissez d'autre loi. Mais vous ne pourrez vous vanter de m'avoir séduite !

Hors d'elle, l'adolescente a bondi loin du cercle enchanté que délimitent les colonnades. Elle se précipite dans la galerie. Mais s'arrête aussitôt : l'émir de Malaga lui coupe la route.

– Que vois-je, ma mie : vous courez encore ? Est-ce une coutume, chez les chrétiennes, que de ne se résigner à ses noces qu'au terme d'un long épuisement ? Dieu soit loué, nos femmes sont plus généreuses.

Isabel a rougi sous l'indigne brocard. L'arrivée d'Abu al Hassan l'empêche de rétorquer.

– Sois le bienvenu, mon cher frère, lance le sultan d'un air dégagé. Tu nous tires d'un fort mauvais pas. L'inconsciente que tu vois là mérite une correction qu'il me coûterait d'ordonner. Je profite donc de ta présence pour faire taire mon juste courroux... Allons, jeune fille, remercie le prince, ajoute-t-il en se penchant sur l'hétaïre coincée entre les deux hommes.

Pour la troisième fois, leurs regards croisent le fer. Dans l'œil durci du prince, Isabel lit la menace.

– Notre hôte doit s'impatienter, reprend Abu al Hassan, glacial. Je ne lui dirai rien de ta brillante sortie. Mais ne te réjouis pas trop vite : entre nous, ce n'est que partie remise...

XII

– Tu es folle, Isabel, complètement folle ! Être choisie par le sultan : tout autre que toi s'en réjouirait. Et toi tu tempêtes comme une enfant gâtée.

– Pas choisie : offerte ! Comme une vile marchandise, comme une...

– Comme une esclave, oui. Comme nous toutes ou presque, ici. Et que croyais-tu donc ? Que tu allais poursuivre éternellement ton existence vaine dans le harem d'un homme que tu as toi-même repoussé ? Regarde autour de toi : qui, sorti de l'enfance, reçoit la vie sans donner à son tour ?... Je trouve, quant à moi, que la clémence de Siddi Aben Barrax fut grande. Et sa patience inespérée.

– Toi, tu l'aimes, c'est différent. Tu comprends tout. Tu pardonnes tout.

– Mais non, enfant : c'est à toi que je songe. Non pas à la petite fille que tu t'obstines à demeurer, mais à la femme qui ne demande qu'à naître. Regarde-toi, voyons ! Regarde cette gorge, ces hanches, ces bras, et cette chair vibrante d'une énergie que tu ne sais comment dépenser. Regarde aussi tes rêves, tes élans, tes impatiences. Ne vois-tu pas qu'ils sont d'une femme qui appelle l'amour ? Vierge effarouchée ? Pour l'instant peut-être. Mais vestale glacée ? A d'autres, ma mie : ça ne saurait durer...

– Arrête, Malika : tu sais que je n'aime pas ces propos !

– Pour une fois, je n'arrêterai pas. C'est pour ton bien que je parle. Cette vie qui court en toi, cette chair, cette passion : à quoi servent-elles si tu les gardes jalousement ? Le Tout-Puissant te les a confiées non pour ton seul usage, mais pour Sa plus Grande Gloire. Elles ne sont chez toi qu'en dépôt, attendant de fleurir ou de se flétrir selon que tu les fais fructifier ou les laisses en friche.

– La soumission est chez toi une seconde nature, Malika. Moi, j'ai besoin de garder espoir.

– Quel espoir ? Le sais-tu au moins ?

– L'espoir de modifier le sort, de maîtriser ma vie, d'être libre, enfin ! s'était exclamée l'adolescente à bout d'arguments.

– Qu'est-ce que la liberté, habibti ? avait posément rétorqué Malika... Tu pourras te dire libre, en vérité, non quand tu agiras à ta guise, mais lorsque, spontanément, chacun de tes actes servira la Volonté divine. Car c'est dans ce service, dans cet abandon-là, petite, qu'est la seule liberté. Et tu t'égares, pauvre incrédule, lorsque tu crois combattre au nom de ta volonté personnelle.

– N'insiste pas, Malika : nous ne nous entendrons jamais. Pour moi, c'est l'emprisonnement qui est souffrance. Et je ne sais plus grande épreuve que d'avoir à me soumettre, bientôt, à ce que la morale et mon cœur réprouvent.

– Ton cœur, dis-tu ? En es-tu sûre ?

Prise de court, Isabel hésite. Le temps pour Malika de lancer sa dernière flèche.

– Je t'ai bien écoutée tout à l'heure. Et je crois te connaître assez pour ne pas me tromper. Mais peut-être est-ce toi qui ne te connais pas... Je gage par exemple que cette haine, que tu crois vouer à notre sultan, n'est pas loin de ce que l'on a coutume d'appeler attrait.

– Attirée par ce goujat, ce menteur ? Tu es folle ! Si tu avais vu son regard ! Et ses mains qui me brutalisaient, et son rire qui m'insultait...

– Et le feu qui brûlait tes joues, la coupe Fleur de Soleil en riant, et le cœur qui te battait dans la poitrine, et ta chair, si près de fondre, qui se hérissait de panique... J'ai connu ça, moi aussi. Et je ne vois là rien qu'un très prometteur émoi.

Chère Malika... Cette scène impudique c'était hier, ou presque. C'était, surtout, dans une autre vie. Après quelques minutes de bouderie, Isabel avait pardonné – il leur restait si peu de temps à passer ensemble ! C'était au lendemain de cette fatale soirée. Tout le jour, elles avaient arpenté les cours et les jardins, s'attardant sur leurs refuges favoris. Avant que ne les rejoignent Zaynab et Joumana, puis Nour et Salma les fidèles, elles avaient gagné une dernière fois la terrasse bien-aimée.

– Tu vois, avait murmuré Malika : cette terrasse sera toujours nôtre. Quand tu me manqueras trop, quand j'aurai besoin d'évoquer ta présence, il me suffira de grimper jusqu'ici. Alors, en contemplant le Palais Rouge où tu vas vivre, j'entendrai l'écho de ton rire. Ce sera comme si tu étais là.

La main dans la main de son amie, Isabel n'avait rien dit. Sa gorge était serrée. Une larme se perdait à sa joue. C'est tellement mystérieux, le désert des Adieux...

Le soir même, soigneusement voilée, l'adolescente partait pour l'Alhambra. Elle avait obtenu d'Abbas l'autorisation d'aller à pied. Ils avaient marché en silence. L'eunuque l'entourait de son affection bourrue, mais rien n'apaisait l'appréhension d'Isabel. Même les rues de Grenade lui paraissaient changées. La nuit était tombée.

Plus d'échoppes odorantes, plus de foule en goguette. Rien que des silhouettes pressées de s'en retourner chez elles. Bien sûr, à l'instant de franchir le pont du Qadi, et comme elle levait les yeux vers la masse auguste de la cité royale, un frisson d'excitation l'avait revigorée. Mais son cœur était si serré, et si faible son souffle, que par trois fois sur le chemin il lui avait fallu s'arrêter : la rude pente qui faisait de l'Alhambra une forteresse imprenable était sa montée du calvaire.

De la ville haute, elle n'avait rien vu. Après une impressionnante porte à trois ou quatre chicanes, gardée par la soldatesque, le palais royal était à deux pas.

Abbas n'y avait pas pénétré.

Sur le seuil d'où les guettait le regard impatient d'une grande femme sèche, l'eunuque et la captive s'étaient séparés. Une boule dans la gorge, Isabel s'était jetée au cou du Taciturne. Abbas avait accueilli en rougissant ce dernier baiser, qui était aussi le premier. Sans plus cacher son émotion, d'une main sur la tête de l'adolescente, il lui avait donné sa bénédiction, comme à l'enfant qu'il n'aurait jamais et qu'il remettait cette nuit à son destin.

La femme maigre n'avait pas desserré les dents. La porte du palais se refermait dans leur dos. Saisissant le poignet d'Isabel, la matrone l'avait conduite à travers des corridors semblables à ceux de Dar al Anouar, jusqu'à un étage où pépiaient une soixantaine de femmes et d'enfants qui s'étaient tus à leur arrivée.

– Je vous présente Isabel, avait laissé tomber la vieille, laconique. Elle est chrétienne et nous arrive précédée d'une réputation de forte tête. Elle partagera la chambre d'Ansam... Ansam, je te la confie. Veille à ce qu'elle ne manque de rien. Veille aussi à ce qu'elle apprenne au plus vite les règles de notre vie commune : je ne tolérerai aucune incartade. S'il devait y en avoir, je t'en tiendrais pour responsable.

De bonne grâce, une jeune femme s'était approchée. A

l'adolescente glacée elle avait paru douce, légère comme un zéphyr – qui lui valait sans doute ce nom d'Ansam qu'elle empruntait à la brise. Gentiment, la fille brune avait pris Isabel par la main et, la soustrayant à la curiosité des autres concubines, l'avait entraînée un étage plus haut, jusqu'à une étroite alcôve aux extrémités desquelles deux amoncellements de coussins signalaient les couches.

Placer dans l'un des coffres les maigres effets qu'elle avait emportés n'avait pris qu'une minute à Isabel. C'est à peine si elle avait eu la curiosité de se pencher à l'unique fenêtre : au-delà d'une forme imposante où l'on devinait le coin d'un bâtiment, seule la nuit s'offrait à son regard. Elle avait cru distinguer des formes pâles, en contrebas, qui semblaient des tombes, mais n'avait pas eu la force d'interroger sa compagne. Épuisée par les émotions du jour, elle s'était glissée entre les draps de toile fine qu'Ansam avait sortis pour elle. La discrète hétaïre s'était éclipsée. Isabel était seule, enfin. D'une solitude qui, ce soir, la terrorisait.

D'instinct, elle avait porté la main à sa gorge, comme chaque fois qu'auprès de la Madone elle quêtait un réconfort... Sa main avait rencontré le vide.

Inquiète soudain, bientôt fébrile, elle avait tâtonné. Elle s'était relevée, avait secoué ses voiles, dénoué sa chevelure. Elle palpait sa chemise, glissait ses doigts à sa poitrine, à son ventre, à sa ceinture. En vain : la médaille, si elle s'était décrochée, était loin désormais.

Stupéfiée, la jeune fille avait hésité avant d'admettre l'inadmissible. C'était trop de chagrin, soudain. Trop en un jour, trop en une vie... Isabel cette fois éclatait en sanglots. Des sanglots lourds, depuis trois jours retenus. De gros sanglots d'enfant qu'elle étouffait, de crainte d'alerter la gardienne des femmes. Des pleurs qui la lavaient, la purifiaient, la berçaient. Des larmes qui vidaient sa mémoire et apaisaient son corps. Et au milieu desquelles le sommeil la saisit.

Au matin, il avait fallu l'insistance de l'hétaïre au nom de vent ailé pour la tirer du sommeil sans rêves où son être se tenait terré. Un jour timide, par l'ouverture au-dessus d'elle, répandait ses promesses bleutées. Hirondelles et passereaux, tourterelles et rossignols lançaient à la journée naissante leurs trilles et leurs roucoulements. Elle se réveillait la gorge nouée. Avec au ventre une torpeur misérable qui la laissait hébétée.

Ansam était une compagne alerte. En un clin d'œil, elle avait présenté à Isabel les aiguières d'eau fraîche. Lui tendant une djubba au hasard, elle lui avait conseillé de faire vite : en bas, toutes partageaient déjà le repas du matin. Le temps d'une ample toilette viendrait plus tard. Qu'avait-on d'autre à faire, d'ailleurs, tout au long du jour, que se parer pour son plaisir et l'agacement de ses compagnes, babiller, chanter languissamment et suçoter de ces sorbets de la sierra dont toutes en cette saison raffolaient ?

En une matinée, Isabel avait fait le tour du maigre territoire qu'elle aurait à partager avec la soixantaine de femmes, de fillettes et de garçonnets dont c'était la demeure. L'œil morne, elle avait découvert que la longue galerie entr'aperçue la veille était un balcon garni de moucharabiehs, d'où l'on pouvait observer l'une des cours du palais royal. Au centre du patio, une vasque gazouillante portée par douze lions de marbre blanc répandait jusqu'au gynécée la fraîcheur de ses eaux cristallines. Des jasmins, des orangers coupés court, des lauriers flamboyants entremêlaient leurs fragrances. En face, sous les colonnades, par une arche imposante qui projetait son ombre sur la cour fleurie s'ouvraient des appartements qu'on devinait princiers : ceux, lui avait-on expliqué, de la sejidah Aïcha, sultane si austère qu'on l'appelait al Hurra, la Prude. La jeune captive avait noté tout cela avec indifférence. Seule la grâce éthérée de deux délicats pavillons postés de part et d'autre du patio avait retenu son attention. Irrigués chacun par un bassin de marbre, semblables à deux bosquets de palmiers auxquels les blanches colonnes prêtaient une apparence de jeunes troncs graciles, ils rivalisaient d'élégance, de finesse, et d'une émouvante fragilité.

Il fallait, pour s'épandre en ces lieux de fraîcheur et de raffinement, avoir été appelée par le sultan soi-même, qui choisissait selon son caprice la compagnie digne de le divertir. En attendant le déménagement annuel pour les palais d'été, lui avait expliqué Ansam, la vie quotidienne des femmes se déroulait ici, entre les grilles de la galerie et les salles de séjour avoisinantes : une enfilade d'alcôves et de patios à ciel ouvert cernés de murs aveugles contre lesquels se brisait tout espoir d'escapade. Une nouvelle cage se refermait sur Isabel. Une cage où la rivalité, la méfiance et l'isolement semblaient bien plus violents qu'à Dar al Anouar.

Un jour entier s'était écoulé. Puis un deuxième. Puis un autre encore. Fleur de Soleil avait fait porter à son amie des vêtements en grand nombre. A celles de l'adolescente, elle avait joint ses propres parures : voiles les plus fins, sarouals exquis, sarbils délicats. Elle avait même ajouté, soigneusement enrobés dans des tissus de lin, les saphirs portés par la jeune fille au soir de Mahragan et dont Ansam, émerveillée, s'était aussitôt saisie avec un roucoulement d'envie.

Toute au rappel de souvenirs trop proches, la jeune captive l'avait laissée faire. Sa main serrait, distraite, un bout de chiffon noué. Elle jouait avec le tissu, le lâchait, le reprenait... C'est à l'appel de la gardienne des femmes, comme elle allait tout jeter dans les coffres, qu'Isabel avait contemplé, interdite, la boule de chiffon entre ses doigts nerveux. Pourquoi Malika lui envoyait-elle cette cotonnade usée ? Et pourquoi l'avoir nouée avec tant de force ?

Intriguée d'abord, bientôt nerveuse, Isabel s'était acharnée sur l'humble étoffe dont les nœuds tardaient à se défaire. Le cœur lui battait maintenant. Elle en oubliait

Tarouq, la gardienne du harem. Une idée venait de la traverser : « Et si... »

C'était bien elle !

Au creux de sa paume tremblante, Isabel contemplait les reflets d'un jour tout neuf sur l'or de sa médaille. Caché dans la toile la plus pauvre, le sourire de la Madone lui était rendu. Fleur de Soleil l'avait retrouvée. Et en cachette rendait à son amie son trésor interdit. Chère, si chère Malika...

– Isabel, Isabel, dépêche-toi ! l'interrompit la voix anxieuse d'Ansam du bas des marches. Tarouq ne va pas tarder à remarquer ton absence.

Fébrile soudain, inquiète à l'idée qu'Ansam eût deviné son émotion, la jeune fille s'était empressée de dissimuler son butin. Son cœur battait de joie et d'anxiété. A nouveau, elle se savait protégée. Mais elle ne commettrait pas l'erreur d'arborer son médaillon sous les regards hostiles. Elle le cacherait. Elle viendrait le contempler en secret. Et y puiserait, par la prière, le courage d'affronter des jours qui s'annonçaient sinistres.

Combien eut-elle à compter de réveils oppressants, en effet, où se lever exigeait un effort surhumain ? Combien de lentes journées d'hébétude ? Combien de soirées passées dans le patio suspendu à contempler les étoiles dans le désir confus de s'éteindre ici pour renaître là-haut, dans le ciel infini, libre auprès d'elles ? Combien de matins mornes, de jours aveugles, de nuits hypnotisées, jusqu'à cet après-midi où les ordres de Tarouq avaient bouleversé son existence ? Des jours, des semaines, un mois peut-être ? Isabel n'aurait su le dire. Elle avait perdu la conscience du temps.

– Comme vous le savez peut-être, avait annoncé ce jour-là la matrone, notre sultan s'en est revenu hier d'une fructueuse razzia en terre de Jaén. Ce soir, l'une de vous est attendue auprès de lui.

Un silence lourd d'attentes avait accueilli la nouvelle.

L'excitation, l'espoir, l'anxiété se lisaient dans les yeux altérés des femmes. C'en était provisoirement fini des langueurs et du babillage.

– Isabel ! l'avait fait sursauter la voix brève. Notre prince a émis le vœu de t'avoir à ses côtés. Tu t'en doutes : ce n'est pas un souhait. C'est un ordre. Il te reste quelques heures pour te préparer.

Déception, amertume, découragement : une vague autour de la chrétienne refluait. Un flot lourd et gris que traversaient des éclairs de jalousie. L'une des femmes, surtout, lançait à Isabel des regards incendiaires : une rousse comme elle, mais plantureuse, et autoritaire. Une dénommée Yasmina dont la jeune fille avait déjà essuyé les piques et les gestes d'humeur.

– Ansam, Loumé : vous assisterez votre compagne, avait repris Tarouq. Si elle continue d'être si empotée, je crains que vous n'ayez du travail.

C'est qu'Isabel avait fort à faire. En elle un flot de vie se précipitait, qui brisait les digues bâties par tant de jours de détresse. Ce soir, elle aurait avec qui parler, avec qui se battre au besoin. A nouveau, elle existait. Un regard noir, aussi troublant que détesté, la tirait de son désert glacé.

Entre excitation et anxiété, elle s'était soumise aux préparatifs qui l'avaient tant humiliée naguère. Elle avait retrouvé avec plaisir les bienfaits de l'étuve, s'était laissé polir, masser d'huiles odorantes, peigner, habiller, parfumer. L'épilation n'était plus une honte. La peinture au henné de ses mains, de ses seins, de ses pieds, rien qu'une coquetterie devenue familière. Et le choix de sa parure parmi les effets de Malika un jeu qu'elle avait joué sous le regard invisible de son amie. Ce n'est qu'au soir, tandis qu'elle attendait d'être conduite auprès du sultan, qu'elle s'était interrogée vraiment sur ce qui l'attendait. Alors seulement, le cœur battant, elle avait commencé d'envisager le pire.

XIII

Un escalier qu'elle empruntait pour la première fois l'a menée à la chambre royale. Une chambre ? Un espace de féerie plutôt, une grotte scintillante, cathédrale païenne dont les parois sont foisonnement végétal que l'or des lampes à huile peuple d'ombres et de reflets folâtres. Seule dans la salle magique que flanquent deux alcôves pourvues de sofas et de tables basses, Isabel reste médusée. Aux murs, l'entrelacs des arabesques paraît envol d'ailes angéliques. Au ciel, les alvéoles d'une ruche polychrome tremblent sous la caresse du soleil couchant qu'interceptent les jalousies. Mais c'est au sol, dans le miroitement d'une vasque rosée, que le spectacle est le plus bouleversant. Comme animé d'une vie propre, le décor y frissonne : on dirait qu'il susurre à l'eau claire quelque inavouable confidence.

La jeune fille s'est laissé tomber sur un coussin. Elle s'est laissé ravir par la vision enchanteresse lorsqu'une silhouette, dans le miroir liquide, la rappelle à elle. De l'autre côté du bassin, Abu al Hassan l'observe depuis un moment.

– Alors, jeune sauvageonne, que penses-tu de ta nouvelle demeure ?

– J'en pense, Monseigneur, que ce n'est pas ma demeure mais la vôtre, rétorque-t-elle avec aplomb. Et que si vous savez vous entourer de beauté, la vie des femmes au-dessus de ce lieu enchanteur manque, quant à elle, cruellement de charme. L'or, les soieries, les friandises n'y peuvent rien : c'est l'espace et la liberté qui font défaut dans leur cage dorée. Je gage que les filles des rues, dans le plus misérable quartier de Grenade, sont moins à plaindre que les royales concubines.

– Que sais-tu des filles des rues ? Et que connais-tu de Grenade ? rétorque l'émir agacé. Ni Don Sancho ni Siddi Aben Barrax ne t'ont-ils appris à ne pas parler sans savoir ?

– Je sais pourtant les eaux joyeuses du Darro, et les ruelles de la médina qui dévalent en riant la pente jusqu'à elles. Je sais les odeurs des souks, et les cris, et les voyous poètes, précise l'adolescente. Je sais aussi les Croyants qui se prosternent à l'appel du muezzin. Je sais même la fierté d'un peuple naïf lorsque, menés par leur sultan, d'orgueilleux cavaliers s'en reviennent de quelque algarade frontalière.

– Tu parles bien : cela te sauve. Mais qui t'a raconté tout cela ?

– Personne. Je l'ai vu, un jour que je m'étais échappée de Dar al Anouar.

– Échappée ? Tu as cherché à t'enfuir ?... Voilà en effet qui te ressemble, commente le souverain, amusé. Mais je voudrais te mettre en garde, au cas où tu rêverais d'une nouvelle escapade : les palais du sultan sont autrement gardés que celui du cher Aben Barrax. Aucun espoir de ce côté... Sache cependant que, dans quelques jours, nous emménageons à Dar al Ixares pour la fin de l'été. Des jardins, des vergers, la forêt même, si tu le désires : tu trouveras là-bas l'espace que tu réclames. Pour l'heure, tout ce que je peux proposer à sa seigneurie capricieuse, c'est un tour du patio des lions.

Dans les lueurs du crépuscule, le jardinet jusque-là entrevu par les moucharabiehs répand autour d'eux sa splendeur délicate. Fragiles, aériennes, les blanches colonnes luisent dans la pénombre. Solitaires, deux à deux ou groupées en bouquet, elles évoquent une palmeraie au feuillage de stuc. Au centre du jardin, sous la vasque de marbre, douze lions rugissent leur flot nourricier. On se croirait dans une oasis rêvée, songe Isabel.

– C'est beau n'est-ce pas, chuchote Abu al Hassan sensible à son émerveillement. Mes ancêtres ont voulu emprisonner ici un reflet du paradis d'Allah. Penses-tu qu'ils aient réussi ?

– Je ne sais rien des cieux, Monseigneur. Mais cet endroit évoque fort, en effet, un fragment de paradis sur terre.

– Ces canaux en sont les quatre fleuves, commente le sultan. Autour, les arbres sacrés. Et je me plais à imaginer que la fontaine en son centre est source de toute vie. Sens-tu pourtant la fragilité derrière la superbe ? ajoute-t-il d'une voix plus grave.

Le prince s'est assombri.

– Vois, reprend Abu al Hassan, ce n'est pas seulement une allusion au paradis. C'est une allégorie du royaume de Grenade.

– Je ne comprends pas, Sire, hasarde la jeune fille.

– Toi qui dis avoir parcouru les rues de ma cité : as-tu entendu ce qu'y susurrent les fontaines, et l'ombre portée des palais trop riches pour les venelles étroites, et l'air même de Grenade, tout chargé de senteurs ? As-tu deviné à quelle source amère mon royaume puise son ivresse ? Sais-tu seulement de quelles ténèbres il tire les couleurs flamboyantes qui en lui t'ont séduite ?

Abu al Hassan ne parle plus, il murmure. Un murmure empreint d'une telle mélancolie qu'Isabel, émue, esquisse un geste vers lui. Elle voudrait l'interrompre, le tirer de cette litanie qui sonne comme une plainte. Les yeux rivés sur l'eau de la vasque, son compagnon ne remarque pas son élan.

– Je vais te dire le secret de ces lieux, poursuit-il d'une voix sourde... Grenade est mortelle. Elle le sait. Elle l'a toujours su. Voilà le secret terrible de ma cité nasride. Dès l'instant de sa naissance, tandis qu'elle repoussait sur les décombres du grand al Andalus, elle savait sa mort annoncée... Deux siècles et demi ont passé. Elle est toujours là. Mais c'est cette attente d'une fin imminente qui souligne de noir ses ciels éclatants. C'est elle qui prête à chaque jour, à chaque fête, à chaque seconde, son intensité d'avant-dernier soupir. Ne sens-tu pas ici même l'aile des adieux qui nous frôle ?... Hier encore, nos troupes revenaient d'une algarade fructueuse. Le peuple s'en est réjoui. Mes hommes en ont tiré gloire. Mais je ne peux ignorer, moi qui les avais menés, que le combat est vain. Question de mois, d'années, de décennies peut-être. Les chrétiens depuis longtemps piaffent à nos portes. Bientôt, ils les enfonceront...

– Est-ce parce que Grenade se sait mortelle, Sire, qu'elle tue aujourd'hui ceux qu'elle accueillait hier en valeureux compagnons ? risque Isabel d'une voix dont la douceur tempère le propos.

– Tu songes à ton père, n'est-ce pas ? C'est la loi de la guerre... Grenade est fleur désirable, tu t'en es sans doute aperçue. Autrefois, les tarifas voisines étaient comme elle musulmanes. Les combats avaient la cruauté et la brièveté des querelles fratricides. Aujourd'hui, ces Croyants qui firent la splendeur d'al Andalus sont chassés de partout. Sous la pression des Castillans, qui fuient les rudes plateaux du nord où ils meurent de faim, mes frères doivent quitter leurs vergers et leurs champs, abandonner ces terres que leurs ancêtres avaient rendues fertiles. Ils aboutissent ici, pensant y trouver refuge. Mais le refuge est dérisoire. Grenade les recueille, certes. Grenade les nourrit. Grenade est sans lendemain, mais Grenade s'obstine à défendre l'heure présente. Depuis plus de quarante années, par la faute de Muhammad le Gaucher, le père d'Aïcha défait à La Higueruela, Grenade est vassale de Castille, et lui verse chaque année le tribut de la honte. Ces algarades, ces razzias parfois héroïques sont notre orgueil et notre survie : le seul moyen de tenir en respect un ennemi qui, d'ailleurs, agit tout comme nous... Peux-tu comprendre cela, jeune femme ?

Penché par-dessus la fontaine, l'émir a plongé son regard dans l'œil de la chrétienne.

– Je crains de n'être pas faite pour comprendre la guerre, Monseigneur, admet la jeune fille. Je ne sais que ce que mon cœur me dicte. Et ces mots d'une amie l'autre jour : que la guerre est une invention des hommes et l'amour, seul, une invention de Dieu...

A peine a-t-elle prononcé ces mots qu'elle souhaiterait les retirer. Elle vient d'en percevoir l'ambiguïté. Tout comme Abu al Hassan qui, aussi léger soudain qu'il semblait abattu l'instant d'avant, saisit au bond l'invite :

– Bien parlé, Damoiselle. Laissons-là ces tristes songeries où je regrette de t'avoir entraînée, et regagnons un peu la lumière, que je retrouve joie à contempler ton joli minois... Mais je te sens tendue, ajoute-t-il comme, en franchissant le seuil, Isabel frissonne. Sont-ce mes propos qui t'ont attristée ?

– Oh non, Monseigneur ! Ce n'est pas ça...

Isabel s'est interrompue. Comment exprimer la panique qui la gagne ? Et peur de quoi, au juste ? Même Malika, elle le devine, partirait d'un grand éclat de rire si à l'instant elle pouvait lire ses pensées.

– Quoi donc, alors ? insiste l'émir qui a retrouvé son humeur badine.

– Je ne saurais le dire, camoufle la jeune fille. Tous ces changements peut-être. L'étonnement... L'émotion...

Plus elle s'embrouille, et sent le feu monter à ses joues, plus le prince paraît se réjouir. Il l'a entraînée jusqu'à l'alcôve où des coussins jetés au sol attendent leur bon plaisir. Ses yeux qui semblent rire ajoutent à la confusion de la jeune fille.

– Que dirais-tu de goûter à ce vin doré, daigne-t-il lui venir en aide. Sers-nous donc. Tu pourras ensuite nous chanter quelque romance : j'aurai plaisir à découvrir cette voix d'or qu'Aben Barrax louait l'autre soir.

La main d'Isabel tremble un peu tandis qu'elle verse dans la timbale la boisson ambrée. Des yeux, elle cherche un instrument pour l'accompagner. Un luth est là, dans un coin de l'alcôve, qui n'attend que sa main.

– Que souhaitez-vous entendre, Sire ?

– Quelque chose d'allègre, semblable à cette douce soirée qui s'annonce. Choisis toi-même, au fond. Pourquoi pas un air de chez toi ?

– Vous parlez donc le castillan ?

– Je le comprends un peu : vestige des longs mois passés en otage à la cour du roi Jean II qui se mourait, puis à celle de Henri IV, son successeur... Mais chante, voyons, s'impatiente l'émir, chante avant que ne me reprennent mes idées funestes.

Isabel s'empresse d'obtempérer. Les cordes sous ses doigts sont froides encore, et hésitent à donner la note. Sa voix chancelle, cherche sa place. Peu à peu, elle s'assouplit et, limpide, ondoyante, épouse le cours de la romance que la jeune fille a choisie.

Au mois de mai fleurit la rose
Mais mon âme est morose
Qui souffre du mal d'amour...

A mesure que le chant coule en elle, son corps peu à peu se détend. Elle en oublie bientôt ses craintes. Elle oublie même pour qui elle chante. Elle s'abandonne à la romance, toute au plaisir de conter. Bientôt elle n'est plus que voix. Voix qui s'envole et s'évade. Voix qui s'apprête à rebondir plus loin, au-delà de l'alcôve étouffante, quand deux mains plaquées à sa taille lui coupent la respiration.

– Chante, chante encore pour moi, murmure à son cou le timbre rauque de l'homme qui s'est glissé derrière elle.

Les rossignols chantent et soupirent, poursuit Isabel dans un souffle.

Mais la passion m'alanguit
Et redouble ma douleur...

S'abstraire de son corps, opposer à son envie de fuir la puissance du chant dans sa poitrine : la jeune fille y parvient presque. Mais les mains importunes remontent à son flanc. L'haleine chaude lui chatouille la nuque.

– Continue, chuchote l'émir. Sois à ton chant, belle musicienne. Prête-lui toute ton attention.

Être à son chant : elle voudrait bien. Ne pas sursauter sous la main qui lui effleure le cou, être indifférente à cette autre qui lui pétrit la hanche, comme à la chaleur engourdissante qui depuis un instant lui élance le ventre... Fouettée par les battements de son cœur qui brusquement se précipitent, sa voix contre toute attente a bondi. Fuyant sa gorge, comme coursée, elle grimpe, vole et s'affole. On croirait un être aux abois qui chevauche et cingle la monture d'un chant devenu fougueux.

Viens plus vite, ma colombe, plus vite viens à moi
Plus vite, ô toi mon âme, car je me sens mourir...

Le luth, animé d'une violence complice, lance au ciel ses prières. Isabel tremble, Isabel vibre : son corps déchiré par des élans contradictoires demeure tendu, aux aguets.

– C'est bien, ma sauvageonne, chante toujours.

L'ordre se perd dans ses cheveux à l'endroit où, derrière l'oreille, la chair est la plus vulnérable. La jeune fille en frissonne d'agacement. Mais l'agacement, malicieux, se mue en onde de plaisir lorsqu'une bouche joueuse se porte à sa nuque et mordille. Sur ses hanches, sa taille, ses reins, sur son ventre qui malgré lui se creuse, sur son sein et ses épaules qui vacillent : partout, les mains magiciennes portent le feu, et l'attisent. La jeune fille, submergée, hésite à résister encore. C'est sa voix qui décide avant elle : le chant revient de son galop, il dégringole, il gémit. Bientôt il n'est plus qu'une plainte tandis que le luth, abandonné, balance au bout de son bras retombé.

La chanteuse oublie sa romance. Sa gorge a soif d'un autre chant, ses lèvres d'un autre souffle. Et quand l'émir, sûr de sa conquête, s'attarde malicieusement à son cou, c'est elle qui, impatiente, se détourne et cherche en aveugle sa bouche.

Qu'elles sont douces, les lèvres rieuses qu'elle retrouve. Douces et violentes à la fois. Elles boivent, elles mordent, elles caressent, elles papillonnent et puis reviennent, elles se refusent et elles exigent : elles parlent, en somme. Mieux : elles chantent. Isabel, stupéfaite, apprend d'elles un art nouveau.

Bientôt les deux corps enlacés ont basculé sur le sofa. D'abord, Isabel s'abandonne, toute à la découverte de sa joie. Sous les voiles, sur sa peau, les doigts du prince courent et jouent comme d'un instrument mystérieux. La jeune fille se laisse faire, curieuse des sensations qui la parcourent.

Soudain, ses baisers se glacent. Sans qu'elle comprenne pourquoi, ses lèvres ont froid, son esprit bat la campagne. Attentive au cheminement des mains qui la malmènent, elle sent sa chair qui regimbe. Sans le savoir, elle s'est reprise. Ce corps est trop lourd, sur son corps. Ce souffle l'effraie, qui va trop vite. Et cette ardeur l'épouvante que, soudain, elle ne partage plus.

Une bête en elle s'est éveillée. Le souvenir d'une nuit de combat dont elle était sortie brisée. Alors la nausée la gagne. Le cauchemar se répète, l'horreur est désormais en marche. L'homme sur elle ne l'entend plus. Ses gémissements de terreur, il les prend pour autant d'appels. Les coups que maintenant elle lui assène, il les écarte en riant.

– Non ! supplie-t-elle. Je vous en prie...

Mais le prince n'en a cure. Il vogue sur un fleuve sauvage, Isabel est seule à s'y noyer. Ses bras sont cloués par une main puissante, ses hanches prisonnières d'une force aveugle qui l'écartèle. Elle rage, elle gémit, elle sanglote. Mais le visage au-dessus d'elle n'a plus expression humaine. Et quand une douleur fulgurante lui brûle le ventre, et la déchire, elle n'est plus qu'un animal hagard qui ne songe même pas à s'enfuir. Comment le pourrait-elle, d'ailleurs, sous le poids de l'homme qui la violente et, insensible à son épouvante, l'agrippe et la repousse tour à tour sans jamais cesser de l'étreindre ?

Lorsqu'il s'abat, foudroyé, c'est le cadavre d'un étranger qu'Isabel sent peser sur elle.

D'abord, elle n'ose plus bouger. Et si l'étranger s'avisait de recommencer ? Comme l'attente se prolonge, avec précaution elle se risque à le repousser, comptant échapper à cette couche qui lui fait horreur. Mais un bras à tâtons la rattrape. Une main l'empoigne et la retient.

– Où vas-tu, mon insoumise ? Qui t'attend ? Quel refuge espères-tu trouver ?

Avec une improbable douceur, l'émir la force à se retourner. D'un doigt rêveur, il écarte sa chevelure humide, et essuie une larme à ses yeux.

– Mais tu as pleuré, ma parole. Pardonne-moi si je t'ai fait mal : c'est souvent ainsi la première fois.

Surprise par la prévenance qu'elle perçoit dans la voix de basse, Isabel sent tomber ses défenses et éclate brusquement en sanglots.

– Là petite fille, là, scande Abu al Hassan. Ce n'est pas facile de devenir femme. Mais tu verras : c'est tellement beau. Pleure, ajoute-t-il en la serrant contre lui, pleure tout ton saoul auprès de moi. Je serai toujours ton refuge.

Nul ne saurait t'attendre comme moi... Quoique, ce soir, je l'avoue, je n'aie guère prouvé ma patience, reconnaît-il dans un sourire. C'est ta faute aussi : a-t-on idée d'être à ce point désirable ?

Cinglée par le ton goguenard, Isabel s'est redressée. Ses pleurs se sont arrêtés. Elle n'est que protestation :

– Et que dois-je faire, Sire, pour n'être pas malmenée ? Faut-il que je me défigure ?

– Quelle idée, ironise le prince. Sois juste un peu moins rétive : l'amour ne t'en semblera que plus doux. Pour le reste, tu me plais infiniment telle que tu es.

– Je ne vois pas d'autre remède, pourtant !

La mine rieuse du sultan la blesse.

– Si vous plaire c'est subir ce... cette..., enfin, si c'est être battue et violentée : je préfère encore vous déplaire.

– Ils ne te déplaisaient pas, ces assauts, quand tout à l'heure tu buvais mes lèvres, remarque Abu al Hassan agacé.

– Si être femme c'est cela : être soumise par la force, je ne vois là rien de beau.

– Être femme, ma belle, tranche l'émir d'un ton cassant, c'est être capable d'aimer. Mais peut-être ignores-tu ce mot.

Coupant court à toute réplique, le souverain s'est levé. Il a traversé le salon et gagné l'alcôve voisine. Dédaignant désormais l'hétaïre, il s'allonge sur sa couche et lui tourne le dos.

– Ici, en face : dors où tu veux, jeune fille, lance-t-il d'une voix indifférente. Je ne te chasse pas. Mais, quoi que tu décides, je ne veux plus entendre un mot.

Un instant, Isabel pétrifiée contemple le dos hostile. Elle devrait se réjouir d'être laissée en paix : l'envie de pleurer la reprend.

« C'est vrai qu'il est mon seul refuge », constate en elle une voix effarée.

Un refuge qui ne l'attend plus.

XIV

Au matin, elle était seule en un lieu inconnu. Sur un coffre marqueté de nacre, sur des coussins éparpillés, sur une gargoulette oubliée, les rais de lumière filtrés par d'invisibles jalousies posaient leurs doigts argentés. L'esprit embrumé encore, elle s'étonnait de se sentir un corps si lourd, un corps moulu de fatigue. Puis la mémoire lui était revenue. Le même endroit, peuplé d'ombres et d'éclats dorés. Le son du luth qui se meurt. La lutte de deux corps ennemis. La peur, la douleur, la colère. Et cette grande solitude qui l'avait glacée, qu'elle retrouve au sortir du sommeil.

Plus de colère à cette heure. Rien qu'une immense lassitude. Et des images paradoxales, de violence et de tendresse, qui se disputaient sa mémoire. Le masque égaré de l'homme-bête qui lui faisait mal : était-ce le même visage qui, attendri, lui avait caressé la joue ? Et la voix cinglante qui la chassait : était-ce celle qui, dans son rêve, murmurait avec une infinie douceur :

– Je t'attends, ma sauvageonne. Trouve ton chemin. Fais vite...

Où s'achevait la réalité ? Où commençait la vie rêvée ? Dans ses souvenirs emmêlés, Isabel ne discernait plus... Dire qu'il lui fallait rejoindre maintenant les concubines. Subir leur silence hostile ou leur curiosité jalouse. Feindre l'orgueil et les sens comblés. Imiter, qui sait, les mines évaporées qu'elle avait vues certains matins aux femmes d'Aben Barrax. Jouer la comédie, en somme. Porter le masque du mensonge. Et cacher coûte que coûte la plaie cuisante par laquelle se vidait son âme.

Son retour, contre toute attente, était passé inaperçu. Dans le harem survolté, on n'avait qu'un mot à la bouche : partir. Enfin partir, quitter la chaleur écrasante, retrouver la fraîcheur de Dar al Ixares, ses parcs, ses vergers odorants, et le jaillissement de ses fontaines. Dans un jacassement de volière, on faisait ses bagages, hurlait que la ceinture dorée quelqu'une vous l'avait volée, imaginait les fêtes que peut-être le souverain cet été songerait à donner, et prévoyait déjà les atours dont on se vêtirait.

Oubliée, dans ce remue-ménage, sa brève faveur d'une nuit, Isabel avait pu se fondre et se laisser gagner par la fièvre d'un départ tombé à point pour la détourner de ses pensées.

Un quart de lune s'était à peine écoulé que le sérail au complet, à pied, à cheval, en litière, partait pour la résidence d'été. Au loin, l'équipage de la sejidah Aïcha ouvrait le cortège. De la sultane, Isabel n'avait aperçu qu'une silhouette robuste dont la soyeuse vêture atténuait à peine la virilité. La royauté était évidente, de cette stature auguste dont l'allure volontaire respirait l'autorité. Fille de sultan, épouse de trois sultans successifs, al Hurra comme on l'appelait, la Prude, n'avait besoin de personne pour affirmer sa puissance. Surtout pas de son mari et cousin Abu al Hassan, qui l'avait épousée pour s'allier les forces qu'elle apportait en dot : nombre de chefs de tribus, parmi lesquels les belliqueux

Beni Serradj dont la soif de pouvoir contribuait depuis toujours à faire et défaire les sultans de Grenade.

Caracolant autour de sa litière, deux jeunes cavaliers princièrement vêtus avaient attiré l'attention d'Isabel. Quel âge pouvaient-ils avoir ? Dix ans ? Douze ans peut-être ? C'était, lui avait-on expliqué, les deux rejetons royaux : Yusuf et Muhammad Abu Abdallah – que, pour le distinguer de son oncle al Zagal, on appelait Abu Abdil.

– On l'appelle aussi al Zogoybi, lui avait confié Ansam, qui signifie le Malchanceux, l'Infortuné. Il est destiné à régner, certes, puisque prince héritier. Mais on raconte qu'à sa naissance les astrologues ont prédit que sous son règne Grenade mourrait.

Et l'hétaïre, avec effroi, avait mené à ses lèvres les amulettes qu'elle portait au cou.

« Pauvre Abu Abdil, songeait Isabel en regardant le garçonnet exécuter sur son alezan les fières figures de l'art équestre andalou. Sait-il seulement la prédiction qui pèse sur ses épaules ? Et Abu al Hassan, son père, est-ce pour avoir prêté l'oreille aux devins qu'il rumine les idées funestes que je lui entendais l'autre soir ? »

Comme lui revenaient les confidences désenchantées du prince cette nuit-là, la jeune femme avait senti son cœur se serrer : reviendrait-il le temps si fugitif de la confiance ? Elle avait aussitôt chassé ces pensées, pour revenir au seul plaisir d'avancer au sein d'un paysage éblouissant.

De Grenade, en se retournant, elle ne voyait au loin que le faîte des collines. Mais la cité de l'Alhambra, étincelante dans l'air du matin, déployait à ses pieds son tapis d'ocre, de vermeil et de blancheur que découpaient les vertes frondaisons. Ici, le minaret de la mosquée royale faisait claquer l'or de sa coupole. A sa droite, encadrés de tours austères, elle devinait les palais d'Abu al Hassan quittés une heure auparavant. Le long de la rue principale s'égaillaient d'autres bâtiments princiers et les demeures des administrateurs. Tout au fond : al Qasba, l'Alcasba réputée jusque chez les chrétiens pour ses imprenables murailles en permanence scintillantes des armes de la garde. Là résidait la gent armée de l'Alhambra. De là partaient les cavalcades à l'attaque des territoires ennemis. De là, lui avait-on dit, fondait aussi la riposte chaque fois que s'allumaient, en face, les feux d'une de ces révoltes dont l'Albaicin était coutumier.

D'abord, on avait longé les vergers royaux d'où s'exhalaient les parfums sucrés de la pêche et de la grenade, de la figue, du coing, des pastèques. Dans les fermes alentour, de jeunes paons lançaient au ciel d'été leur cri scandalisé. Aux abords des vastes villas où se reposait la noblesse, les tourterelles roucoulaient des mots tendres à leur progéniture. Sur les coteaux, un peu plus haut, la vigne étalait l'opulence de ses grappes prometteuses. Et lorsque la jeune fille, assoiffée d'espace, tournait vers l'ouest ses regards, Grenade déployait pour elle le flamboiement de sa Vega. Aussi loin que portait la vue on devinait en contrebas les champs dans la plaine, le blé, l'orge, le mûrier, et les jardins par milliers ; un peu partout les vergers, les moulins, les troupeaux dans les prairies et les chevaux dans les enclos ; et la tache argentée des oliveraies, l'entaille sombre des chênes, le reflet mouvant des peupliers... Une débauche de formes et de couleurs qui toutes disaient le labeur de l'homme, le succès de son alliance avec une nature généreuse.

Devant la jeune fille, peu à peu, fermes et villas se faisaient rares. La forêt l'emportait sur la marque des hommes. Déchiré de temps à autre par le cri de quelque rapace, le silence sur le chemin envahissait l'espace. La vie sauvage reprenait ses droits, affirmant la toute-puissance d'une nature demeurée vierge.

C'est là, au pied de la Sierra Nevada dont les neiges éternelles frangent d'écume le bleu du ciel, que s'ouvrait la résidence royale de Dar al Ixares.

Tout de suite, Isabel fut conquise. Royaume de l'eau et des ombrages, des lauriers, des rosiers en treilles, le palais serti de verdure invitait au délassement. Le souverain n'avait pas menti : ici, elle respirerait librement. Au point, déjà, de ne plus entendre ses compagnes qui se chamaillaient pour une chambre convoitée ou quelque malle égarée.

Très vite, la jeune femme avait tout su de la vie secrète du parc. Dès le matin, elle gagnait la roseraie où s'abreuvaient quelques abeilles ivres. A l'heure où le soleil dardait ses rayons incendiaires, elle trouvait refuge sous la charmille où l'eau en cascade répandait sa fraîcheur. L'après-midi la voyait passer près des bassins où se miraient les colonnades d'un pavillon solitaire. Avec la montée du soir, elle grimpait jusqu'au patio dont les arcades lui découvraient la Vega embrasée par les feux du couchant. A cette heure d'entre chien et loup, sa pensée rejoignait Dar al Anouar. Dans le silence de son cœur, elle confiait à Malika la langueur qui l'étreignait. Et l'attente qui mettait sa fierté à mal.

On disait le sultan ici. On le disait ailleurs. On l'espérait mais ne le voyait pas venir. Chacune au sérail s'en lamentait. Et Isabel, quoique en silence, s'était mise elle aussi à compter les nuits.

Son épouvante s'était estompée. A la place, un doute la gagnait. Et s'il ne lui avait été donné qu'une nuit pour retenir l'attention du prince ? Et si cette nuit était passée, qu'avec ses plaintes et ses reproches elle avait gâchée ? Et si l'homme au regard de velours sombre l'avait déjà oubliée ?... A mesure que le temps s'écoulait, que l'on savait le sultan de retour – puisqu'il avait fait appeler l'orgueilleuse Yasmina, puis Loumé, puis la gentille Ansam – Isabel se sentait la proie d'une déchirante métamorphose.

Tout avait commencé par un rêve, dont elle s'était éveillée le cœur battant, et qui la poursuivait chaque nuit désormais. Isabel s'y voyait courir. Elle courait à travers des patios, longeait des bassins silencieux où miroitait, sarcastique, la grimace d'une lune blafarde. Elle se perdait dans des couloirs glacés semblables à ceux de Dar al Anouar. Des hommes qui ressemblaient à Aben Barrax, des femmes qui toutes étaient Yasmina, la retenaient dans sa course, grimaçant leurs sourires sarcastiques comme autant de malédictions. Isabel s'affolait. Elle grimpait de terrasse en terrasse, en quête d'un bien précieux qu'elle se rappelait avoir perdu... Parfois, le rêve s'interrompait là, dans une atmosphère de déréliction qui ne laissait aucun espoir. D'autres fois, il reprenait sa course. Elle débouchait sur une terrasse en plein vent. Une silhouette noire lui faisait face. Elle recueillait la lame ardente d'un long regard de nuit. Elle buvait à la coupe de deux lèvres gourmandes... Mais quelqu'un la tirait en arrière. La terre tournait. Le vent l'arrachait au sol. De toutes ses forces, elle s'agrippait aux larges épaules... Au matin, elle s'éveillait fourbue, consciente d'avoir mené toute la nuit un combat qui à la lumière du jour la faisait rougir.

Les heures succédaient aux heures. L'été, bientôt, se fanerait. Jamais, lors de sa visite quotidienne, Tarouq ne s'arrêtait à Isabel. A la jeune femme, désormais, chaque crépuscule devenait tourment, chaque aube déchirement. Et dans le parc, au long du jour, tout se liguait pour la blesser.

– C'est ta faute, chuchotaient les roses tout en offrant au ciel leur cœur de velours.

– Ta faute, ta faute, ta faute, ricanaient les oiseaux en plein vol.

– Aimer : peut-être ignores-tu ce mot ? grelottaient les fontaines.

– A quoi bon la grâce et la beauté, si nul ne vient s'y abreuver ? se lamentaient dans le bassin les reflets du pavillon solitaire.

Les lieux hier encore enchanteurs prolongeaient l'écho de ses doutes.

XV

Ce matin, elle a cru revivre. Elle devait, sur ordre de Tarouq, se joindre aux musiciennes chargées d'égayer la soirée princière. Isabel s'est préparée tout le jour. Mais depuis plus d'une heure qu'avec les autres elle a pénétré dans l'appartement royal, Abu al Hassan ne lui a pas jeté un regard. Dans l'épouvante, elle chante. Et ses compagnes, intimidées, baissent le ton pour mieux la suivre. Sous ses doigts qui lui font mal, les cordes du luth sanglotent. Sa gorge est un brasier. Ses yeux, deux lacs figés par le spectacle de l'homme alangui entre les bras d'une autre.

L'émir badine avec ses femmes. Autour de la vasque tranquille où se mire une coupole étoilée, trois hétaïres glissent et virevoltent au rythme d'un ballet charmeur. A demi nues sous leurs voiles, drapées de leur seule impudeur, d'ambre, de jasmin et de violette, elles ondulent dans le regard du souverain.

Aux pieds du sultan qui babille et sourit, Loumé joue les échansons. Dans l'éclat changeant des chandelles sa peau a des reflets cuivrés, sa bouche ourlée de brun la rondeur d'un fruit gorgé de promesses. Mais c'est le manège de Yasmina qu'Isabel observe avec rage. Les yeux mauves de sa rivale, sa peau laiteuse, ses mains caressantes, semblent griser le sultan. Ensorcelé par les mots qu'elle lui susurre à l'oreille, Abu al Hassan a posé sa nuque sur le ventre de la concubine. Tout en ronronnant ses romances, l'odieuse rousse esquisse un ballet de ses doigts agiles autour du visage royal. Au jeu trouble qui l'enivre, le souverain s'abandonne. Un sourire de triomphe étire les lèvres de l'esclave.

Isabel n'en supporte pas davantage. D'un bond, elle jaillit hors du chœur, laisse tomber son luth et lâche un long cri de fureur. L'instant se fige, les femmes s'immobilisent. Même le sultan arraché à ses songes est forcé de remarquer sa présence. Le regard courroucé qu'il lui décoche ne laisse rien présager de bon.

Avant qu'il ait esquissé un geste, le cri rauque a viré à la plainte. Trois notes de velours la reprennent en écho. Paupières closes, paumes tendues au bout de ses bras grands ouverts, Isabel jette en arrière une chevelure fauve d'où le voile a glissé. De sa gorge qui tremble et palpite, elle tire une mélopée vengeresse. Debout près de la vasque, à l'appel de la danse ses reins se cabrent. Un instant pétrifiées, les musiciennes ont repris le tempo. Bientôt le luth, la flûte, le tambourin répondent à la voix impérieuse. La chrétienne tourbillonne dans le flot de notes endiablées. Sa voix sanglote, sa voix maudit, mais ses mains se tordent et supplient. Sa nuque raide feint le mépris, ses pieds trépignent de colère, mais son ventre ondule et gémit. Ses yeux lancent des éclairs, sa bouche hésite entre dédain et morsure, mais son sein implore la caresse. A l'infidèle qui n'en veut plus, elle offre le havre et la tempête, la brûlure du désert et les douceurs de l'oasis.

Stupéfaites, les hétaïres ont reculé dans l'alcôve. Au feu de cette danse d'amour farouche leurs langueurs feintes s'étiolent. Yasmina est pâle de fureur. Poings serrés, lèvre venimeuse, elle darde sur sa rivale la lame d'un regard meurtrier. Seule Loumé admire, candide, la fougue de la jeune fille. Mais Isabel n'a d'yeux que pour le prince qui s'est redressé sur sa couche. L'œil de nuit luit dans la pénombre. Sur ses lèvres impérieuses flotte un sourire railleur.

La jeune fille s'est jetée à cœur perdu dans la danse. Ses hanches ondoient, ploient et se brisent sous les assauts du chagrin. Ses bras sont deux serpents de mer excités par la flûte, ses mains deux tourterelles déchirées de ne se rejoindre jamais. Tournoyant autour de la vasque, frappant de ses talons impuissants l'épais tapis de soie nacrée, elle bat et rebat la démesure de la transe qui s'empare d'elle. Ses cheveux, dénoués autour d'elle, lui font une crinière de flammes.

– *Ah ! Ne la blâme pas de fuir, d'être farouche !* lance la voix rauque de la jeune fille.

Elle ne mérite pas désaveu pour autant.
Connais-tu un croissant de lune qui soit proche,
Une gazelle, aussi, qui ne soit ombrageuse ?...

Elle tourne, elle tourne, Isabel, scandant les vers d'Ibn Hazm. Et le réel s'efface autour d'elle. Dans le silence effaré de son cœur, elle veut n'être plus qu'offrande au flot de vie qui la déserte. Elle est le rossignol qui pleure la mort du jour, et la rosée qui scintille au creux d'une nouvelle aurore. Elle est le désert qui gémit sa soif, et la source qui désaltère. Elle est la vestale des feux trahis, la prêtresse des déesses mortes d'avoir été trahies par les hommes. Elle est la gazelle éperdue qui prête son flanc à la flèche. Elle est, cette fille rebelle pétrie d'orgueil et de pudeurs, une mendiante insoumise qui implore soudain et se donne, avec la même violence qu'elle mettait à se refuser.

Médusé, Abu al Hassan assiste à la métamorphose. D'abord, il a cru à une colère de femme humiliée. Ses yeux rivés dans les siens, provocante et suppliante, la jeune femme a dansé de plus belle. Elle a fait fi des convenances, ignoré les hétaïres qui la jaugent et ricanent : elle ne danse que pour lui. Parfois, lorsque ses reins se cambrent et que ses mains dressées prêtent à sa silhouette un air de défi, Isabel laisse échapper un sourire souverain. L'instant d'après elle défaille. Sa taille rompt, ses bras se tordent dans un envol de soierie froissée, son visage nimbé de tristesse semble lancer un adieu au monde. Hésitante et sûre d'elle, conquérante et vulnérable, la chrétienne sans le savoir dévoile un à un ses secrets. Et le souverain s'émeut de les trouver si limpides : pour lui Isabel murmure sa soif insatiable et la terreur qu'elle en a ; elle clame le désir qui la tenaille et la honte qui l'accompagne ; elle révèle ce qu'il faut d'incendie du cœur pour figer un corps dans la glace... Par son chant, par sa danse, la jeune fille sans un mot se raconte. Et lorsque le silence retombe, lorsqu'Isabel, vaincue, se laisse choir auprès de l'eau miroitante, Abu al Hassan a lu en elle. Les musiciennes peuvent enchaîner sur une mélodie suave, les hétaïres reprendre leurs ondoiements, Loumé présenter à son maître le gobelet d'or qu'il ne voit pas, Yasmina glisser un sarcasme qu'il n'entend pas : l'émir est seul avec sa captive. Il se tait. Il sourit. Il sait qu'elle ne lui échappera plus.

A cinq pas de lui, immobile, la danseuse cherche son souffle. Les yeux rivés sur l'eau sereine, elle attend. Elle n'ose affronter le regard qu'elle provoquait l'instant d'avant. L'attente, intolérable, se prolonge.

– Avance, ordonne le souverain d'une voix neutre.

Dans l'ombre de l'alcôve, le visage du sultan demeure impénétrable. La jeune fille a relevé la tête. Une part d'elle voudrait s'enfuir, cacher au plus profond du harem la honte de s'être abandonnée devant cet homme qui prend plaisir à l'humilier. Une autre, flammèche qui hésite à s'éteindre, espère encore le miracle.

Isabel obtempère. Ses cheveux en pleurs ruissellent. Sa poitrine palpite sous la soie qui souligne la ferme courbe de ses seins.

– Loumé, Yasmina, vous toutes, lance l'émir aux femmes déçues : vous pouvez disposer... Laissez-nous seuls, s'impatiente-t-il, comme Yasmina tarde à quitter sa couche.

Œil fixe, regard voilé, Isabel n'a pas frémi. C'est à peine si elle a senti au passage le souffle haineux de sa rivale.

Quand le grincement d'une porte qui se ferme succède aux froissements soyeux, quand le seul son qui l'atteint encore est celui de son cœur qui grelotte, Isabel affronte le regard de l'homme. Depuis le sofa plus impressionnant qu'un trône, Abu al Hassan la dévisage. Sa face est imperturbable. Mais sa prunelle interroge.

Longtemps, l'attente muette se prolonge. D'un mot, d'un geste qui allègerait la tension, Isabel voudrait rompre le silence. La peur d'être repoussée la retient. Dans sa gorge, une boule d'acier brûlant menace de l'étouffer. Le bleu de ses yeux vire au gris. Son corps s'est remis à trembler. Cet œil l'hypnotise qui, sans ciller, plonge en elle le fer de son iris sombre. Il a la dangereuse fixité de l'aigle en quête de sa proie. Jamais, sous aucun regard, Isabel ne s'est sentie aussi nue.

– Merci, murmure-t-elle dans un arrachement.

C'est tout ce qu'elle trouve à dire. Et le souffle s'étrangle à sa gorge.

– Merci, répète-t-elle d'une voix à peine plus ferme. J'étais blessée. J'ai voulu blesser à mon tour. Je n'avais rien compris...

Un silence plus tendu encore accueille son aveu. Effrayée, Isabel hésite à poursuivre. Elle a suivi son cœur. Un poids lui écrasait la poitrine : le voilà qui s'allège, tandis qu'une vague de regrets, de honte, de tendresse afflue jusqu'à ses lèvres.

– Je voyais en vous ma prison, plaide-t-elle. Je réclamais ma liberté et détestais ce sentiment stupide qui risquait de m'en priver. L'amour m'emplissait de terreur.

Bouleversée par son aveu, Isabel ne tient plus en place. Elle déambule dans l'alcôve, ses yeux osant à peine croiser ceux du sultan.

– Depuis que Siddi Aben Barrax m'a arrachée aux miens, explique-t-elle, je n'ai rêvé que de m'enfuir. J'ai essayé, vous le savez. Ils m'ont reprise. Mais j'espérais recommencer... Quand je vous ai vu à Dar al Anouar, ma volonté a vacillé. Mon cœur m'a tenu des discours incohérents : ma liberté, c'était vous, disait-il. Comment l'aurais-je écouté ? Je ne savais pas. Je ne pouvais pas. C'était trop bouleversant, comprenez-vous ?

Debout devant celui qui d'un mot pourrait la soulager, Isabel enfin s'interrompt. Ses prunelles implorantes tentent de percer le bouclier du regard. En vain.

– Alors, j'ai voulu vous fuir, reprend-elle. Mes colères, ma froideur, ce n'était pas contre vous. C'est mon cœur que je combattais ! Ce que j'appelais ma déraison...

Est-ce un sourire qu'elle lit aux lèvres d'Abu al Hassan ? S'amuserait-il d'elle, maintenant qu'elle baisse les armes ? Aiguillonnée par l'effroi, Isabel se jette dans la bataille de la dernière chance. Les mots se bousculent dans sa tête. Ses mains se nouent et se dénouent en un geste de désespoir, de prière et d'espérance. Ses yeux, océans de lumière mouillée sous l'orage, ne quittent plus le visage du sultan.

– Je ne veux plus vous fuir, jamais ! J'ai eu si peur, j'ai si peur encore, de vous perdre. J'ai cru ne plus vous revoir... Ce soir, je vous vois enfin. Vous m'écoutez. Vous me regardez. Mais ni vos lèvres ni vos yeux ne parlent.

A fouler aux pieds son orgueil, la jeune femme trouve un douloureux plaisir.

– Je tombe à vos pieds. Je vous supplie de m'accorder une chance. Et vous, vous restez impassible. Est-ce un refus ? Est-ce une épreuve ? Parlez ! Dites-moi ! supplie-t-elle.

Blême dans la lumière vacillante, Isabel, en effet, est tombée à genoux. Ses lèvres tremblent. Ses yeux mendient une réponse. Son front, résigné déjà, se laisse gagner par l'ombre.

– Peut-être est-il trop tard ? La porte de votre cœur s'est refermée. Las de m'attendre, vous avez jeté au loin la clef...

Regard perdu dans le vague, la jeune fille oscille doucement.

– C'était une jeune flamme, murmure-t-elle pour elle-même. Fragile, comme tous les êtres neufs. C'était un oisillon, un oisillon affamé...

Ses mots sont des mots d'enfant. Ses phrases une rivière qui l'emporte et l'apaise. Sa silhouette une ombre fragile qui balance et se laisse bercer. L'ange de la folie l'effleurerait-il de son aile ?

Abu al Hassan ne peut se contenir davantage. Vers la joue ravagée de larmes, il tend une main apaisante. Mais Isabel ne le voit plus.

– L'oiseau est mort, c'est ma faute ! reprend-elle, la voix éteinte. Je ne vous accuse de rien. Ni d'inconstance, ni de trahison...

En elle, autour d'elle, un gouffre s'ouvre, où elle s'enfonce. Happée par la douleur, elle ne perçoit plus rien. Pas même cette main qui se pose à sa joue. Ni ce souffle attentif qui frissonne dans ses cheveux.

Passerelle lancée par-delà la folie, deux doigts à son menton l'obligent à relever la tête.

– N'ajoute rien, Isabel. Il n'y a rien à pardonner.

Cette voix, ce murmure, sont-ils d'un vivant, ou l'accueillent-ils, déjà, au royaume des morts ?

– Tu m'entends, Isabel ?

– Rien à pardonner... Alors, il est vraiment trop tard, gémit-elle, obstinée.

– Mais non, idiote, je t'attendais ! rétorque une voix amusée.

Voilà qu'on la relève. On l'empoigne, on la soulève. L'étroit goulot qui l'aspirait a relâché son étreinte. Penché au-dessus d'elle, un homme dont les yeux de nuit lui semblent parsemés d'étoiles la secoue avec vigueur.

– Réveille-toi, Isabel ! Le mauvais rêve est terminé. Tu es vivante, mon insoumise. Folle. Insupportable. Mais vivante !

Alors, jailli du cœur de la terre, un rire gigantesque emporte la jeune femme. Un rire à chambouler le ciel, à faire se réunir la lune et le soleil. Un rire à réconcilier pour l'éternité la joie et la souffrance : l'absurde joie, la lumineuse souffrance d'être deux...

Toute à l'espérance revenue, Isabel ne remarque pas que le bras qui la soutenait a resserré son étreinte. La joie farouche de la jeune femme enfièvre Abu al Hassan. Comme le troublent l'éclat sauvage de la bouche, les étincelles des yeux, la rougeur aux joues enflammées. Sous l'afflux douloureux du désir, le regard qu'il pose sur Isabel s'est réduit à une pointe acérée.

Alertée par la lueur dangereuse qu'elle a appris à reconnaître, la jeune fille a un hoquet de surprise. Dans sa gorge, le rire se brise. Une inquiétude confuse la gagne.

– Sais-tu qu'il est insultant de rire au nez du sultan ? la distrait Abu al Hassan.

– Oh, Monseigneur, pardonnez-moi ! s'effraie aussitôt Isabel. Je ne voulais pas vous manquer de respect. C'est simplement que je suis si... j'ai eu tant de...

Elle s'embrouille, elle se perd, gagnée par la panique.

– J'accepte pour l'instant tes excuses, l'interrompt la voix sévère qui a peine à cacher son amusement. Mais il faudra à l'avenir te montrer plus attentive.

Tout en parlant, le prince l'attire à lui. Ses bras l'encerclent, se resserrent. Son visage se rapproche, aux aguets de ses réactions. Isabel n'ose faire un mouvement. Essaierait-elle de s'échapper, d'ailleurs, les paumes brûlantes qui l'étreignent sauraient vite l'en dissuader. Une douceur alarmante s'empare d'elle. A sa taille, sur son dos, les mains se font plus pressantes, éveillant sur leur passage une fièvre qu'elle reconnaît. Effrayée, elle se raidit. Mais les bras ne lâchent pas prise. Encouragée au contraire par son immobilité, une main s'enroule à son cou, attirant le visage éperdu.

– N'aie pas peur, mon Isabel, murmure la chaude voix qui joue sur ses nerfs tendus comme doigts experts sur les cordes du luth. Tu sais que je ne te veux aucun mal.

Envoûtée par ces intonations qui la font captive, Isabel se détend.

– Tu es ma sauvageonne, ma fière, mon insoumise, souffle la voix dans ses cheveux. Tu es Zoraya, mon étoile. Tu es à moi tout entière : ta danse, tout à l'heure, me l'a dit. Tes yeux me l'ont crié. Tes bras me l'ont juré. A quoi bon résister davantage ?

Aux paroles qui l'hypnotisent, de légers baisers se mêlent. Attentifs à ne pas l'alarmer, ce sont des effleurements furtifs qui lui chatouillent la tempe, hésitent autour de l'oreille et s'éteignent au creux de son cou. Le souffle humide, sur sa peau, laisse une empreinte brûlante. Les mots se perdent dans les battements désordonnés de son cœur. Ils la rassurent et l'égarent, l'apaisent et la torturent. Ils endorment sa méfiance et liquéfient son corps transi.

Le sultan s'enhardit. D'une main, il dénoue le lacet qui retient la mince chemise, et s'empare des seins frémissants. Sous l'assaut, les tétons se durcissent. La jeune chavirée sent le souffle lui manquer. A sa gorge, la bouche de l'homme se fait ardente, dont chaque attouchement s'imprime sur sa peau comme coulée de lave. La bouche mordille, maintenant. Elle fouaille, elle exige. Et remonte vers le visage qui, enflammé, tente une esquive. D'une poigne impérieuse, Abu al Hassan emprisonne la nuque. Ses lèvres se plaquent aux lèvres closes. Elles cognent, elles mordent et submergent Isabel des sensations les plus folles. Un instant, elles quittent leur proie, taquinent le lobe de l'oreille, puis reviennent au fruit convoité. Et quand la jeune fille, suffocante, tente de reprendre haleine, elles forcent le rempart des dents et conquièrent enfin la place.

Éperdue, brûlée de honte et d'impatience, Isabel sent toute conscience l'abandonner. Un gémissement avide lui échappe, que cueille le souffle victorieux. Emportée par un tourbillon, c'est à peine si elle se rend compte qu'entre deux caresses enivrantes les mains habiles écartent les voiles. Comme animées d'une vie propre, ses hanches se prennent à ondoyer quand les doigts impatients s'y posent. La soie glisse le long de ses cuisses...

Lorsque, multipliant les caresses qui la laissent désarmée, l'émir l'attire doucement vers le sofa, Isabel est dénudée. Et ne songe pas à s'en offusquer. Son esprit ne lui appartient plus, possédé par une force délectable qui l'aspire toujours plus loin. A son être vibrant de soif, seules importent ces mains qui l'abreuvent, ces lèvres qui font gémir sa bouche, ce corps ferme et possessif qui donne naissance au sien. Quand elle bascule sur la couche, tout, en elle, a basculé.

Penché au-dessus du corps offert, le souverain savoure sa victoire. Il s'attarde à contempler les boucles fauves étalées jusques au sol, la pointe dorée des seins que hérisse l'attente et, au-delà du ventre tendre, les lèvres imberbes gorgées de sève. Mais ce qui l'enfièvre plus encore, c'est le visage contracté, la bouche gonflée de désir et, voilé d'une brume salée, l'océan des yeux grands ouverts qui hurlent leur prière muette.

Craignant qu'Isabel recouvre sa raison, sa froide raison d'enfant pudique, aussitôt il plonge à ses côtés. Un rire étouffé l'accueille, tandis qu'une voix rauque soupire :

– Vous vous faites désirer, Monseigneur. Vous aurais-je une fois encore offensé ?

– Attends un peu, ma tourterelle, gronde Abu al Hassan. Ce n'est pas l'offense mais l'outrage dont tu vas connaître le goût.

Son désir, longtemps maîtrisé, lui tire un grognement de souffrance. Déjà son genou s'immisce entre les jambes de la jeune fille. Sa main se glisse entre les cuisses, effleure, caresse, remonte encore. De tout son poids, il roule et tangue sur le corps abandonné enfin.

L'œil égaré, le souffle rauque, Isabel demeure suspendue, à l'écoute de cette douleur en elle qui se fait chaleur, vague brûlante qui la fouette, la brasse et l'embarque vers des horizons de fournaise. Sa tête roule, frénétique, sur les coussins éparpillés. Son ventre cogne. Son sein frissonne. Elle se sent chair, elle se sent glaise, terre au sillon généreux qui aspire à la vigueur de l'homme. L'haleine folle, la gorge en feu, elle agrippe comme dans son rêve les hanches qui dansent au-dessus d'elle.

– Viens, ma précieuse, viens avec moi, grogne Abu al Hassan tandis qu'il s'ancre vigoureusement, si profondément arrimé qu'elle en sanglote de bonheur.

Où commence la chair de la femme ? Où finit le désir de l'homme ? Dans cette nuit miraculeuse, deux êtres n'en font plus qu'un. Deux géants touchés par la grâce s'imbriquent l'un en l'autre, s'engloutissent et se fondent. Et lorsque des reins du sultan une tornade gronde et explose, c'est au ventre d'Isabel, à sa gorge, à son front qu'elle explose aussi, dans un éclair assourdissant. Foudroyés au même instant, les deux corps enlacés retombent, légers soudain, illuminés, embrasés comme poussière d'étoiles.

Quand Isabel reprend connaissance, le sultan allongé près d'elle l'observe avec nonchalance. De la main elle cherche sa chaleur et lève vers lui des paupières alourdies. Un sourire goguenard l'accueille.

– Alors, belle insoumise, qu'as-tu pensé de l'outrage ? chuchote une voix moqueuse.

Au creux de l'épaule du sultan, Isabel tente de cacher son visage mouillé. Dans le regard fixé sur elle, elle a eu le temps de saisir un joyeux éclat de triomphe.

– Vous aviez raison, Monseigneur, concède-t-elle, intimidée. C'était une bien belle danse.

– Alors, pourquoi ces larmes, mon étoile ? réplique l'émir attendri, en cueillant au coin de la paupière une goutte d'eau salée.

– Peut-être est-ce de trop de joie ? Trop de surprise aussi, avoue la jeune femme. Jamais je n'aurais imaginé...

– Que pouvaient être si doux des assauts aussi barbares ? lui rappelle Abu al Hassan.

– N'est-ce pas péché, se trouble la jeune femme, que de trouver tant de plaisir à...

Isabel, rougissante, s'interrompt. Comment traduire à son amant les propos embrouillés de l'homme en noir ? Comment lui faire partager les terreurs adolescentes qui la prenaient lorsque, quittant son confesseur, elle tentait d'imaginer ce dangereux péché de chair ?

– C'est donc cela aussi, enfant, qui t'effrayait ? devine le sultan intrigué. Tous ces propos endeuillés que multiplient les gens de ton Église pour mieux tenir à leur merci un peuple terrorisé. Je les ai entendus, quelques fois, du temps qu'à la cour de Ségovie j'étais forcé d'écouter leurs sermons. J'avoue n'avoir jamais compris comment ils osaient dénaturer à ce point les propos d'Issa ben Meryem. Quelle haine, dans ce rejet de l'amour ! Quel mépris pour un corps que le Créateur a sculpté de son souffle, le donnant à l'homme pour qu'il en jouisse, comme de toute chose, dans l'amour de l'autre et de Lui... Ne sais-tu pas, ma douce, que ton corps est l'écrin de ton âme, le luth d'où s'échappent les mélodies chères au Très-Haut ? Il t'appartient d'en tirer musique céleste ou sons confus.

Rassérénée par ces paroles qui tant rejoignent celles de

Malika, Isabel, fugitivement, a une pensée reconnaissante pour son initiatrice.

– Savez-vous qu'une femme, avant vous, m'a tenu des propos semblables, évoque-t-elle, rêveuse. Mais je ne parvenais pas à la croire.

– C'est qu'elle était sage. Et toi non, murmure le prince en effleurant d'un doigt léger le flanc trempé de sueur. Mais te voilà d'accord, j'espère. Ou n'ai-je, à te convaincre, pas mis assez de passion ? questionne-t-il, le visage plissé d'une inquiétude feinte.

– Je ne sais pas encore, Monseigneur. Peut-être aurai-je à vous réclamer quelques arguments complémentaires...

– A la bonne heure ! s'exclame Abu al Hassan dans un éclat de rire. Voilà que tu te dévoiles enfin telle que je t'imaginais. L'amour est chose grave, ma belle étoile, ma Zoraya. Mais il peut être rieur aussi, joyeux, gourmand, insouciant : je vois que tu l'as compris. Prendrais-tu goût, enfin, au plaisir d'être femme ?

Mais l'œil d'Isabel s'est frangé de nuit. Alerté par l'expression douloureuse qu'il lit soudain à ses lèvres, le souverain interroge :

– Qu'y a-t-il, ma sauvageonne ? T'aurais-je une fois encore blessée ?

– Non, Monseigneur, murmure la voix tendue de la jeune femme. C'est juste une pensée qui me traverse...

Une pensée ? Des images plutôt qui, fulgurantes, viennent de la transpercer. Ces esclaves qu'au matin elle devra rejoindre, toutes ces femmes que son amant a tenues dans ses bras, que tout à l'heure encore il embrassait sans s'occuper de sa présence, tous ces élans, ces étreintes, ces promesses peut-être dont leurs visages au matin portaient témoignage... Sont-elles capables de l'aimer comme elle l'aime, cet homme infidèle à qui toutes appartiennent ? Et lui : à toutes offre-t-il ce visage bouleversé de tendresse, et ces yeux qui quémandent une explication, et ces lèvres qui hésitent entre inquiétude et sourire ?

– Tu ne vas pas te sauver encore, proteste la voix grondante. Je te tiens. Je ne te lâche pas. Ni par les rues, ni dans ta tête, je ne te laisserai jamais plus m'échapper.

– C'est que j'ai peur, Monseigneur, chuchote Isabel désarmée.

Et, dans un souffle imperceptible :

– Je crois bien que je vous aime...

C'est qu'elle tremble vraiment, l'innocente. Mais quand Abu al Hassan, doucement, prend sa tête entre ses deux mains, quand il darde sur elle le feu de son regard ému, quand les yeux noirs striés d'étoiles versent en elle leur flot caressant, Isabel admet qu'elle a trouvé son refuge, peut-être.

Burgos, novembre 1502

CETTE nuit de Dar al Ixares qui l'avait faite femme avait marqué pour ma jeune amie l'entrée dans un temple mystérieux dont elle allait devoir franchir un à un les sept voiles. D'embûches en chausse-trapes, en impatiences, en épreuves, elle mettrait des années à en atteindre le cœur, m'expliquerait-elle bien plus tard. Cœur brûlant, cœur purificateur d'un amour qui l'avait consumée, la dépouillant de tout ce qui n'était pas lui, la revêtant de cette beauté radieuse qu'à son arrivée en notre couvent nous lui remarquerions toutes : la beauté de la chair que l'âme anime et illumine.

Comme elle nous sembla belle en effet, la noble Doña Isabel lorsque, la quarantaine juste passée, elle s'en vint frapper à nos grilles. Avec son lourd chignon roux qui soulignait la fragilité de sa nuque, avec ses prunelles océanes lavées par trop d'embruns, avec son front pensif, sa bouche ronde et grave où un rien suffisait à faire chanter le rire : on eût dit que, par la grâce de cette étrange retraitante, la lueur prometteuse de l'aube pénétrait en notre monastère. Maintes fois, tandis que penchée sur son ouvrage elle égrenait pour moi ses souvenirs, je me suis prise à l'imaginer telle qu'elle avait dû être en ces années d'al Andalus. Je la voyais chaleureuse, animée d'une vie jaillissante dont son regard portait toujours l'éclat. Je devinais sa passion vorace que devait adoucir, déjà, cette gravité tendre, ce soupçon de mélancolie qui plus tard sertirait la gemme de sa joie. Je comprenais sans peine comment la très jeune femme qu'elle était alors avait pu conquérir et le cœur du sultan et celui de la cour et celui, si changeant, du peuple de Grenade – enclin par nature à n'aimer la lumière que frangée de nuit, et la beauté ardente que voilée de tristesse.

Mais laissons-les plutôt revivre, ces années qui virent Isabel la sauvageonne s'effacer devant Zoraya, Étoile du matin, Lumière de l'aurore dans les yeux éblouis du sultan Moulay Hassan...

XVI

Grenade, automne 1473

Qui peut dire ce qui avait changé dans les jardins de Dar al Ixares ? Les patios, les charmilles, les allées profondes, et même le tendre pavillon qu'Abu al Hassan avait fait ouvrir pour accueillir leurs tête-à-tête : tout était à sa place. Pourtant, tout était différent. L'air semblait plus léger, la lumière plus éclatante, les ombres plus mystérieuses. Isabel avait un secret qui irradiait toute chose. Isabel était amoureuse. Se pouvait-il que Dieu regardât le monde par les yeux éblouis de celui qui aime ?

Douces étaient désormais les longues heures du jour, puisqu'elles étaient attente du prince. Riches les moments de solitude où Isabel revivait chaque élan, chaque mot, chaque caresse de la nuit passée, tentant d'y déchiffrer un peu de cet être insaisissable que le Ciel lui avait donné pour amant. Même les soins portés à sa toilette se teintaient de gravité, puisque de l'ombre d'un voile à son visage, du reflet d'un joyau à sa gorge dépendrait l'éclat du regard qu'Abu al Hassan porterait sur elle. Chaque frisson de sa pensée, chacune de ses respirations, chacun de ses gestes solitaires devenaient élan vers l'absent. Jusqu'à l'étude, la musique, la poésie, ses chères compagnes des jours solitaires, qui prenaient une saveur nouvelle : elle y découvrait partout un écho à son bonheur.

– *Ni les faveurs du pouvoir,* murmurait Ibn Hazm à l'oreille d'Isabel, *ni le retour après l'absence, ni le salut après la peur et l'exil loin du puits du clan : rien n'égale dans une âme l'union amoureuse.*

Ces mots l'atteignaient au cœur qui, cinq siècles auparavant, lui avaient été destinés.

– *Une prairie qui s'illumine après la pluie,* insistait le poète, *l'aurore d'une fleur quand les nuages lèvent leur camp nocturne... non, rien ne dépasse l'union avec l'aimé.*

La jeune femme, transportée, se grisait des phrases rédigées pour elle seule.

« Tu avais raison, Malika, songeait-elle du haut de son savoir neuf : donner et recevoir le plaisir sont un besoin et une extase pour qui a l'heureuse fortune d'être accueilli au royaume d'amour. »

Des sentiments d'Abu al Hassan, au cours de cet été-là, il devint difficile de douter. Il ne se passait pas un soir sans que, retour de chasse ou de razzia, il la réclamât à ses côtés. Pas une nuit, même au terme de l'une de ces fêtes où la jeune femme tremblait de voir une hétaïre lui voler l'attention du prince, qu'il n'achevât entre ses bras. A croire que les craintes d'Isabel étaient folles, qui lui faisaient voir en chaque concubine une ennemie de son bonheur.

Ennemies, les femmes du sérail l'étaient. En silence liguées contre Moutkebbera, l'Orgueilleuse comme elles nommaient la chrétienne, depuis qu'elles avaient compris qu'elle régnait sur les sens du maître. Femmes jalouses, mais désarmées : le sultan n'avait soif que de celle qu'il avait baptisée Zoraya, Étoile du matin, Astre inextinguible de ses longues nuits de plaisir.

Un soir pourtant, Isabel avait cru fracassé le rêve qu'elle vivait éveillée.

C'était au plus fort de l'étreinte.

– Je t'aime, ô ma Layla, avait laissé échapper le prince comme tous deux, domptant l'ardeur, retenaient ensemble l'instant de se laisser ravir.

Layla !

La foudre tombait aux pieds d'Isabel. Son ventre s'était raidi. Dans son corps d'où le sang semblait retiré, seul son cœur battait encore, à coups désordonnés.

– Où es-tu, ma bien-aimée ? ne tarda pas à s'inquiéter le sultan. Vers quelle terre as-tu fui ?

Incapable de proférer un son, la jeune femme fixait d'un œil hagard cet étranger penché sur elle.

« Layla, scandait en elle la voix de la détresse. Quelle est cette inconnue qui occupe les pensées de mon amant ? »

– Allons, ma sauvageonne, ma superbe rétive, insistait Abu al Hassan : me diras-tu quel nouvel orage vient de t'arracher à moi comme nous partions ensemble ?

Relevé sur un coude, il scrutait le visage fermé. Son regard débordait d'un tendre reproche.

– Ensemble, Monseigneur, avait relevé Isabel d'une voix blanche : en êtes-vous sûr ?

Son amant la contemplait toujours, un voile de surprise dans les yeux.

– Est-ce bien avec moi que vous partiez ? répétait avec effort la jeune femme. N'est-ce pas plutôt avec une autre, cette Layla avec qui votre pensée me trompe ?

Ses joues avaient pâli. Mais Abu al Hassan ne la voyait plus. Il avait détourné son regard. Odieux soudain, hors d'atteinte, il s'abandonnait au rire. Isabel était à la torture.

– Layla : c'était donc ça ! Mais... tout le monde connaît Layla, hoquetait l'émir.

Blessée par cette hilarité, la jeune femme se raidissait de colère. Abu al Hassan l'avait entourée de ses bras. De force il la berçait, la cajolait, l'étouffait sous les caresses et les promesses sibyllines.

– Pauvre petite chrétienne, chuchotait-il entre deux baisers : tu ne sais pas. Tu ne sais rien. Et tu te fais du mal toute seule.

Son doigt suivait, songeur, la ligne butée du front blême.

– Je vais t'apprendre, moi, reprit-il. Je vais tout t'apprendre. La belle histoire de Qays et Layla, leur amour fou, leur tendresse immortelle.

Ses lèvres se perdaient à la tempe de sa compagne.

– Je dois t'apprendre la confiance aussi, mon ombrageuse, la divine confiance des enfants de Dieu, et la patience, et le partage que se doivent l'un à l'autre les amants. Tu es toujours si pleine de doutes !...

Sous ses mots, sous ses baisers où le rire laissait place à la ferveur, Isabel sentait l'apaisement la gagner. Mince filet de sang neuf, l'espérance, timide encore, remettait du rose à ses joues.

– Expliquez-moi, Monseigneur.

– C'est la plus belle histoire du monde. La plus folle, la plus triste aussi, que celle de Qays et Layla.

– Racontez, soufflait Isabel, suspendue aux noires prunelles qui versaient en elle leur eau pacifiante.

– Il était beau. Elle était belle. Ils étaient cousins, promis l'un à l'autre. Et ils s'aimaient de passion d'amour, avait commencé Abu al Hassan de cette voix de basse dont il usait comme pour un envoûtement. C'était en Arabie, il y a très longtemps, quelque part au milieu du désert.

Distrait par un reflet de lune glissé à la gorge de la favorite, le prince d'une paume gourmande en suivait le trajet mutin.

– Poursuivez, Seigneur, je vous en prie, avait insisté la jeune femme tout en portant à ses lèvres la main vagabonde.

– Qays, pour son malheur, était aussi poète. Dans des vers enflammés il chanta les charmes de sa bien-aimée, violant par là sa pudeur et piétinant l'honneur du clan. Car tu sais qu'il est d'usage de taire le nom de sa bien-aimée – le divulguer serait vouloir prendre au piège la colombe d'amour... De fureur, le père de Layla s'opposa donc au mariage des jeunes gens, et donna sa fille à un autre. Désespérée, Layla peu à peu se laissa mourir. Qays sombra dans la folie. *Majnoun Layla*, le fou de Layla... Des années durant il erra dans le désert, ne tolérant que les bêtes sauvages pour compagnes et composant ces vers que reprennent en tremblant, depuis, tous les cœurs qui s'aiment sous le ciel d'Allah :

Je t'aime, ô ma Layla, comme seul peut aimer
Un cœur épris qui n'a que faire des obstacles.

– C'était donc ça, murmura Isabel.

– *Je souffre : elle est si loin !* poursuivait Abu al Hassan d'une voix rauque. *Oh ! Qui me sauvera ?*

Layla, ô mon désir, ô toi dont le regard
Fit surgir en mon cœur ce brasier qui flamboie !...

Hypnotisée par le regard du prince, par sa voix fervente, la jeune femme s'était détendue tout à fait. Le sang refluait à son visage. Son souffle s'était apaisé. Elle jouissait comme d'un miracle de ce soulagement après l'effroi. Trompée sans doute par l'excès de sa joie, elle ne distinguait plus les mots de Qays de ceux d'Abu al Hassan. Citation fidèle ? Aveu déguisé ? Qu'entendait-elle là ? A la gravité de son amant, à ses yeux traversés de lueurs douloureuses, à la brûlure de ses mains posées sur elle, Isabel se prenait à croire que l'instant présent balayait la réminiscence, et l'amour du sultan de Grenade celui du fou de Layla.

– Vous m'aimez donc un peu, Monseigneur ? avait-elle murmuré.

– Folle que tu es ! Combien de mots d'amour, combien de serments, combien de preuves devrai-je déposer à tes pieds pour apaiser tes doutes ? Tu es ma femme, Zoraya. Tu es mon Unique, façonnée par Dieu pour moi, de tout temps et pour l'éternité. Que ne le comprends-tu ?

– Pas votre femme, Seigneur, votre concubine, avait corrigé la jeune femme. Une parmi toutes les autres. Et qui peut-être ne doit votre présence, et ces faveurs dont vous l'entourez, qu'à un désir fugace.

– Sois patiente, ma toute belle. Sois confiante, un peu. Laisse-moi le temps de te prouver que tes craintes sont vaines. Abandonne-toi, allons ! Et vois comme, naturellement, ces heures que nous partageons nous rendent forts l'un par l'autre...

Avec quelle patience, avec quelle tendresse rieuse et attentive son amant ce soir-là l'avait apprivoisée : elle ne cessait depuis de s'en émerveiller. Ce que les lèvres d'Abu al Hassan ne suffisaient à dire, ses regards l'en avaient convaincue, et ses mains, et sa peau. Cette nuit-là, sous la lune complice, Isabel devenue Zoraya était allée à la rencontre d'un Abu al Hassan insoupçonné. Il n'était plus le sultan qui la prenait en maître et se riait de ses terreurs mais un homme bouleversé, comme elle, et comme elle saisi du tremblement d'amour. Un amant attentif et grave qui orchestrait ses élans, exaltait ses désirs, et amadouait ses détresses d'enfant sauvage. Un chevalier épris de sa Dame, devant elle vulnérable, pour elle prêt à en découdre avec les fantômes, les obstacles réels ou imaginaires qui se dresseraient entre eux.

– Que sais-tu de l'amour ? lui avait, parmi tant d'autres murmures, demandé cet homme qui la forçait à se découvrir. Et qu'en sais-je moi-même ? L'amour est union de deux âmes de tout temps promises l'une à l'autre. La religion ne l'interdit pas, la Loi ne prévient pas contre lui, puisque les cœurs sont dans la main de Dieu...

Ces mots, Zoraya les retrouverait plus tard sous la plume du docte Ibn Hazm.

– Comme le Très-Haut doit nous aimer, pour nous avoir donné l'un à l'autre ! avait poursuivi l'émir. A nous de faire bon usage du présent divin. A toi, à moi de le bâtir à notre démesure. Il ne dépend que de nous, ensemble, que notre amour soit immense ou minuscule, fugitif ou éternel...

Dans les allées de Dar al Ixares que, rêveuse, elle parcourait sous le soleil d'été, ces mots depuis résonnaient comme une promesse. Promesse reçue, promesse donnée. Double défi lancé au doute, au temps qui ronge toute chose, et à soi-même par-dessus tout. Défi d'orgueil et d'exigence qui ouvrait aux deux amants les portes d'une quête infiniment grave où Zoraya, nuit après jour, aspirait à se risquer davantage.

Elle comprenait avoir été jusque-là forteresse glacée, hantée par la peur de l'abandon. Au fil des semaines, elle devenait femme, mystérieusement accomplie sous le regard d'Abu al Hassan. Auprès du prince, par lui, pour lui, elle découvrait non le sentiment amoureux mais l'abondance des sentiments. Et l'intensité d'être en vie... « Était-ce cela, aimer ? songeait-elle. Oser s'aventurer dans un au-delà de soi où rien, désormais, ne lui serait connu ? »

Si loin voguaient ses pensées des basses intrigues du harem que la heurtait, parfois brutalement, l'hostilité de ses compagnes. Aussi veillait-elle à les fuir, autant que le permettaient la surveillance de Tarouq et les méandres du parc. Lorsqu'elle y était contrainte, elle se mêlait aux hétaïres avec ce sourire lointain qui lui valait son surnom d'Orgueilleuse.

Au seuil de sa vie de femme, la nouvelle favorite était jalouse de son secret. Pour elle comme pour les nomades du temps de Qays et Layla, la discrétion était une preuve, une épreuve de la ferveur d'amour. Aussi gardait-elle le silence, et demeurait-elle à toutes indéchiffrable. On ne le lui pardonnait pas.

L'été poursuivait sa course. De Grenade à Malaga, d'Almeria à Ronda fleurissaient des romances qui, partout, chantaient l'amour du sultan pour une flamboyante chrétienne.

– *Le sabre est devenu l'esclave du roseau,* fredonnait-on ici.
Le noble fils de Grenade est captif d'une chrétienne.
Sa peau a la blancheur du jasmin,
Ses yeux le bleu profond des nuits illuminées d'étoiles.
Sous son front dessiné pour le diadème
Ses cils sont semblables à un battement d'hirondelles.
C'est Zoraya, belle parmi les plus belles, qui a dompté le cœur du prince.

– *Ses longues tresses sont deux rigoles de feu,* reprenait-on ailleurs,
Ses oreilles deux coquillages parfumés,
Son nez est fin et droit comme la lettre Alif
Et sa bouche rivalise d'éclat avec la rose grenadine.
C'est elle, Zoraya, princesse au doux sourire, qui enchante l'âme du prince.

– *Sa taille est fine et souple comme rosier sauvage,* chantait le royaume complice,
Ses bras nobles et gracieux comme cols de cygnes.
Quand elle se met à chanter, on dit que le cristal se brise,
Que les oiseaux lancent au ciel mille youyous extatiques.
C'est elle, Zoraya, la gazelle enfermée qui par le regard du prince se découvre une lionne.

Qui avait alerté les poètes ? Était-ce le rossignol porteur des secrets d'amour ? Ou l'alouette volage, messagère du matin ? Ou encore le vent du soir qui depuis la sierra transporte entre ses doigts frais les dernières nouvelles du jour ?... C'était une rumeur joyeuse, qui parlait du retour des fêtes en la colline d'al Ixares, et des quatre coins du royaume faisait accourir les baladins qu'on disait bienvenus à la cour.

Jour après jour conviée, la fleur de la noblesse grenadine s'ébattait elle aussi dans le parc. Sous les treilles rendues à la vie, dans les patios réveillés par les rires, partout des concerts s'improvisaient, des spectacles spontanés où les houris déployaient leurs charmes. A la nuit, torches allumées, les convives se regroupaient autour des bassins tapissés de pétales de roses. Le vin alors coulait à flots, l'hydromel, les suaves liqueurs. Tandis que les mets circulaient, chanteurs et musiciens, danseuses, poètes et troubadours réjouissaient jusqu'à l'ivresse une assistance alanguie qui ne s'éparpillerait qu'à l'aurore.

On riait, on devisait, on s'ébattait tout à loisir dans le palais d'Abu al Hassan. On nouait même quelques romances, à l'abri des allées complices. Surtout, on observait. On supputait, on s'interrogeait. Qui était cette Zoraya, Isabel de son vrai nom, qui métamorphosait l'homme austère plus épris de joutes guerrières que de ballades poétiques en cet hôte bienveillant qui ne dédaignait plus les plaisirs ? Était-ce une intrigante, une de ces ambitieuses comme il y en avait tant eu dans l'histoire du trône de Grenade ? Était-ce une étoile filante, la folle passion d'une saison qui se fanerait avec l'été ?

Les langues allaient bon train. Sous les sourires courtois, derrière les propos anodins qu'à tour de rôle chacun lui tenait, Zoraya se savait jaugée. La fierté de son regard désarçonnait les coutumes : plus d'un homme devant elle s'était pris à baisser les yeux ! Certains ne le lui pardonnaient pas. Et l'accusaient à mots couverts d'être une dévergondée, une de ces filles perdues qui attentent à la pudeur de leur sexe. D'autres se laissaient charmer par ses propos, par cette candeur alerte qui ne la quittait pas. Tour à tour respectueuses et impertinentes, poétiques et philosophiques, ses répliques surprenaient. Elles irritaient les uns. Elles désarmaient les autres. Ces derniers, bientôt conquis, ne juraient plus que par l'étonnante créature qui ramenait vie et sourire à la cour du souverain.

Aussi la jeune femme était-elle entourée. Par calcul ou par attrait, on se pressait autour de l'étrange étoile que l'émir couvait d'un œil épris. Zoraya s'amusait de tant d'hommages. Elle se tenait en retrait, protégée de la griserie par une distance souriante. Lorsqu'elle se sentait lasse, un regard lancé au sultan suffisait pour qu'aussitôt tous deux en vinssent à disparaître, laissant les convives à leurs ébats et les curieux à leurs questions.

– N'est-ce pas vous, Seigneur, qui me contiez il y a peu l'histoire de Qays et Layla, et le danger qu'il y a à rendre publics ses sentiments ? reprochait-elle tendrement à l'émir lorsque tous deux regagnaient l'intimité de leurs appartements.

– Ne doute pas de me voir un jour prochain, jaloux, te ravir aux regards et t'enfermer en quelque lieu connu de toi et de moi seuls, lui répondait le prince. Mais tu es chrétienne, ma bien-aimée. Tu as d'autres habitudes, et je ne veux pas t'effrayer...

On parlait tant et tant, à travers le royaume, de cette favorite qu'au lieu de cacher jalousement le souverain entourait d'attentions sous le regard de ses hôtes, qu'un jour l'émir de Malaga s'en vint se faire son opinion.

Il était arrivé fringant, comme à son habitude. Accueilli par le grand chambellan, il avait poussé jusqu'au pavillon, naguère solitaire, où une vingtaine de convives éparpillés sur les coussins suivaient d'une oreille attentive la joute de deux troubadours. Quand un silence respectueux avait annoncé Abu al Hassan, c'est le sourire à la bouche qu'al Zagal avait accueilli son aîné.

– Ah ! çà, mon frère ! Me diras-tu ce qui se passe ici ? l'avait-il aussitôt questionné tout en lui donnant l'accolade. Le royaume ne parle plus que de la splendeur retrouvée des fêtes de son sultan. De Grenade à Malaga, il n'est pas un poète qui n'affûte ses vers sur les amours d'Abu al Hassan avec je ne sais quel Astre du matin. Et lorsque mes hommes et moi y parvenons, la cour de mon frère ne se ressemble plus : on s'y amuse, on y badine, on s'y adonne à la poésie...

– Tout doux, cher Muhammad ! avait répliqué le sultan. N'est-ce pas toi qui par le passé moquais ma gravité ?

Voilà que je suis tes conseils, je retrouve la légèreté de vivre ; et tu m'en ferais le reproche ?

– Loin de moi cette idée, habibi. Tu es heureux, enfin : je m'en réjouis ! Tu l'exposes aux yeux de tous et en fais profiter chacun : tant mieux. Mais je brûle de curiosité. Est-ce, comme le prétend la rumeur, une femme qui t'a changé ? Est-ce cette Zoraya dont m'ont parlé nos amis Venegas et mon beau-frère le sejid Hiaya ? Qui donc est-elle, cette magicienne ?

– C'est toi qui le demandes ?

– Devrais-je le savoir déjà ?

– Cela se pourrait en effet...

– Attends voir, réfléchit l'émir... Si c'est celle à laquelle je songe, cette créature de feu que ton droit d'aînesse un soir me vola : elle ne s'appelait pas Zoraya.

– Interroge mieux ta mémoire : le nom ne lui sied-il pas ?

– La pucelle dont Siddi Aben Barrax était si fier, la fille de Don Sancho de Solis... Ma foi, je comprends mieux ton bonheur. Mais n'est-ce pas elle qui vient vers nous ?

Comme Zoraya rejoignait les deux hommes, il poursuivit en galant homme :

– Ravi de vous revoir, Sejidah. Je craignais que mon jaloux de frère vous tînt enfermée loin des regards : je suis heureux de voir qu'il n'en est rien et que vos charmes grandissants peuvent continuer de meurtrir les cœurs de vos soupirants malheureux.

– Soupirant ? Vous ne parlez pas pour vous, j'espère, sourit la favorite. J'ai souvenir de réflexions bien acerbes pour qui prétend amadouer une damoiselle.

– Vous étiez radieuse déjà, mais guère sereine, si ma propre mémoire est bonne. J'espère que mes propos d'alors n'eurent pas le malheur de vous déplaire... Étaient-ils si déplacés, d'ailleurs ? ajouta l'émir d'un ton railleur.

– De quoi parlez-vous tous deux ?

– De la soirée qui présida à notre rencontre,

Monseigneur. Vous rappelez-vous comme je tentai de vous fuir, en ce patio isolé où vous m'aviez entraînée ?

– Si je me rappelle ! Tu étais aussi ravissante qu'insupportable...

– C'est ce qu'en des termes plus rudes me dit alors l'émir de Malaga qui me coupait la route. A me voir si courroucée, il m'avait conseillé moins de révolte et plus de... générosité. Suis-je fidèle à vos paroles ?

– Il me semble, oui, sourit al Zagal, surpris par la spontanéité de la favorite.

– A l'époque, pour cette pique, je l'avais maudit. Aujourd'hui, je ne suis pas loin de lui donner raison. Votre frère est de bon conseil, en somme. Je suis sûre, Monseigneur, que ses avis doivent vous être précieux, conclut Zoraya dans un nouveau sourire, rassemblant en un regard enjôleur le sultan et son cadet.

La favorite semblait si câline, et néanmoins si malicieuse, que les deux princes étaient partis d'un même éclat de rire. « C'est bien d'elle, mon albiya, ma lionne », songeait l'un, de s'allier en trois répliques le plus mordant seigneur du royaume. « C'est bien la femme sauvage d'il y a trois mois, remarquait l'autre, mais libérée de sa révolte. »

Tous trois s'étaient installés à l'ombre de la galerie. Tandis qu'autour d'eux s'empressaient les esclaves et que reprenait l'échange entre les troubadours, al Zagal scrutait ses deux compagnons. Son œil amusé passait de la favorite au sultan. Chez l'une, il croyait percevoir une ardeur que rien ne bridait plus et qui, de jaillir enfin spontanée, dispensait une harmonie joueuse. Chez l'autre, le réjouissaient l'insouciance d'un sourire qu'il ne lui avait jamais vu, le rayonnement d'une puissance nouvelle et tendre.

– Puis-je me permettre de vous adresser à tous deux mes félicitations, commenta-t-il au terme d'une observation que les deux amants avaient feint d'ignorer. Non que je veuille être indiscret. Moins encore que je cherche à flatter l'un ou l'autre. Mais je vous vois mystérieusement changés. M'éclaireras-tu, mon frère, sur ce mystère ?

Un même sourire unit Abu al Hassan et Zoraya. Un instant, leurs regards se croisèrent, tissés de complicité. Aucun ne rompit le silence.

– C'est bon, j'ai compris, soupira al Zagal. Tu ne parleras pas. Mais vos silences en disent long : l'amour, il faut croire, n'est pas un leurre, que rêvent les cœurs solitaires. Les poètes l'ont toujours chanté. Et vous, vous l'auriez trouvé.

Pour ce mot inattendu dans la bouche d'un prince, pour le regard d'affection sincère qu'il posait sur son aîné, Zoraya aussitôt aima al Zagal.

Tandis qu'à l'ombre de la galerie tous trois devisaient de la sorte, un homme de haute stature approchait.

– Abu al Qasim, sois le bienvenu, l'accueillit aussitôt le souverain.

– Qu'Allah soit avec toi, mon cousin, reprit al Zagal en se levant pour le prendre dans ses bras.

Isabel, qui suivait des yeux leurs gestes, reconnut al Qasim Venegas, l'ennemi juré, se rappelait-elle, du vizir Ibn Kumasa. Il lui était plutôt sympathique, cet homme que l'émir de Malaga appelait du nom de cousin.

– Le gouverneur d'Almeria m'a chargé de vous faire ses compliments, transmettait à l'instant al Zagal.

– Siddi Hiaya, mon gendre : comment va-t-il ? Et comment se porte la sejidah Nawal, ma fille ?...

Alerte, détendue, la conversation s'éloignait assez des affaires du royaume pour que Zoraya osât glisser la question qui lui brûlait les lèvres :

– Êtes-vous parent avec les Venegas de Cordoue, Seigneur ? Mon père recevait autrefois un Don Alonso de Venegas, de la maison de Luque...

– Don Alonso, ce jeune chevalier ? Bien sûr : nous sommes cousins. Mon père, Don Pedro de Venegas, était lui aussi descendant de la maison de Luque. Et je ne dois qu'au fol amour qu'il conçut pour la princesse Meryem, ma mère, d'être né dans la Grenade musulmane plutôt qu'à Cordoue la chrétienne.

– Mais vous-même, s'étonna Zoraya à qui la mise raffinée du seigneur grenadin, et la barbe qui assombrissait son visage, semblaient loin des modes castillanes. Êtes-vous... chrétien ?

– Non, mon étoile précieuse, intervint Abu al Hassan. Don Pedro, qui fut un ami de mon père, épousa, avec Setti Meryem, la religion d'al Islam. Al Qasim, notre ami, alguacil de Grenade et l'un des plus fidèles serviteurs du royaume, est musulman lui aussi.

Isabel ne se risqua pas à faire de commentaire. Mais ces hommes sans remords la surprenaient, ils abjuraient leur foi et, loin d'être tenus en mépris, accédaient aux plus hautes charges au sein de la cour de Grenade. Si elle avait du mal à comprendre, elle que Doña Elvira avait élevée dans la terreur du blasphème et le mépris de l'apostasie, l'histoire la laissait rêveuse de ce Don Pedro converti par amour...

Longtemps, tandis que le soleil déclinait et que les fines arcades autour du bassin étendaient leurs ombres, tous quatre restèrent à bavarder. A mesure que le temps passait, Zoraya prenait davantage de plaisir à écouter al Qasim. Malgré sa mise orientale, malgré ses manières précieuses qu'à Martos on eût jugées efféminées, elle trouvait en lui une franchise, une façon directe de s'exprimer qui la ramenaient des années en arrière, au temps des heureuses soirées passées à débattre avec Don Sancho. Auprès de cet homme issu de deux mondes, et qui empruntait à chacun un peu de sa personnalité, un agréable sentiment de familiarité l'envahissait.

Ce soir-là, tandis qu'elle regagnait avec Abu al Hassan le refuge de la chambre royale, elle avait évoqué les deux hommes en termes amicaux.

– Ton intuition est bonne, Princesse, avait confirmé le sultan. Al Zagal est aussi fidèle que valeureux. Il me l'a maintes fois prouvé. Voilà trois ans, alors même que les Beni Serradj poussaient mon peuple à se soulever contre moi et le réclamaient pour sultan, c'est lui qui a fait échouer leur complot en venant me renouveler son allégeance. Depuis lors, sur lui je sais avec certitude pouvoir compter toujours... Quant à Venegas, ses avis sont si judicieux que depuis quelque temps je m'interroge sur l'opportunité de l'appeler à l'écrasante fonction de vizir. Ibn Kumasa prend trop de pouvoir. Les hommes de son clan abusent tant de ses largesses que le peuple commence à murmurer. Mais Venegas a contre lui les Beni Serradj, encore eux. J'ai beau me méfier de ces félons, je suis forcé de les ménager... J'hésite, ma toute belle, j'hésite. Peut-on ménager à la fois Ibn Kumasa et Venegas, tous deux hommes de valeur et qui cependant se haïssent ?...

– Qu'il soit fils de renégat ne nuit-il pas à Abu al Qasim ? s'enquit Zoraya que la question intriguait toujours.

– Pourquoi ? s'étonna le prince. Grenade n'est point esclave de ces malékites qui, semblables aux inquisiteurs de Castille aujourd'hui, répandirent longtemps sur al Andalus leur terreur religieuse. Qu'importe leur origine, pourvu qu'ils soient fidèles au sultan. Je dirais même, au contraire...

– Au contraire ?

– Les tribus sont nombreuses, à Grenade, qui se disputent le pouvoir et, au nom de leur sang arabe, berbère, ou que sais-je encore, prennent ombrage les unes des autres et tentent par tous les moyens de se rapprocher du trône. Je te parlais à l'instant des complots des Beni Serradj. Mais que dire de ma propre épouse, Aïcha, avait grommelé Abu al Hassan agacé, qui se dit descendante du Prophète et croit éclabousser le sultan de son stupide orgueil ?... Les renégats sont plus sûrs, à tout prendre. Ils savent devoir tout au prince... Pour revenir à al Qasim : par sa parentèle chrétienne, il reçoit des nouvelles fort utiles. Ainsi m'a-t-il informé ce matin d'un retournement d'alliances en Castille. Cela ne te dira rien, mais la puissante famille Mendoza, puissante notamment en al Andalus où elle compte nombre de seigneurs amis...

– Je crois me rappeler que mon père en était, interrompit malgré elle la jeune femme chez qui le nom de Mendoza éveillait de lointains souvenirs.

– Les Mendoza, donc, soutiendraient désormais l'infante Isabel et son époux Don Fernando contre le propre roi de Castille.

– Est-ce grave ?

– Nul à cette heure ne peut le dire. Tout ce qui divise l'ennemi est heureux, bien sûr, pour Grenade. Mais depuis son mariage avec l'infant d'Aragon, cette Doña Isabel ne me dit rien qui vaille.

Le prince, cette fois, avait la mine soucieuse.

– Elle ne cache pas son ambition, poursuivait-il, et met à son service une grande habileté, ma foi. Cette nouvelle alliance ne peut que la favoriser. Je donnerais cher pour ne la voir jamais monter sur le trône de Castille !... Enfin, soupira Abu al Hassan : à quoi bon tenter de soulever le voile de l'avenir. Il adviendra selon la Volonté d'Allah.

Dans un sourire incertain, l'émir se tournait vers sa favorite. A peine lui ouvrait-il les bras que, lèvre douce et regard mutin, Zoraya s'employait à le détourner de ses sombres pensées. C'est qu'elle prenait de l'assurance, la jeune effarouchée des premiers soirs. Chaque nuit, quoique rougissante encore, elle se trouvait de nouveaux élans, inventait de nouveaux jeux qui portaient à l'incandescence les sens de son amant.

Elle avait été timide d'abord, et attentive, recueillant d'Abu al Hassan l'initiation aux gestes étranges de l'amour. Puis elle s'était enhardie. Elle effleurait le mâle corps comme un instrument de musique, et s'étonnait d'en tirer des accords qui les affolaient tous deux. Le corps aimé lui devenait champ d'émerveillement, terre infinie, envoûtante, qu'elle ne se lassait pas d'explorer. En chaque flaque d'ombre, chaque méplat, chaque recoin de peau frissonnante, elle aimait à porter le souffle de son désir, et la sève, et le feu. Des émotions sauvageonnes prenaient possession de son être. Des sens nouveaux fleurissaient sous sa peau, des lumières sous ses paupières, des saveurs inconnues à ses lèvres. Tour à tour effrontée et candide, provocante et réservée, elle découvrait l'étendue de ses pouvoirs et jouissait du plaisir qu'elle apprenait à donner. En ces batailles nocturnes elle était reine, elle était femme, et s'abandonnait au ravissement de ravir l'âme du sultan.

Cette nuit-là, à Dar al Ixares, oubliées les affaires du royaume, Abu al Hassan et Zoraya s'enivrèrent l'un de l'autre. Ils s'abreuvaient à l'or des caresses. Ils s'émerveillaient du miracle renouvelé de se donner l'un à l'autre. Ils enlaçaient le ciel avec le corps aimé. Et c'est pourtant à peine si leur amour leur semblait effleuré.

XVII

Il fallut bien, pourtant, songer à quitter le vert paradis de Dar al Ixares. L'air fraîchissait. Les arbres se frangeaient d'or et de brun. On savourait les premiers coings. Rondes, vernissées, les grenades livraient en éclatant leur cœur saturé de jus pourpre. Sur les coteaux en contrebas les vendanges avaient commencé, qui s'achèveraient dans la fête. La saison chaude s'effeuillait sans que cessât de briller l'étoile de la favorite... L'Alhambra attendait le retour de sa cour.

Quelqu'un l'y avait précédée. Après une dispute conjugale dont les murs de la chambre royale conservaient l'écho, la sejidah Aïcha avait annoncé à son époux qu'elle abandonnait la résidence montagnarde. Pas une heure de plus, elle ne comptait subir l'humiliation qu'il lui imposait en s'affichant avec cette esclave chrétienne !

Huit jours durant, le harem avait commenté l'éclat de la sultane. Les unes prenaient son parti – celles qu'indisposait la faveur de Zoraya. La plupart se réjouissaient au contraire du camouflet essuyé par al Hurra la revêche.

Bientôt pourtant, faute d'éléments, les commérages s'étaient épuisés. On avait oublié la princesse jalouse.

Quelques semaines plus tard, la cour partait à son tour pour la cité royale. Le sultan l'avait devancée. Une audience publique l'appelait auprès de ses sujets. Zoraya s'en retournait donc seule, le cœur étreint d'une angoisse vague à l'idée de retrouver un sérail de lugubre mémoire.

A l'entrée de la ville, son équipage avait quitté le cortège. Il avait longé les rouges murailles qui font face à Dar al Arife, le Palais de l'Architecte : de sa litière, Zoraya pouvait admirer un riche verger en espaliers par-delà le chemin de garde et, plus haut, des bosquets vert et or d'où jaillissait l'élégante blancheur de cette autre résidence royale.

Quand l'eunuque chargé de sa garde l'avait priée de descendre, la jeune fille s'était vue écrasée par la masse d'une tour carrée. Avec un frisson de détresse, elle avait approché l'austère bâtisse. Allait-on la jeter en quelque prison ? Qui avait ce pouvoir ? La sultane jalouse ? Ou son amant, brusquement lassé d'elle ?... Les tempes serrées par l'anxiété, la favorite avait franchi le seuil. Elle avait vite passé l'étroit couloir à chicanes. Et s'était figée, pétrifiée.

Elle était prise dans ce qui semblait une nuée de papillons multicolores. Des dizaines de lueurs capricieuses s'éparpillaient autour d'elle, éclaboussant loin au-dessus les parois d'un puits de lumière... Sa prison se révélait joyau. Sa frayeur tournait au ravissement.

Au cœur de l'éblouissante courette, la favorite, levant le nez, comprit l'origine de la féerie : une toiture de verres teints, trois à quatre toises plus haut, filtrait, coloriait et renvoyait en tous sens les rais du soleil à son zénith.

– Ô mienne confiance, ô mienne espérance, disaient tout au long de l'alcôve face à elle les arabesques de stuc : tu es mon espérance, mon tuteur.

– Ô Prophète et mien envoyé, répondait derrière elle la guirlande jumelle : scelle du sceau du Bien mes œuvres.

Alors seulement, comme elle s'apprêtait à pénétrer dans la salle voisine, la jeune femme éblouie distingua une silhouette familière.

– Bienvenue chez toi, Isabel, l'accueillait une voix aimée. J'espère que tout ici te comblera : notre sultan m'a demandé d'y veiller.

– Malika !

C'était bien la blonde mauresque, qui se précipitait dans ses bras, qui l'embrassait, la cajolait, et renouait le fil de la tendresse.

– Abu al Hassan t'a fait chercher, balbutiait la favorite. Quel bonheur ! Je lui ai tant parlé de toi... Mais comment Aben Barrax a-t-il pu te laisser partir ?

– Pas partir, Isabel : sortir seulement. Les visites sont permises entre femmes de la même famille. Et n'es-tu pas devenue ma sœur ? Songe, d'ailleurs, à l'honneur qui par moi lui est fait, l'honneur qu'une de ses femmes soit librement reçue au harem du sultan...

– C'est donc que tu l'as vu ? insistait la cadette.

– Qui ça ? L'homme que tu prétendais n'aimer jamais ? sourit Fleur de Soleil. Oui, j'ai eu ce privilège il y a une ou deux lunes. Il m'a donné mission d'arranger avec ses décorateurs le nid d'amour que voici. Qu'en penses-tu ? Est-ce à ton goût ?

Devant l'impatience de son amie, la jeune femme regarda enfin autour d'elle.

Éclairée par trois balconnets, la salle de séjour n'était que grâce. Les arcs fragiles aux fenêtres, l'exquise coupole sertie d'éclats géométriques, les mocarabes sur la corniche qui étincelaient de couleurs vives, partout les arabesques précieuses qui lançaient au Tout-Puissant leurs louanges : où qu'elle portât le regard Zoraya ne percevait qu'une invitation au délassement, à la volupté, à la joie des sens et de l'âme.

Attirée par les sons de la nature, charivari d'oiseaux et tintement d'une eau courante, la jeune femme s'avança vers les trois belvédères qui éclaboussaient de lumière la pièce. A droite, le long de la sente qui longeait le pied des murailles, la vue s'enfuyait jusqu'à la Sierra Nevada. En face, elle plongeait sur les vergers de Dar al Arife d'où parvenait ce chant de l'eau dans les rigoles. A gauche, elle embrassait l'Albaicin dont l'entrelacs de maisons blanches et de jardins verdoyants s'écrasait sous le soleil de fin de matinée... On se serait cru hors les murs de l'Alhambra. Ici, la favorite le pressentait, jamais plus elle ne se sentirait captive.

– Es-tu satisfaite, ma sœur sauvage ? l'interrogeait au même instant Malika. T'a-t-il assez comprise, cet homme orgueilleux et brutal ? A-t-il assez deviné qu'il ne capturerait ton cœur qu'en libérant ton corps et ton âme ?

– Malika, si tu savais ! Chacun de mes désirs, il les devance. Chacune de mes inquiétudes, il les devine et les apaise. Tu connais mes terreurs, mes colères, ces brusques accès de mélancolie dont riaient Nour et Salma... C'est comme si mon amant lisait en moi. A peine une ombre m'envahit-elle qu'aussitôt il m'interroge, me forçant à m'en délivrer. Ou bien au contraire il se moque, et bientôt je ris avec lui... Je ne sais d'où lui vient ce pouvoir, observait la favorite, songeuse : le sejid Abu al Hassan dissipe mes peurs. Il les fait fuir. Il me rassure. Par lui je me découvre une autre, plus gaie, plus tendre, plus puissante aussi.

Toute à ses confidences, Zoraya ne remarquait pas le sourire malicieux de son amie.

– Comme si je n'avais jamais été moi auparavant, poursuivait-elle. Comme si mon amant me donnait accès au meilleur de moi-même.

– Peut-être es-tu en train de devenir femme ? suggéra suavement Fleur de Soleil.

– Être femme... C'est donc cela ?

Zoraya soudain se tut.

– Qui sait si de n'avoir su que se donner, et non point se soumettre, ton amour n'est pas plus sincère ? reprit

Malika d'une voix tendre. Plus puissant aussi. Notre émir doit l'avoir senti : parce qu'il doit te conquérir chaque jour, il ne t'en aime que mieux.

Elle avait pris dans la sienne la main de sa jeune amie et la secouait doucement, l'arrachant à ses songeries.

– Mais viens donc : ce n'est pas fini... Jamila, Hanouna, vous pouvez venir.

Deux silhouettes féminines se précipitaient. L'une avait quinze ans à peine, et respirait la joie de vivre. L'autre, la trentaine passée, portait sur son visage ingrat une expression de force paisible qui séduisit sa jeune maîtresse. Nul doute que Fleur de Soleil avait choisi avec soin les futures compagnes de son amie.

Toutes quatre rebroussèrent chemin jusqu'à l'escalier en colimaçon qu'éclairaient les meurtrières. A l'étage s'ouvrait une première pièce. Plus haut, quatre chambres disposées autour du puits de lumière. Partout, des divans profonds, des tapis, des coffres de bois précieux ; aux murs, arabesques végétales et tentures soyeuses ; et les candélabres d'or, et les lampes à huile dans leurs niches, et les brûle-parfum qui propageaient de pièce en pièce leurs senteurs apaisantes... Malika avait bien fait les choses : d'une tour de défense elle avait fait un temple de douceur et de raffinement où, très vite, Zoraya se sentirait chez elle.

Mais c'est plus haut encore, après deux ou trois coudes surmontés de coupoles enluminées, que le ravissement la guettait. Une terrasse. Un jardin suspendu plutôt, recoin de verdure à l'ombre d'une treille, d'où l'œil embrassait sans obstacle les quatre coins de l'horizon. La jeune femme en resta muette.

– Tu vois, là-haut, la villa rose ?

Malika l'arrachait à son émerveillement.

– Juste derrière, à droite, dans l'axe du minaret qui se détache un peu plus bas, il me semble que c'est Dar al Anouar.

– Crois-tu que nous nous verrions, si nous montions chacune à notre terrasse à une heure convenue ? s'enquit Zoraya, émue à cette idée.

– Nos yeux sans doute ne le pourraient pas. Mais qui empêchera nos pensées de se rejoindre ? répondit doucement Malika... Mais qu'as-tu, habibti ? Tu es toute pâle.

Comme si l'excès d'émotions finissait par l'étourdir, la jeune femme en effet chancelait.

– Hanouna, vite : de l'eau d'oranger ! appela Malika en installant son amie sous la treille.

– Ce n'est rien, se reprit bientôt la favorite royale. Juste un malaise qui depuis une demi-lune de temps à autre me saisit.

– Serait-ce que tu attends un heureux événement ?

– C'est bien possible, en effet.

– Et tu ne me dis rien ! Le prince le sait-il ?

– Pas encore. Je voulais être sûre. Je ne savais à qui me confier et te voilà qui arrive, ma djenniya, ma fée, juste au moment où j'ai plus que jamais besoin de tes conseils.

– Mais c'est une nouvelle fantastique, ma chérie ! Allah est grand ! Qu'il te bénisse, toi et le petit que tu portes.

Zoraya semblait hésitante, partagée entre une joie timide et le doute que ce fût là une si bonne nouvelle. Mais elle garda pour elle ses craintes : elle n'allait pas gâcher la joie des retrouvailles. En avait-elle des choses à raconter à sa compagne, et des émois, et des ravissements, et des confidences de femme que depuis trois mois elle souffrait de devoir garder pour elle. Les deux amies n'auraient jamais assez de tout l'après-midi pour échanger leurs mille secrets...

*
* *

D'abord, elle a tenté de dormir, tournant et retournant dans le lit inconnu que protègent aux murs les arabesques coraniques. Ravissement du paysage depuis la terrasse de sa tour, visage rieur de Malika, absente présence d'Abu al Hassan dont tout ici porte témoignage, et cette attente dans son ventre dont elle n'ose encore se faire une joie : les images s'entrechoquent sous ses paupières que fuit le sommeil.

Dans la tour précieuse, tout se tait. Les servantes dorment dans la chambre voisine. Seule veille Zoraya qui, de guerre lasse, s'est relevée. D'une main tâtonnante, elle a trouvé la lampe à huile, éveillant un ballet d'ombres qu'elle s'amuse un moment à suivre des yeux. Elle a parcouru la chambre d'une démarche incertaine. Par l'arche double de la fenêtre, ouverte sur le patio couvert, l'effleurent les reflets laiteux de la lune... Une idée soudain la traverse, qui aussitôt la rend fébrile. La favorite se précipite vers un coffre. Elle l'ouvre. Elle fouille de ses mains avides dans les vêtements entassés et se relève, désemparée. D'un œil nerveux, elle balaie la pièce, traque les formes obscures dans les niches, s'en va chercher plus loin, là-bas, derrière la tenture de soie...

L'anxiété peu à peu la gagne. Elle tente de réfléchir. Puis songe à réveiller ses servantes. Non ! Mieux vaut n'alerter personne, et retrouver elle-même ce trésor qu'elle a su jusque-là escamoter aux inquisitions des femmes.

Zoraya se force au calme : l'objet n'a pas pu se perdre. Le matin même, elle l'a glissé dans l'une de ses malles, entre un voile et une ceinture. Encore moins l'a-t-on volé – qui s'intéresserait à une boîte de pauvre bois ?... La tour compte d'autres pièces. Dans l'une ou l'autre, sûrement, elle va bientôt le découvrir.

Dans la chambre voisine que déjà elle nomme bibliothèque, à côté des ouvrages réunis pour elle par les soins de Malika et d'al Fargani, son ancien maître, Hanouna et Jamila ont déposé les quelques livres de poésie apportés de Dar al Ixares. Le luth offert par le sultan repose aussi : réveillées par les reflets de la lampe, ses colombes n'attendent qu'un signe de la jeune femme pour s'envoler à tire-d'aile. Face à lui, sur une table basse s'étalent des tablettes vierges, quelques calames bien taillés, un flacon ouvragé pour l'encre et dans son ombre, à peine discernable, une forme de bois clair dont la vue tire à la favorite un soupir de soulagement.

Aussitôt, elle vérifie que la boule d'étoffes nouées s'y trouve. Et ce n'est qu'arrivée près de son lit qu'elle songe à relâcher les doigts qu'elle tient depuis lors serrés sur la petite boîte.

Zoraya s'est agenouillée. La tête penchée sur son ouvrage, doucement, amoureusement, elle démaillote son trésor. Elle défait un premier nœud. Un deuxième. Puis un troisième. Étincelant, au creux de sa paume ouverte, le médaillon d'or apparaît.

– Vous m'avez fait peur, ô Marie, souffle la jeune femme.

C'est sa faute, aussi. Toute à son excitation, elle n'a pas veillé elle-même au déchargement de ses bagages.

– Voyez, ajoute-t-elle, contrite : voyez comme nous serons bien ici. Nous vous aménagerons une cachette, et jamais plus je ne vous oublierai.

Zoraya regarde autour d'elle, à la recherche d'un lieu sûr. Dans sa main sourit un visage féminin. Il a le hiératisme de ces images byzantines dont l'expression n'est pas de ce monde. Ses lèvres sont petites et rondes. Ses yeux immenses. Son front paré d'un diadème rayonne la douceur. Dans le cœur reconnaissant de la jeune femme, le visage de la mère de Dieu déverse tendresse et gravité.

– Ô Sainte Vierge, ma mère, reprend Zoraya : vous qui m'avez toujours secourue, vous qui me soutenez toujours aux heures de détresse... Si vous saviez comme aujourd'hui votre fille est heureuse !

Doucement, comme l'enfant à l'oreille d'une mère

aimante, elle énumère ses trésors, tous les visages de sa joie. Sa foi est celle d'une enfant, mais ses mots ceux d'une femme amoureuse.

– Je l'aime, ô ma Mère, confie-t-elle à la Vierge Sainte. Je l'aime pour sa force, et je l'aime pour ses blessures, pour cette fragilité que je lui devine sous le vernis de puissance, pour cette part de nuit inconsolable que je lui sens à fleur de cœur. Je l'aime et j'ai peur, ma Mère. Car l'amour ne rassasie pas : il donne soif, observe-t-elle. A mesure que je crois dans l'étreinte trouver un apaisement, je sens que le mystère recule : mystère d'Abu al Hassan, mystère de l'amour même, qui demeurent inapprochés...

Un long moment elle se tait, laissant remonter à elle des images qui la font rougir.

– C'est vrai, soupire-t-elle : vous n'avez pas connu cela. Doña Lucia m'aurait comprise, elle qui rendit mon père heureux... Mais l'amour, s'interroge-t-elle, l'amour, qu'il soit d'un homme ou de Dieu, n'est-il pas d'essence unique ?

Seul le silence lui répond. Elle déchiffre à son gré.

– Je suis sûre que vous me comprendrez mieux si je vous dis que malgré l'intimité des caresses, malgré la certitude des « je t'aime », je n'approche jamais mon amour qu'avec un grand tremblement de l'âme.

Zoraya se laisse aller à rêver encore.

– L'autre nuit, je me suis réveillée. J'avais ma tête sur sa poitrine. Je me sentais monter et descendre au rythme de sa respiration. Lui et moi ne faisions plus qu'un... Jusqu'à ce que me vienne le désir de contempler mon amant. Doucement, je me suis dégagée. Je voyais l'arête du nez dans le prolongement de son front si beau. Et ses joues mangées par la barbe. Et les boucles noires à sa nuque, où j'aime tant accrocher mes doigts. Je me suis arrêtée à ses lèvres que je sais si douces, si dures parfois sous nos baisers... C'est là que, soudain, j'ai eu mal. Les lèvres d'Abu al Hassan étaient fermées sur un rêve dont je me devinais exclue. Cerné de solitude, mon bien-aimé traversait une terre que je ne connaîtrais jamais...

Ça lui avait été comme un coup de poignard. Elle s'était sentie au bord d'un secret qui le fondait, lui, Abu al Hassan, et qu'elle savait ne pouvoir atteindre. Elle avait compris que jamais, quelque amour qu'elle lui portât, elle ne franchirait la frontière qui la séparait de son amant, ni ne cernerait tout à fait l'homme qui reposait à ses côtés.

– Mon cœur se découvrait une tristesse neuve, une douceur, une douleur qui bizarrement faisaient ma joie, conclut la jeune femme à l'intention de sa confidente céleste. Je suis sûre que cela, dans l'intimité du Seigneur, vous l'avez connu vous aussi.

A mesure qu'elle redonne vie à ses souvenirs, ressuscitant chaque jour, chaque heure de ces dernières semaines, Zoraya sent s'élever en elle les feux de l'exaltation. Son cœur bat un peu trop vite. Ses prunelles s'embuent de larmes. Ses pensées trébuchent sur le silence. Trop de bonheur soudain, trop d'une attente ineffable rendent insuffisantes les phrases humaines.

Sur les lèvres de la jeune chrétienne vient de fleurir l'action de grâces qu'a jadis entonnée la Vierge :

– *Magnificat anima mea Dominum ! Et exsultavit spiritus meus...* Mon âme exalte le Seigneur. Et mon esprit est ravi de joie en Dieu mon sauveur...

Ces paroles que tant de fois, enfant, elle a répétées sans en soupçonner la saveur, voilà qu'elles jaillissent d'elles-mêmes, libre chant d'une joie et d'une gratitude infinies qui ne sauraient s'exprimer mieux.

Lorsque sa joie s'est répandue, éclaboussant d'un rire muet les murs de la chambre ; lorsque, sourire mouillé, elle s'en est revenue à son cœur : alors Zoraya plonge à nouveau son regard dans les grands yeux aux reflets d'or. Grave soudain, elle se tait. Le silence de la nuit peu à peu l'emplit. Elle commence à l'écouter.

Combien de minutes, combien d'heures peut-être est-elle restée agenouillée, à embrasser dans le recueillement des secrets qui se passent de mots ? Elle serait incapable de le dire. Mais lorsqu'enfin elle se relève, à sa fenêtre les lueurs bleutées de l'aube ont succédé aux reflets lunaires.

Silhouette habitée de silence, un sourire flottant sur ses lèvres, Zoraya se glisse entre les draps frais. Il lui semble n'être plus seule. Maternelle, une présence veille avec elle. Reposée sur sa poitrine la main qui serre la médaille sainte, la jeune femme s'assoupit aussitôt.

*
* *

– Comment avez-vous deviné, Monseigneur, que je ne craignais rien tant que de retrouver les murs aveugles de votre palais ?

– J'ai souvenir d'une jeune tigresse qui tournait et tournait rageusement dans mon salon comme si elle était en cage, jurant qu'il était préférable d'être fille des rues de Grenade plutôt que concubine du sultan...

– Ai-je vraiment dit ça ? s'inquiète la jeune femme en étouffant un rire. En vérité, Seigneur, je m'étonne de votre patience.

– C'est que tu avais d'autres arguments, sans doute, pour calmer mon irritation, murmure l'émir moqueur en laissant jouer ses doigts au creux de la gorge ronde qui frémit contre lui.

Tous deux sont alanguis sur le sofa. Un vent suave leur porte les bruissements des feuillages dans les arbres fruitiers voisins, les mille plaintes irréelles qui sont le langage de la nuit. A la lueur des candélabres, des objets sortent de l'ombre, d'autres y retournent, comme si toute chose autour d'eux vibrait d'une vie mystérieuse.

– Il me semble rêver, soupire Zoraya, tandis que d'une main paresseuse elle effleure le torse de son amant.

– Rêve tant que tu veux, mon étoile, répond une voix voluptueuse, pourvu que je partage tes rêves.

Comme l'émir fait mine de resserrer son étreinte, l'hétaïre d'un bond lui échappe.

– Pas si vite, Monseigneur. J'ai quelque chose à vous dire.

Dressée à trois pieds de son amant, la favorite lui fait face. Le reflet capricieux des flammèches s'amuse à la redessiner. Il incendie sa chevelure dénouée, prête à sa peau un éclat doré, caresse le renflement de sa gorge et souligne à travers les voiles les courbes de son corps épanoui.

– Qu'est-ce encore ? s'enquiert le prince dont le désir étrécit la prunelle. Un nouveau secret de femme ?

– Oui, Monseigneur : un secret que je porte depuis quelques semaines, mais que bientôt je ne pourrai cacher.

Tout en parlant, sans s'en rendre compte, Zoraya a baissé le ton. Son front se couvre de fard. Sa main, comme en protection, se pose sur son ventre plat. Qu'elle est désirable ainsi, si douce et si vulnérable, avec dans son œil de mer une étincelle d'anxiété.

Abu al Hassan en connaisseur prolonge sa contemplation. Il se régale de ce corps parfait, de ces formes sculptées pour l'amour qui, mystérieusement, se préparent à donner la vie.

– Viens là, ma douce, ma mie, dit-il enfin en tendant la main. Viens me confier à l'oreille ce secret que je crois deviner.

Comme la favorite esquisse un pas, il l'attire sur le sofa.

– C'est mon enfant que tu portes, n'est-ce pas ?

Ses mains, sur le ventre tendre, écartent doucement les voiles.

– C'est la bénédiction du Très-Haut sur nous.

Ses lèvres effleurent la chair de son amante.

– Tu ne pouvais me faire cadeau plus précieux, ma bien-aimée.

Ses caresses se font insidieuses, et tirent un gémissement à la jeune femme. De ces mains, de ces lèvres, de cette voix rocailleuse que le désir fait gronder, se lassera-t-elle jamais ? L'instant d'avant elle se sentait mère, prête à affronter quiconque aurait menacé l'enfant à naître. La voilà maintenant sans défense. A cet homme qui la captive, il suffit chaque fois d'un regard, d'un sourire, d'un geste trouble, et elle se sent défaillir.

– Tu es ma femme, mon amante, murmure à son oreille une voix dont les inflexions rauques la font trembler d'impatience. Par cet enfant, notre enfant, tu es liée à moi pour toujours.

Le corps de l'homme à sa chair se fait impérieux. Deux mains emprisonnent sa tête. Deux yeux noirs traquent les siens. Tandis que son amant commence de la prendre, tandis que leurs ventres rivés entament la danse de la vie, deux regards jouent à s'appeler, à se lire, à se désirer. Pareillement donnés l'un à l'autre, pareillement altérés d'une soif qui sait attendre, ensemble ils se raidissent, s'offrent, se fondent plus encore. Leurs pupilles s'élargissent du grand bonheur qui les prend. Leurs peaux s'étonnent d'être deux et de ne faire plus qu'un. Ils sont le premier couple et le dernier, qu'emporte la vague du désir. Ils sont Abu al Hassan et Zoraya, à jamais amants légendaires de la légendaire Grenade.

XVIII

Il avait neigé, cette nuit-là.

Réveillée par les exclamations de Jamila, la favorite avait rejoint ses servantes et courait avec la cadette d'une fenêtre à un belvédère pour admirer Grenade sous la neige.

Dans ses habits de soie blanche, la ville était métamorphosée. Depuis la sierra étincelante, une poudre de lumière et de givre avait recouvert les collines. Sur l'Alhambra, sur l'Albaicin, sur les coteaux de Dar al Arife, le blanc manteau de silence prêtait à l'heure une fragilité de cristal.

Cette blancheur, cette lumière, dans son ventre l'enfant de l'amour et dans son cœur l'attente de l'aimé : pour Zoraya c'était trop de joie. Porté par cet instant de grâce, son être semblait s'étendre aux dimensions de l'univers afin de l'embrasser tout entier...

Les heures depuis s'étaient écoulées, empreintes d'une irréelle ferveur. Tout le jour, Zoraya s'était préparée, elle ne savait trop à quoi. Ce soir, Abu al Hassan la rejoindrait. Fatigué par ses ministres, ses secrétaires, ses généraux, sûrement il n'aurait pas eu le loisir d'entrevoir l'harmonie des heures. A elle de lui transmettre un peu de son émerveillement. Toute nuit qui lui ramenait son amant paraissait déjà à Zoraya la célébration d'un mystère : ce soir, par la grâce complice de la nature, elle ferait de leurs retrouvailles une cérémonie plus grave encore.

Légère sur les tapis d'épaisse soie, elle a inspecté en rêvant l'ordonnance de son royaume. Elle vérifiait l'approvisionnement d'un brasero, tapotait ici et là un coussin, veillait à la clarté de l'eau aux aiguières d'argent, au mélange des essences dans les brûle-parfum... Gagnées par son recueillement joyeux, Jamila et Hanouna prolongeaient ses gestes. Et quand le jour s'est alangui, quand les ombres ont commencé de s'étendre sur les blanches terrasses de Dar al Arife, Zoraya s'est à son tour confiée aux soins de ses servantes. Longtemps, Hanouna a brossé sa longue chevelure jusqu'à en faire flamboyer la soie. Elle a paré ses yeux d'antimoine, serti de henné son front, et ses mains, et ses seins. Jamila l'a aidée à choisir le saroual immaculé, la djubba aux reflets célestes et les fourrures fauves qui caressent ses épaules, épousant avec volupté la rondeur de sa poitrine.

Prête enfin, sourire aux lèvres, Zoraya est retournée au salon. A la main elle tenait le luth offert par le souverain. Pour elle et pour ses compagnes, elle a commencé de chanter.

Elle a chanté le jour enfui et les promesses de la nuit. Elle a chanté les étoiles et le givre, la poignante allégresse de vivre et la douce souffrance d'aimer. Elle a chanté le bonheur d'attendre et la volupté d'espérer.

– *L'amour est un fardeau douloureux,* confessait-elle avec Ibn Hazm.
Mais qui porte en lui son remède,
A la mesure de ses blessures.
C'est une plaie délectable,
Une maladie désirable...

Qui se livre à lui sans mesure
Ne souhaite pas sa délivrance...

Suspendues à la voix musicienne, les minutes s'égrenaient. Zoraya en oubliait ses servantes. Pour elle seule, en rougissant, elle a fredonné la saveur des lèvres aimées, le goût de la peau désirée et l'ivresse de ces étreintes par qui elle se sait vivante...

Mais les minutes assemblées sont devenues des heures. Aux lampes et aux candélabres, il a fallu allumer la flamme. Bientôt les braseros n'ont plus suffi à réchauffer la jeune femme qui frissonne dans le salon empli d'attente.

Le sultan ne paraissait pas.

L'heure est largement passée, qui d'habitude ramène l'émir vers sa favorite. La lune darde un rayon blafard par l'un des trois belvédères. Les mains glacées de Zoraya ont abandonné le luth. Dans le salon suspendu, deux servantes apitoyées se taisent.

La jeune femme n'y tient plus. Ramenant autour d'elle ses fourrures, elle grimpe en courant les marches qui mènent à l'unique fenêtre ouverte sur l'Alhambra. Elle défie l'obscurité de la ruelle et se force à attendre encore. Le sultan est retenu par quelque affaire urgente. Bientôt, elle entendra le trot familier. Elle en est sûre. Il le faut !

Mais il y a la chambre royale, là-bas, près du patio des lions. Sa chaleur, sa coquetterie. Et si Abu al Hassan s'y trouvait ? Si Tarouq la rusée lui avait envoyé ses hétaïres ? Si Yasmina, rouquine vénéneuse, s'était, entre toutes, imposée ?

L'affolement gagne la favorite. Un nœud lui étrangle la gorge. Elle porte les mains à son cou : ses doigts se crispent sur le vide. Son souffle se précipite. Enflés par son imagination, les doutes brisent la digue fragile des serments de son amant. Les serments sont illusoires, l'amant semblable à tous les hommes : menteur, inconstant, trompeur...

Zoraya a glissé à terre. Recroquevillée sur la dalle froide, elle serre ses genoux contre son ventre. Le petit être qui s'y trouve ne doit rien savoir de tout cela. Sa mère n'est plus Zoraya, l'orgueilleuse favorite du sultan Abu al Hassan. Elle n'est qu'une petite fille, Isabel l'orpheline, dévastée par le doute et l'effroi.

– Puis-je faire quelque chose pour vous, Setti Zoraya ? lance d'en bas une voix inquiète.

– Tout va bien, Jamila. Je te remercie.

Péniblement, la jeune femme se redresse.

– Nous ne verrons pas le prince, ce soir, poursuit-elle d'une voix blanche. J'avoue que cela me peine. Profitez-en néanmoins pour monter vous reposer. Je crois que je vais veiller un peu.

En somnambule, elle a quitté l'ombre, un pâle sourire sur sa figure qu'aveuglent les lueurs du salon.

– Allons, retirez-vous ! s'impatiente la jeune femme. Je n'aurai plus besoin de vous... Je saurai bien me dévêtir seule, raille-t-elle dans un murmure.

Elle a guetté les pas dans l'escalier. Puis les craquements et les voix dans la chambre au-dessus d'elle. Puis le silence, enfin, qui la laisse seule. Irrémédiablement seule, comme autrefois.

Alors une fureur glacée la rattrape. La soif d'abîmer, la volupté de détruire. Ses mains semblables à des serres s'acharnent sur ses voiles. Bijoux, chemise, ceinture, saroual : un à un elle arrache les vestiges d'une parure devenue vaine. Dans le salon d'amour dont la narguent les souvenirs, la délaissée brise les chaînes d'or, lacère les étoffes, piétine les fourrures. Elle maudit ces atours qui ne l'ont pas protégée. Elle insulte sa chair, griffe ses joues, frappe ses cuisses à paumes ravageuses, comme si son corps était coupable de la défection de son amant.

Elle pleure maintenant, Zoraya. Elle pleure à lourds sanglots d'enfant. Et s'étouffe dans ses larmes. Autour du salon dévasté elle mène son sabbat de souffrance. Une folie grinçante la gagne. De part en part la traversent des ricanements hallucinés. Elle parle seule, à voix haute. Elle sanglote. Elle geint. De temps à autre, elle contemple son ventre à peine arrondi. L'enfant est trahi lui aussi. L'enfant qu'elle avait cru fruit de l'amour. Bâtard, oui ! Et orphelin.

Sa chevelure embroussaillée, ses joues maculées de khôl et les lambeaux de tissus à sa taille lui donnent un air d'épouvante. Qui s'en soucie ? Qui la voit ? Elle est seule désormais. Seule comme au premier et au dernier jour. Exclue du monde des vivants, puisque son amant la rejette. Dire qu'elle va donner la vie ! Elle, responsable d'une existence ? Pauvre petit ! Que fera-t-il de cette mère indigne, coupable de n'avoir su protéger l'amour paternel qui lui était confié ?...

A force de tourner et de se battre, de pleurer et de se fustiger, Zoraya s'est écroulée au pied du sofa. Elle a chaud. Elle a froid. Elle fixe, l'œil hébété, les reflets de la lune sur une colonne d'albâtre. Elle tremble d'épuisement, de frayeur, de chagrin.

– J'ai mal, mon Dieu, gémit-elle d'une voix éraillée. J'ai tellement mal. Si vous pouviez faire cesser ça...

C'est une lame fichée à son flanc. Une lame d'acier brûlant qui lui lacère les entrailles. C'est le regard menteur d'Abu al Hassan lui murmurant les « je t'aime » qu'elle a eu la folie de croire. C'est sa voix de velours sombre, ces mots destinés à elle seule et qu'une autre ce soir recueille. Ce sont des mains rudes au combat, douces à la caresse, des reins solides de cavalier pourvoyeurs de toutes les délices, des cuisses fermes, des lèvres gourmandes, un corps de soif et de désir dont elle s'est crue la maîtresse et qui cette nuit se prêtent à une autre... A la gorge de cette autre, le sultan trouve-t-il à boire tendresse comparable à celle dont Zoraya l'abreuvait ? Dans le ventre de cette étrangère, sombre-t-il comme hier encore il s'est noyé en elle, agrippé à sa chevelure comme à la crinière étoilée de quelque coursier céleste ?...

Folles questions. Vaine torture. Les yeux écarquillés par l'horreur, Zoraya épingle sur le vide les scènes de son cauchemar.

*
* *

Le soleil était haut dans le ciel lorsque Hanouna s'est risquée dans la chambre de la favorite.

Elle avait fini d'effacer au salon les lambeaux de la nuit dévastée. Jamila était revenue du palais royal porteuse des nouvelles que toutes deux craignaient pour leur maîtresse. Oui, l'émir était resté tard avec ses ministres, et dans son salon l'attendait un repas fin ; oui, Tarouq lui avait fourni les plus charmeuses de ses filles, et Yasmina était l'une d'elles. L'intrigante était demeurée auprès du sultan longtemps après le départ de ses compagnes. Et si au milieu de la nuit Abu al Hassan l'avait chassée, c'est dans ses bras qu'il s'était abandonné, à son ventre qu'il avait trouvé le plaisir.

Il n'y avait là rien, au fond, que de très naturel, avait observé Hanouna. Depuis la nuit des temps l'homme n'en usait-il pas ainsi avec ses femmes ? Celles-ci, en leur sagesse, s'en étaient toujours satisfaites. Elles savaient se réjouir des faveurs de l'époux et accueillir comme un repos mérité le temps qu'il accordait aux autres. Si l'ambition ne s'y mêlait ou, parfois, la folle passion, que pouvait-on trouver à redire à un ordre des choses mille fois éprouvé ?

– Mais la passion, précisément, brûle le cœur de Setti Zoraya, avait plaidé Jamila dont la jeunesse compatissait aux égarements de sa maîtresse. Tous au sérail la prennent pour une ambitieuse. Nous savons bien, toi et moi, la nature de son ambition...

– Aimer, oui, avait bougonné Hanouna avec une tendresse bourrue. Aimer et être aimée, brûler son cœur, brûler sa vie à la flamme d'un amour qui ne tolérerait nulle faiblesse. Elle est majnouna, cette chrétienne. Elle est folle. Et dans ses rêves elle oublie que le sejid Abu al Hassan – que le Tout-Puissant nous le garde – n'est qu'un homme. L'amour auquel elle prétend atteindre n'existe que dans les légendes. Elle a trop lu, cette enfant. Trop rêvé, trop chanté aussi. Tous ces poètes lui auront tourné la tête...

C'est ainsi que, l'air décidé, elle a envahi la chambre de la favorite.

– Debout ma fille ! lance-t-elle dès le seuil. Le jour resplendit. Quel gâchis de dormir encore à cette heure.

– Laisse-moi, Hanouna. Tu vois bien que je ne dors pas, réplique une voix morne. Je ne veux pas le voir, ton jour glacé. Celui d'hier m'a suffi.

– Allons maîtresse, à quoi rime ce caprice ? gronde la servante en présentant à la jeune femme une aiguière d'eau fraîche. La vie est là. Elle t'attend. Ce n'est pas à toi de la refuser. D'ailleurs, pour toi elle se fait belle, je t'assure.

Au milieu des draps froissés, Zoraya s'est redressée. Elle fixe d'un œil égaré les arabesques protectrices qui égrènent le nom d'Allah au-dessus de sa couche. Hanouna, le cœur serré, découvre un visage blême, des paupières gonflées par une nuit de larmes, une bouche amère, desséchée.

D'une main devenue maternelle, elle essuie la face absente, nettoyant les joues noircies, démêlant doucement la chevelure ensauvagée.

Zoraya se laisse faire. La servante, par sa présence, maintient en respect une souffrance qui n'attend que la solitude pour mordre à nouveau sa poitrine.

– Pourquoi tant de larmes, ma fille ? l'affronte maintenant Hanouna. Notre maître n'était pas là hier : la belle affaire ! Il sera là ce soir. Ou demain. A quoi rime de t'abîmer ainsi pour un homme qui te reviendra ? Tu devrais plutôt songer à te faire belle.

– Que m'importe d'être belle si je ne le suis pas dans ses yeux ? rétorque Zoraya dans un haussement d'épaules.

– Tu l'es, maîtresse, n'en doute pas. Notre sultan te le répète depuis des mois. Il te le dira encore.

– Hier soir, Hanouna, à qui le disait-il ?

– A personne, j'en jurerais, s'obstine la servante. Un homme n'a, pour celle qu'il aime et pour celles qu'il prend en passant, ni les mêmes yeux, ni les mêmes mots. Crois-moi. J'ai assez vécu pour te dire qu'il en est du plaisir comme du manger et du boire : un homme va où son besoin le porte. L'amour n'a rien à y voir.

– Qu'est-ce que j'entends ? les interrompt une voix joyeuse. On médit sur nos pauvres hommes et je ne suis pas de la partie !

Joues rosies par l'air glacé, Fleur de Soleil fait son entrée. De son insolente joie de vivre, elle éclabousse la chambre et, au soulagement de la servante, se précipite sur son amie.

– Je vois que j'arrive en une heure grave, commente Malika moqueuse.

Mais ses bras entourent Zoraya d'une étreinte tendre.

– Tu peux nous laisser, Hanouna. Je m'occupe de ta maîtresse. Je connais ses humeurs moroses et me fais fort de l'en sortir... Allons, habibti, que t'arrive-t-il ? interroge-t-elle à peine la servante partie.

– Il ne m'aime plus, murmure une Zoraya trop bouleversée pour s'étonner de l'intrusion de son amie. Il ne m'a jamais aimée. Ses mots n'étaient que du vent... Abu al Hassan m'a abandonnée !

– Petite fille, que dis-tu ? D'où te viennent ces nouveaux cauchemars ? Va, ma douce, raconte-moi tout.

La tête enfouie dans le cou de sa compagne, Zoraya en phrases hachées dévide sa lamentable histoire. A mesure qu'elle raconte, dosant l'attente et le chagrin, la terreur et la rage folle, les pleurs la reprennent. Attentive à ne pas la brusquer, Fleur de Soleil accueille d'abord en silence le trop-plein de détresse.

– Mensonge, Malika ! répète fiévreusement l'éplorée. Tout ne fut qu'un tissu de mensonges. Et moi je l'ai cru, tu comprends ? J'ai cru ses mots et leurs promesses. J'ai cru ses mains, et ses yeux, ce regard de carnassier tendre dont j'étais sûre qu'il ne brillait que pour moi. J'ai cru à son corps écrasé contre le mien, à son plaisir, à sa douleur, à ses redditions d'enfant désarmé quand nous nous perdions l'un en l'autre et que nous ne faisions plus qu'un...

– Tu avais raison de le croire. Notre sultan t'aime, Zoraya, n'en doute pas.

Non, il ne l'aime pas. Malgré ses mots et ses caresses, malgré ses regards et ses cadeaux, malgré cette tour précieuse dont elle est l'enviée captive, il ne l'aime pas. Il ne peut pas l'aimer, puisqu'il va coucher sa peau contre la peau d'une autre femme !

– Mais cela n'a rien à voir. Tu confonds tout, habibti : le désir et le besoin, l'amour et l'appétit, l'appel de l'âme et celui du corps... Abu al Hassan n'aime que toi, Isabel. Toi seule existes à ses yeux.

– Jusqu'à ce qu'il soit auprès d'une autre. Pour moi, oui, lui seul existe. A chaque heure, à chaque seconde, il est tout ce que j'ai au monde. Absent, je le rêve, je l'appelle. Présent, je l'attends encore, comme si jamais je ne le sentais assez proche. Qu'il s'éloigne ou qu'il revienne, moi je ne vis que par lui, par le bonheur, par la souffrance d'être tout entière à lui. Mais mon amant, tu l'as dit toi-même, peut exister auprès d'une autre. Il l'embrasse, il la caresse, il s'endort au creux de son corps comme il s'endort au creux du mien...

– Tu ne m'écoutes pas, Isabel. J'ai vu notre sultan cet été, je l'ai entendu : tu es la femme qu'il aime, les autres ne sont que des passantes.

Zoraya ne semble pas l'entendre.

– Oublie-toi quelques minutes, s'échauffe Fleur de Soleil, et regarde un peu ma vie. Crois-tu que je n'ai pas souffert des trahisons d'Aben Barrax ? Crois-tu que, si j'en souffrais encore, je serais telle que tu me vois : joyeuse, confiante, parfaitement sereine ? C'est qu'un beau jour, j'ai compris...

La jeune femme hausse les épaules.

– Tu n'as rien compris du tout, grince-t-elle. Tu t'es résignée, voilà tout. Moi, je ne le pourrai jamais.

– Tu te trompes, Isabel. Je ne me suis pas résignée. Et tu n'auras pas à le faire. Écoute-moi, à la fin ! Qu'au moins mon expérience te serve, et te fasse gagner du temps.

Malika, de deux mains pressantes, prend le visage de sa cadette, et s'efforce de retenir son regard.

– Sais-tu pourquoi je n'ai plus mal ? Parce qu'Aben Barrax me revient toujours...

Zoraya tente de se dégager.

– Et sais-tu pourquoi il le fait ? insiste Fleur de Soleil en resserrant son étreinte. Parce que son cœur est à moi. Parce que les autres concubines, ces visages frais, ces chairs neuves auprès desquelles il cueille le plaisir, ne distraient qu'un instant son corps. Son cœur, son âme ne sont qu'à moi, comprends-tu ? Comme sont à toi le cœur et l'âme de notre émir. Je peux t'en révéler plus : alors même qu'il gémit dans les bras d'une autre, Aben Barrax parfois voit mon visage. C'est mon corps que soudain il voudrait étreindre, frustré qu'il est de ne point trouver auprès d'une étrangère l'extase qu'il ne connaît qu'avec moi. Alors il me revient au plus vite, plus enflammé que jamais... Sais-tu ce que sont ces femmes à mes yeux ? Sais-tu ce que doivent t'être tes prétendues rivales ? Le plus sûr moyen d'attiser la soif qu'a ton amant de toi, et de toi seule !

Médusée, Zoraya cette fois écoute. Jamais son amie ne s'est dévoilée de la sorte. En vain sur son visage la jeune femme traque l'expression d'une souffrance sœur de la sienne : Fleur de Soleil au contraire rayonne un orgueil, un sentiment de puissance qu'elle ne lui a jamais vus.

– Oui, les hommes sont étranges, reprend après un silence Malika devenue songeuse. Ils craignent l'amour autant qu'ils le désirent. Ils l'appellent de leurs vœux, mais à peine l'ont-ils approché qu'aussitôt ils tentent de le fuir, pressentant ce que la passion d'amour requiert de don, d'arrachement à soi et d'envolée vers des cimes qui les terrorisent.

– Mais nous aussi nous avons peur, proteste Zoraya. N'ai-je pas cherché à fuir, d'abord ? Quand mes yeux se sont dessillés, quand j'ai compris qu'Abu al Hassan était l'homme que j'attendais, alors j'ai rongé mes défenses. Jour après jour, j'ai appris à m'ouvrir, à me donner, à m'abandonner. Crois-tu que je n'avais pas peur ? Pourtant pour lui j'aurais tout risqué. Je lui ai donné mon souffle, et mes pensées, et ma vie. Et jamais je n'ai rien repris. Jamais je n'ai partagé. Pourquoi faut-il qu'il se reprenne ? Pourquoi accepterais-je de partager ?

Mordue par la jalousie, Zoraya en revient au même point. Son esprit peut suivre les arguments de Malika, mais sa chair se rebiffe, brûlée comme au fer rouge dès qu'elle évoque son amant entre les bras d'une autre.

– Parce que tu l'aimes, Isabel, et qu'aimer n'est pas posséder. Repousse-le : tu le perds. Accueille-le, accepte-le tel qu'il est, et tu le garderas toujours. A sa façon qui n'est pas la nôtre, le sejid Abu al Hassan t'aime, habibti, crois-moi. Ne gâche pas tout avec tes plaintes de fille jalouse.

Comme un silence lourd de refus menace de s'installer, patiemment Malika reprend :

– Et puis, tu n'es pas tout à fait honnête quand tu prétends donner à ton amant la moindre de tes pensées. Es-tu si sûre de ne pas te partager toi aussi ?

– Qu'est-ce que tu racontes ! s'indigne la jeune femme.

– Que fais-tu, à l'instant même ? Instant de femme, instant de rire, de confidences et de larmes : le partagestu avec lui ? Mieux : serais-tu prête à y renoncer pour lui ?

– Mais... je ne lui vole rien.

– Qu'en sais-tu ? Tu lui voles de ton mystère, de tes secrets, de tes complicités avec une autre. N'est-ce pas cela, aussi, se donner ?... Songe aux heures que tu passes en compagnie de ton luth. Je t'ai vue chanter, déjà. J'ai vu ton visage enflammé, et tes yeux qui chaviraient tandis que tu t'envolais loin de nous, pauvres mortels. Es-tu prête à me jurer qu'en de tels instants tes pensées vont à ton amant ? Et cette manière que tu as, au hammam, de t'abandonner à la caresse de l'eau : songes-tu à lui dans ces moments-là ? Avoue plutôt que tu n'es occupée que de l'instant, d'une jouissance dont il est exclu : la simple jouissance d'être toi, unie à la vie, alors, avec la même joie passionnée que tu mets à t'unir à lui.

Un sourire rêveur commence à détendre le visage crispé.

– Si les hommes connaissaient l'intensité de nos plaisirs sans eux, s'ils savaient l'infini désir que nous nourrissons envers toute chose, et la tendresse dont nous prolongeons le plus anodin de nos gestes : ils seraient jaloux, sois-en sûre. Et ils auraient raison. Ils nous soupçonnent d'ailleurs, sans savoir de quoi. Voilà pourquoi ils nous surveillent, ils nous enferment et, au fond, nous craignent. Voilà pourquoi ils veulent nous soumettre... Précisément parce qu'ils devinent que tout, en nous, est par nature insoumis.

Zoraya cette fois sourit franchement.

– Tu vois : tu es d'accord... Un amant peut bien satisfaire et nos cœurs et nos sens. Mais quant à les combler, Isabel : il nous faut bien plus qu'un homme. Il nous faut l'air et le vent...

– Et le soleil, et la danse, enchaîne la jeune femme d'une voix allégée. Il nous faut la musique et les livres. Et toi, Malika, il me faut toi, ma fée, ma djenniya ! s'exclame-t-elle dans un élan de gratitude.

Toutes deux éclatent d'un rire complice.

– Et l'eau qui chante aux fontaines...

– Et celle qui ruisselle à nos reins...

– Et la bouche de l'enfant à notre sein : tu connaîtras cela bientôt...

– Et le chant des poètes à nos lèvres. Et la prière... Il nous faut Dieu, Malika ! C'est cela : n'est-ce pas ?...

– Oui. Et toute la création dont Il nous a donné de jouir et que la plupart des hommes, trop occupés par leurs travaux, leurs guerres et leurs ambitions, oublient souvent de savourer.

Zoraya a retrouvé ses couleurs. Ses prunelles brillent de rire. A ses lèvres flotte un éclat gourmand.

– El hamdou Lillah, Dieu soit loué ! Je te retrouve, soupire Fleur de Soleil. Il était temps. N'oublie jamais ce que je viens de te dire. Ton ardeur, ta soif, ton désir : crois-tu qu'un homme à lui seul saurait les combler ?

– Non, admet Zoraya d'une voix hésitante.

– Alors, voilà : laisse à notre sultan sa part. Elle est belle. Cela suffit. Mais ne le laisse pas te blesser : tant d'autres bonheurs n'attendent que ton attention pour se laisser cueillir.

– Tu as raison, Malika, acquiesce la jeune femme dans un soupir. Mais ça n'est pas si facile.

Comme après un mortel combat, Zoraya se sent brisée. Fleur de Soleil l'a fait rire, Fleur de Soleil l'a consolée, Fleur de Soleil l'a apaisée. Mais la tristesse lui revient. Un parfum de deuil qu'elle s'efforce d'accueillir. Survivre à ses illusions : grandir est donc à ce prix ?... Elle le comprend. Elle l'accepte. Mais la leçon a un goût amer.

Elle était d'une beauté songeuse, Zoraya, au soir de

cette journée-là, lorsque peu après le départ de Malika le sultan fit son entrée. La gravité prêtait à son visage une pâleur de lys. Une manière de recueillement frangeait de solitude ses gestes. Le voile de tristesse à son front ajoutait à ses prunelles une note de mystère.

– Comme tu es belle, mon étoile, avait murmuré l'émir avec cette expression d'étonnement qu'il avait chaque fois qu'il retrouvait son amante. Un seul jour loin de toi, et déjà tu me manques.

– A qui la faute, Monseigneur ? avait rétorqué la jeune femme d'une voix qu'elle espérait légère.

– A mes ministres, à Venegas, et à ces piètres nouvelles qu'il me rapportait hier.

Un air de lassitude avait envahi le sultan tandis qu'il se laissait tomber sur le sofa.

– De mauvaises nouvelles, Sire ?

– Rien de très sûr encore. Mais une menace peut-être. Cette Doña Isabel est plus irritante que jamais ! Quelle idée, aussi, ont ces chrétiens de laisser le pouvoir entre les mains de leurs femmes !

– Doña Isabel de Castille ?

– L'infante, oui, cette ambitieuse qui contre la volonté de son frère Henri IV épousa, voilà cinq ans, l'héritier du royaume d'Aragon. Brouillée par là même avec son aîné, on pouvait l'espérer écartée du trône – et écartée du même coup la menace de voir un jour réunis la Castille et l'Aragon. Ce n'est pas la princesse Jeanne, cette gamine de douze ans désignée pour succéder à son père, qui mettrait Grenade en danger. Je n'en dirais pas autant de Doña Isabel... Or, voilà que cette diablesse fait les yeux doux au roi son frère. Et que toute la population de Ségovie, m'apprenait al Qasim hier, applaudit à la réconciliation des deux frères ennemis.

– Qu'y pouvez-vous, Seigneur ? avait interrogé Zoraya d'une voix apaisante. N'est-ce pas un peu loin, un peu tôt, un peu hasardeux aussi, pour s'en inquiéter ?

– Tu as raison princesse au doux sourire, cela ne sert de rien, avait soupiré le prince. Mais comment s'en empêcher ? Des nuages s'amassent dans le ciel de Grenade : son sultan pour l'heure n'y peut rien. L'apaisement ou la tempête sont entre les mains du Tout-Puissant... Viens près de moi, lumière de mes jours, avait-il conclu en attirant à lui le visage de la jeune femme. Et dis-moi comment tu m'aimes.

Tandis qu'il laisse ses mains s'égarer dans la chevelure fauve qui bientôt les recouvre tous deux, Abu al Hassan, paupières closes, cherche l'apaisement dans les caresses de son amante. C'est, à son visage et sa gorge, la pluie tendre de baisers légers. Puis la chaleur de deux mains volages qui à son front, à sa poitrine, portent la douceur et le feu. Il savoure le souffle parfumé de rose et de réglisse, ronronne au contact d'une peau dont la soie l'électrise. Son corps las peu à peu reprend ardeur et vie.

Sous la paupière tombante, Abu al Hassan a entrouvert l'œil. Il veut tout voir, tout goûter, tout étreindre de cette fée mutine dont les suaves effleurements le ressuscitent.

Lèvre arrondie, visage tendu, Zoraya au-dessus de lui s'absorbe dans sa contemplation. Se croyant inobservée, elle laisse son regard s'emplir du spectacle de son amant, comme pour en graver l'image dans sa rétine une dernière fois. Ses mains poursuivent le vagabondage dont ses prunelles aiguisées démentent l'insouciance. D'où lui vient cette mélancolie qui étonne Abu al Hassan ? Et pourquoi la perle humide qu'il surprend à ses longs cils ?

– Mais tu pleures, mon étoile, s'inquiète l'émir.

– Quelle drôle d'idée, Monseigneur. Ce n'est qu'un trop-plein de joie après deux jours passés sans vous voir, sursaute la favorite.

Emprisonnant entre ses paumes le pâle visage qui grimace un sourire, Abu al Hassan l'observe. Ses yeux noirs ne sont qu'une question. Zoraya tente d'échapper à leur emprise. Trop de douceur dans ce regard, trop de souvenirs aussi, menacent de lui faire rompre le silence qu'elle s'est promis.

– Ce n'est pas vrai, princesse. Tu me caches quelque chose, gronde Abu al Hassan d'une voix tendre. Allons mon amour, ma si fragile, dis-moi quel est ce tourment qu'en vain tu cherches à me taire.

Ébranlée par la voix aimée, Zoraya résiste encore. Les mises en garde de Malika la retiennent.

– Parleras-tu, mon entêtée ! Ou crois-tu pouvoir me mentir ?

– Mentir ! Mais... c'est toi le menteur ! laisse échapper Zoraya.

– Que veux-tu dire ?

Elle a beau se mordre les lèvres, il est trop tard pour se reprendre.

– C'est toi qui mens, toi qui me trompes, toi qui multiplies les « je t'aime » et me trahis l'instant d'après, s'insurge la jeune femme.

Abu al Hassan, éberlué, retrouve chez sa favorite les émois des premiers jours. Gorge soulevée par l'indignation, Zoraya s'est dégagée et le fixe d'un œil orageux.

– Que racontes-tu, princesse ? Quelle tromperie ? Quelle trahison ?

Sa surprise paraît sincère. La jeune femme croit rêver. Ainsi, Malika et Hanouna avaient raison : pour Abu al Hassan la nuit de la veille ne compte pas.

– Où étiez-vous hier soir, Seigneur ? interroge-t-elle d'une voix lasse.

De stupéfaction, la colère l'a quittée.

– J'étais... Oh, Zoraya : c'est donc cela ?

Abu al Hassan ébauche un sourire soulagé.

– Tu es jalouse, mon étoile ! Voilà la cause de tes larmes... Comme tu es folle. Et comme je t'aime !

L'émir a pris la main de la jeune femme et, regard de nuit plongé dans ses prunelles, dépose au creux de son poignet un baiser plein de douceur. Ses yeux grelottent de rire. Et désarment la favorite.

– Vous m'aimez, Seigneur. Mais vous me trahissez, s'obstine-t-elle d'une voix hésitante.

– Qui te parle de trahir ? D'où sors-tu cette idée absurde ? Et depuis quand le sultan, lorsqu'il honore l'une de ces malheureuses qui dans son harem l'espèrent, trahit-il sa bien-aimée ?

Les mots mêmes de Malika !

– Une autre femme, reprend-elle, d'autres bras, d'autres baisers à votre bouche... Et vous trouvez ma tristesse dérisoire !

– Pas dérisoire, princesse. Bouleversante au contraire. Ta peine m'émeut : elle te ressemble...

Abu al Hassan a pris un air rêveur. Sa voix filtrée par la tendresse module des notes apaisantes.

– Que sais-tu des hommes, ma sauvageonne ? Grâce à Dieu, ils ne sont pas à ton image. Ils n'ont pas ton caractère entier, ni ta fougue, ni ton intransigeance. Que deviendraient ces femmes dont ils ont la charge, si tous étaient aussi exclusifs que tu l'es ?

– Chez moi, toute femme a un seul homme et tout homme une seule femme, proteste faiblement Zoraya.

– En principe, oui, reconnaît le sultan. Combien cela fait-il d'existences solitaires que nul époux ne protégera jamais ? Combien de femmes à jamais prisonnières du célibat ou du veuvage sur une terre où les hommes meurent au combat ? Il est vrai que les chrétiens ont aussi inventé les couvents, où ils se débarrassent de celles qui ont le malheur de ne pas plaire...

Devant tant de mauvaise foi, la jeune femme reste sans voix.

– Pourquoi crois-tu que le Prophète lui-même ait voulu plusieurs épouses à chaque homme, si ce n'est pour protéger nos femmes ? poursuit Abu al Hassan. Et puisque tu me cites les chrétiens en exemple : peux-tu me jurer qu'ils sont fidèles, ces hommes de ta religion ? Et lorsqu'ils prennent maîtresse, ce qui est dans la nature de l'homme, ne sont-ils pas plus hypocrites, plus irresponsables que les fils d'al Islam dont les épouses, au moins, sont légitimes ?

– Mais ils ne sont pas tous comme ça ! s'insurge Zoraya.

– Pas tous, sans doute. Mais nombre d'entre eux... Tu rêves la vie, mon étoile, reprend Abu al Hassan d'une voix tendre. Et c'est pour cela aussi que je t'aime. Pour cette obstination à vouloir plus, à vouloir mieux que ce que notre humaine condition nous propose. D'autres nommeraient cela aveuglement. Moi, je crois que tu as raison. Ne renonce jamais, princesse : une part de ton rêve finira par devenir réalité. Mais je t'en prie, un peu de souplesse, ajoute-t-il dans un sourire. Un peu de compassion aussi. Ne condamne pas la vie. Et ne me condamne pas moi, si je diffère parfois, souvent, de ton noble idéal.

Zoraya ne peut s'empêcher de sourire à son tour. C'est vrai qu'elle est insupportable, parfois, avec ses exigences !

– Je t'aime, Zoraya, murmure maintenant Abu al Hassan en attirant à lui le visage adouci de son amante. De tout mon cœur, de toute mon âme. Tu es mon premier, mon unique amour. Et je rends grâces à Dieu chaque jour d'avoir décidé de notre rencontre... Mais je suis un homme, ma douce. Et ces femmes sont mes épouses. Que je le veuille ou non, c'est ainsi. Mektoub, lumière de mes jours : c'est écrit.

– Je sais, Monseigneur, je comprends. Et je promets d'essayer de m'y faire. Mais cela fait si mal, avoue Zoraya dans un souffle.

Ses yeux, malgré son sourire, à nouveau s'emplissent de brume.

– Allons, ma sauvageonne, mon aimée : viens. Viens contre moi. Pleure, tempête, mais viens à moi. Je suis si malheureux de devoir te blesser.

Une fois de plus, Abu al Hassan l'a devinée. Zoraya, libérée, peut s'abandonner à son désarroi. Elle pleure, oui, mais un sourire ambigu frissonne à ses lèvres. Peu à peu, larguant les amarres, elle laisse venir la tempête et l'envahir le flot des émotions contenues. Ses joues s'enflamment, ses cheveux fouettent son visage que rosit la montée du désir. Dans ses yeux brûle une lueur désespérément tendre.

– Je vous déteste, Monseigneur, gémit-elle.

Ses mains frappent, fébriles, la poitrine de l'infidèle, mais les coups virent à l'étreinte. Sa bouche mord au cou de l'émir, mais la morsure devient baiser.

La violence les incendie tous deux. Avec colère, avec tristesse et jouissance, leurs corps se mesurent. Ils se cherchent. Ils s'affrontent, s'unissent, se repoussent. Zoraya chevauche son ennemi. Elle use de ses mains, de sa peau, de son ventre pour dévorer cet adversaire, haï d'être trop aimé. Et lorsqu'enfin, rompue, repue, elle lance au ciel un long cri, de victoire ou de reddition, elle ne remarque pas le regard noir de tendresse qu'au faîte du plaisir Abu al Hassan garde rivé sur elle.

XIX

Grenade, juin 1474

L'ENFANT naquit la nuit de Mahragan, au palais de Dar al Arife.

L'été, cette année-là, avait fondu sur Grenade avant l'heure. Tout de suite après l'équinoxe, la chaleur s'était faite oppressante. Même dans sa tour, rafraîchie pourtant par les vergers de Dar al Arife, Zoraya se sentait défaillir. Bientôt, elle n'avait plus quitté le salon ouvert aux rares courants d'air. Son ventre était trop lourd pour ses jambes affaiblies. Des cernes profonds creusaient de transparence son visage amaigri. Chaque respiration lui brûlait la gorge.

– Réjouis-toi, maîtresse, affirmait Hanouna en lui appliquant jour après jour les onguents d'argile, de citron et de savon mou qui lui détendaient la face. Pour sûr c'est un fils que tu vas donner au sultan. Tout le monde sait qu'un garçon épuise et défigure sa mère, quand une fille au contraire lui donne le teint frais de la rose.

Moins soucieux des présages que du masque gris au visage de sa favorite, Abu al Hassan avait exigé qu'elle déménageât. Il avait fait ouvrir spécialement pour elle le palais de Dar al Arife. Là-haut, Zoraya respirerait un air plus clément tout en demeurant à proximité de l'Alhambra. Ainsi avait-il été fait. Et Zoraya, depuis deux lunes, recouvrait un peu de ses forces dans la fraîcheur de Dar al Arife.

Le soir de Mahragan, comme le souverain s'en est allé présider aux réjouissances publiques de l'été, Zoraya est entrée en travail. Auprès d'elle, outre ses servantes se tiennent Malika et Rébecca, la plus recherchée des sages-femmes de Garnatha al Yahud, le quartier juif au pied de l'Alhambra. Dans la chambre où brûle l'encens purificateur, Hanouna et Rébecca ont accroché les amulettes destinées à distraire les djinns de la naissance en cours. Au cou de la jeune mère, elles ont passé les talismans qui écartent le mal, puis l'ont installée sur le siège d'enfantement.

– Regarde, murmure Malika pour la détourner de sa douleur : le ciel de Grenade s'illumine. Tous les feux du royaume célèbrent l'heureux présage de la venue d'un petit prince la première nuit de l'été.

Tendrement, elle essuie au front de son amie la sueur qui l'aveugle.

Accroupie au-dessus du siège, tenue de chaque côté par Hanouna et Jamila, Zoraya est saisie de longs tremblements par où son cœur semble la fuir. Jamais elle n'a tant souffert. Pour l'aider à expulser l'enfant, Rébecca de tout son poids pèse à son ventre. Le corps tendu à se rompre, la favorite royale n'est plus qu'une vaste déchirure.

Lorsqu'enfin l'enfant paraît, lorsqu'un long cri annonce son dépit d'être arraché au sein de sa mère, c'est à peine si elle comprend, tant elle est hébétée de souffrance, ce que lui souffle Malika :

– C'est bien ton fils, assurément : à peine arrivé il part déjà en guerre.

C'est donc un garçon ce morceau de chair sanglante et sanglotante autour de qui les femmes s'agitent ! L'une le plonge par trois fois dans un bassin d'eau claire, l'autre l'emmaillote, la troisième lui passe au cou les amulettes qui le rendront invisible au méchant peuple des djinns.

La jeune mère, épuisée, suit cet affairement d'un œil vague. Elle lutte contre le sommeil, et tend mollement un bras vers son fils.

Il lui faut attendre encore qu'on ait glissé de l'huile sucrée dans la bouche du petit prince pour lui attirer un parler aimable et sage ; qu'on lui ait entouré les yeux de khôl pour lui assurer un regard perspicace et profond ; qu'on lui ait effleuré le front, enfin, avec le saint Coran tout en psalmodiant la fat'hah :

– *Gloire à Dieu le Seigneur des mondes*
Le Très Miséricordieux, le Très Compatissant...
Qu'Il conduise cet enfant sur le chemin...

Alors seulement, l'enfant lui est rendu.

Il s'appellera Saad, Heureux Augure, comme son grand-père.

Fou de tendresse et de fierté, Abu al Hassan a fixé à l'automne la date de réjouissances publiques qu'il donnera, contre tout usage, pour fêter la naissance de son fils. Aussi ne parle-t-on guère au sérail que de ces festivités. Tous comprennent qu'elles sont prétexte à présenter officiellement au peuple et le petit prince et sa mère. Beaucoup à la cour murmurent contre le trop grand honneur fait à la chrétienne qui, affranchie par la naissance d'un fils, n'en demeure pas moins une simple concubine. Les mauvaises langues se sont chargées de rapporter à Zoraya la scène qui, à ce sujet, a opposé le sultan et son grand vizir.

– Émir bien-aimé, soleil d'al Maghreb et d'al Mashreq, du couchant et du levant : puis-je faire remarquer à Sa Majesté très sublime que la sejidah Aïcha risque de mal réagir ? avait attaqué Yusuf Ibn Kumasa. Et avec elle les

Beni Serradj, qui se sont institués défenseurs de son prestige et de ses intérêts.

– Que peuvent Aïcha et tous les Beni Serradj contre un prince royal ? avait répliqué Abu al Hassan. Car c'est mon fils Saad que nous fêterons ce jour-là.

– Si la coutume prévoit d'inviter le peuple à fêter la circoncision de ses princes, laquelle marque leur entrée en l'âge d'homme, il n'est point d'usage de fêter une naissance autrement que dans l'intimité, ô astre des astres illuminant le royaume, avait insisté le vizir.

– Que m'importe la coutume ! s'était emporté l'émir. J'exige respect sans condition envers la sejidah Zoraya. Cette fête le fera savoir à tous. Quiconque s'y oppose s'oppose à ma volonté : sache-le.

Tournant le dos à son ministre, Abu al Hassan s'était penché vers Venegas.

– Et toi, Abu al Qasim, qu'en dis-tu ? Le peuple sera-t-il révolté par ce qui fait trembler nos timides courtisans ?

– Je pense, Sire, que le peuple aime et respecte son sultan. Qu'il se réjouit avec lui de ce qui le réjouit. Que depuis un an déjà il entend par ses poètes chanter la grâce et la beauté de Setti Zoraya : il n'attend que de la voir pour l'adorer à son tour.

– Voilà un discours fait pour me combler, ami. Néanmoins, la mise en garde de mon vizir n'est pas à prendre à la légère : crois-tu les Beni Serradj disposés à l'un de ces accès d'humeur sanglants dont ils sont coutumiers ?

– A cette heure, et selon mes informateurs, j'en doute, Majesté. Le peuple est prospère. Les chrétiens ne menacent pas nos frontières, trop occupés qu'ils sont à fourbir leurs armes pour la guerre de succession qui s'annonce en Castille. Et les dernières algarades lancées sur leurs terres sur ordre de Sa Majesté se sont révélées fructueuses. Dans ces conditions je ne crois pas qu'aucun remous soit à craindre. Or que sont les Beni Serradj, ou tout autre clan d'ambitieux, quand Grenade fête son souverain ?

– Je constate que tes propos ne sont pas seulement dictés par le goût de me plaire, avait commenté le sultan. Ton analyse est clairvoyante – prions le Très-Haut de nous accorder longtemps encore cette stabilité qu'à juste titre tu constates. Je te sais gré, Abu al Qasim, de ta lucidité. Et n'oublierai pas, en son heure, de lui trouver emploi à sa mesure.

L'approche des fêtes automnales, la disgrâce d'Ibn Kumasa, la faveur grandissante d'un Venegas que l'on prétend proche de la favorite, la prévisible fureur de la sultane... Il n'en faut pas plus pour alimenter les commérages de la cour. Et attiser l'anxiété de Zoraya qui voit avec inquiétude s'approcher l'heure de ses relevailles. Ce jour-là, quittant l'abri de Dar al Arife, son fils et elle regagneront le sérail. Devra-t-elle y affronter la sejidah Aïcha ?... La jeune mère a beau faire, c'est là une peur qui la ronge. Comment se défendre, et défendre le petit Saad, si Setti Aïcha a décidé de leur nuire ?

Même lorsque la favorite s'attarde, comme cet après-midi, dans le charmant belvédère qui domine une Alhambra radieuse, ces questions reviennent et la hantent. Illusions ou prémonitions ? Vaines idées qu'elle s'emploie précisément à chasser quand, ce jour-là, Jamila pénètre en trombe dans le patio.

– Maîtresse, maîtresse, viens vite ! Le petit prince a une visite !

Zoraya retient un frisson.

– Une visite ! N'ai-je pas donné l'ordre que nul hormis vous ne l'approche ? Qui est-ce ?

– Justement, dame Zoraya, nous n'avons pas pu lui interdire l'entrée. C'est la sejidah Aïcha !

En prononçant le nom honni, l'adolescente a baissé la voix.

– Seigneur ! Qui est auprès de Saad ? interroge la jeune mère qui remet à ses épaules la mante glissée à terre.

– Hanouna, maîtresse, et bien sûr Latifa, la nourrice.

Ne t'inquiète pas : toutes deux donneraient leur vie pour le petit prince.

Unies par une même anxiété, les deux femmes se précipitent. Lorsqu'elles atteignent la chambre de l'enfant, imposante dans sa djubba de soie cramoisie la sultane en domine l'espace. Son regard scrute le visage du nourrisson endormi sur le sein de Latifa. Ses lèvres sont serrées en une lippe amère.

– Quel honneur nous fait Son Altesse ! lance depuis le seuil la voix tendue de Zoraya.

S'interposant entre la sultane et l'enfant, la favorite s'est glissée auprès de la nourrice.

– Cet honneur ne s'adresse pas à toi, réplique al Hurra, hautaine. Nous venons prendre des nouvelles du sejid Saad, le fils de notre époux.

– Qui est aussi le mien, riposte Zoraya en décochant à sa rivale un regard qu'elle espère assuré.

– On m'a dit que tu étais chrétienne, persifle l'autre avec ennui : je veux tenir pour excusable ton ignorance. Sache donc que chez nous, même affranchie par la naissance d'un fils, la mère illégitime n'a pas d'existence. Les catins passent, raille-t-elle, mon époux, un temps, s'en amuse. Seule demeure la sultane, l'épouse légitime qui veille aux destinées de tous les enfants royaux.

– Notre souverain a bien de la chance de trouver auprès de vous, Altesse, une épouse si compréhensive, ironise Zoraya malgré son cœur qui galope. Mais je doute qu'il veuille ajouter à vos tracas. L'émir Abu al Hassan a exprimé l'intention de veiller lui-même sur l'éducation de son dernier-né.

Elle ment avec aplomb. Jamais il n'a été question d'élever le petit Saad autrement que les autres : avec sa nourrice parmi les femmes jusqu'à l'âge de sept ans, puis confié à ses précepteurs, ses maîtres d'armes et autres professeurs de la médersa dès la cérémonie de la circoncision qui lui ouvrira les portes de l'adab, l'éducation coranique. Mais la sultane n'en peut rien savoir.

– Je constate que tu imagines un avenir bien particulier à cet enfant, pauvre innocente, grince Aïcha qui néanmoins bat en retraite. Comme s'il était le premier prince royal ! N'oublie pas que le sultan vieillit. Et qu'Abu Abdil, son héritier, mon fils, sera bientôt en âge de régner... Mais tu espères peut-être l'écarter du pouvoir en éloignant de lui le cœur changeant de son père ?

La jeune femme n'a pas répliqué. Médusée, elle assiste à la montée d'une colère qui dévoile les calculs de la sultane, ceux-là mêmes qu'al Hurra prête à la favorite.

– Sache que ton pouvoir passera, poursuit l'implacable, parce qu'il dépend d'une beauté qui ne tardera pas à se flétrir. Le mien est assis sur la fidélité d'un peuple qui respecte sa souveraine : nul ne me le retirera. Catin tu es, catin tu demeureras. Et ton fils, quoique prince, ne se mettra jamais en travers de la route de mon Abu Abdil : je serai là pour y veiller.

L'orgueil et une fureur contenue à grand-peine étincellent dans les prunelles grises. Seule la présence des esclaves impose à Aïcha la maîtrise d'une ambition jalouse qui autrement se répandrait en éclats violents. Les lèvres de la sultane tremblent. Ses petits yeux lancent des éclairs glacés. Son visage au menton volontaire respire la rage rentrée de qui ne peut briser à l'instant l'obstacle. Seul son maintien, raidi, rappelle encore son rang et la conscience qu'elle en a.

– Loin de moi l'idée de pousser deux frères à s'entretuer, observe la favorite dont le calme grandit à proportion de l'ire princière. J'avoue même ne souhaiter pour rien au monde à mon fils de monter un jour sur le trône.

La sejidah Aïcha paraît ébranlée : la favorite serait-elle aussi naïve qu'elle cherche à le paraître ?

– Tant mieux pour toi si tu dis vrai, finit-elle par s'incliner au terme d'un silence scrutateur. Mais ne t'avise pas de me tromper, ou le petit prince que voilà me trouvera sur son chemin...

XX

La longue journée avait été radieuse. Dès l'aube, la rumeur houleuse de la foule qui grimpait vers la Sabika frappait aux portes de l'Alhambra. Pour avoir les meilleures places, pour pouvoir saluer ses princes et applaudir aux exploits des cavaliers, le petit peuple de Grenade prenait d'assaut la colline. Tout n'était plus que tumulte de spectateurs et de marchands, de mendiants, d'équilibristes et de marieuses, de maquignons, de montreurs d'ours et de conteurs des rues.

Heure après heure, la cité et ses souks se vidaient de leurs habitants qui, tous, entamaient le siège bon enfant du centre des festivités. Lorsque, en fin de matinée, Abu al Hassan, son frère al Zagal et le jeune Abu Abdil étaient apparus dans le pavillon dressé pour l'occasion près de Bib al Godor, la porte du Puits, une ovation les avait accueillis. Elle s'était répandue jusqu'au Darro, jusqu'aux tours vermeilles et à Garnatha al Yahud, jusqu'à Rabad al Qadi et Rabad al Manzora où acclamaient de confiance ceux qui ne voyaient pas le spectacle mais comptaient se rattraper quelques heures plus tard lors des tournois en place de Bib al Ramla.

A son tour, la sultane Aïcha avait pris place sous le dais. Sa silhouette massive, son visage plus hautain que jamais, avaient refroidi l'assistance. Un grand silence s'était fait autour de l'estrade royale. Tous attendaient le petit prince en l'honneur de qui l'on festoyait.

Abu al Hassan, enfin, avait reculé dans l'ombre. Ses sujets retenaient leur souffle. Quand il était reparu, tenant par la main une très jeune femme, radieuse beauté dont la noblesse n'avait d'égale que la simplicité, le peuple d'abord avait hésité. Dans la lumière automnale qui ourlait d'or toute chose, la favorite vêtue d'azur semblait une apparition. Sous le voile translucide qui laissait deviner une chevelure de feu, elle penchait vers l'enfant assoupi sur son sein un visage qu'on eût dit sculpté par les anges. La grâce y rivalisait avec une gravité tendre qui aussitôt lui valut l'approbation muette de la foule. Et lorsque, souveraine, la jeune mère avait tendu les bras, lorsqu'en un sourire confiant elle avait présenté comme en offrande le petit prince à son peuple, toutes les poitrines s'étaient soulevées, libérant dans un tonnerre d'acclamations l'émotion un instant contenue. Pendant de longues minutes, ç'avait été une avalanche de louanges, de vœux, d'appels à la bénédiction divine sur l'enfant royal et sa jolie mère.

– Vive le prince Saad ! Vive la sejidah Zoraya ! Vive notre sultan ! s'époumonait la foule conquise.

Elle semblait si fragile et si forte, cette créature apparue sans fards aux côtés de l'émir qui la contemplait en souriant. Elle était si fraîche, si naturelle, que par contraste la souveraine légitime n'en paraissait que plus revêche. D'un seul cœur le peuple grenadin applaudissait au choix de son seigneur, et bénissait ces épousailles hors règles auxquelles il se devinait convié.

– Tu as gagné, ma princesse, murmura Abu al Hassan à l'oreille de Zoraya que l'accueil faisait défaillir. Tu as conquis mon peuple. Désormais, tu es sa reine.

La favorite s'était contentée de sourire, trop émue pour commenter. Tandis qu'une buée lui montait aux yeux, levant son voile mouillé entre elle et ce peuple qui l'adoptait, Zoraya avait eu vers la foule un élan de reconnaissance. Comme s'ils avaient deviné que par amour pour leur souverain la chrétienne, renonçant son passé, avait épousé la cause du royaume, les Grenadins lui rendaient son sacrifice au centuple. Elle en était bouleversée d'allégresse.

Tout au long du jour, cette allégresse l'avait portée. Comme la portait la fierté d'Abu al Hassan à ses côtés. C'est elle qui lui prêtait son sourire lorsque, reine des courses et des tournois, elle remettait leur récompense aux chevaliers vainqueurs, sous les hourras renouvelés de l'assistance. Elle qui avait dissipé son inquiétude lorsque, à peine entamés les jeux de tabla, la favorite avait constaté la disparition de la sejidah Aïcha. Elle qui lui faisait oublier sa fatigue à mesure que les heures passaient, que les joutes se succédaient, sans que la liesse populaire parût vouloir s'éteindre. Elle enfin qui, le soir venu, alors qu'elle ne désirait rien tant que retrouver le petit Saad et la tranquillité de leur tour précieuse, allait lui donner le cœur d'aborder l'ultime épreuve.

A l'extrémité du bassin, dans la royale tour de Comares, pour la première fois Zoraya découvre pleins de mouvement et de rumeurs les salons qu'elle a connus vides. Elle se rappelle, avant l'étroit mihrab où son amant parfois se recueille, une longue antichambre plongée dans le silence et la pénombre : voilà qu'elle la trouve houleuse et lumineuse. Bavards, affairés, les hôtes d'Abu al Hassan vont et s'y croisent. Ils se cherchent, s'interpellent, se laissent tomber quelques instants auprès des tables basses qui croulent sous les mets odorants, puis repartent se mêler à un autre groupe, à d'autres conciliabules chuchotants et passionnés que la musique alentour et les boissons servies par des esclaves charmeuses rendent plus passionnés encore.

On revit les événements du jour, on se congratule pour ses exploits ou ceux des chevaliers de son clan, on commente tout à la fois le succès d'une journée dont la chrétienne sort plus puissante que jamais, et l'affront fait à la sultane dont a fait jaser le brusque départ alors que les jeux de tabla ne faisaient que commencer.

Dans la salle du trône, la voûte aux sept ciels, myriades d'étoiles visibles et invisibles issues de l'œil du Créateur en leur centre, paraît tournoyer avec les danseuses, chanter avec les musiciens, et multiplier en échos mystérieux les propos feutrés qu'échangent les seigneurs de haut rang. Il y a là al Zagal et Ibrahim Ali al Attar, Ahmed al Zegri et Siddi Hiaya, Redwan Venegas et tant d'autres. Il y a, auprès du souverain et de son frère, les ministres rivaux, Yusuf Ibn Kumasa et Abu al Qasim Venegas. Pour la première fois à la cour festoient les jeunes princes royaux, Abu Abdil et Yusuf, âgés de treize et douze ans. Il devrait y avoir leur mère, la sejidah Aïcha qu'un siège attendait. Son absence prolongée fait redoubler les commentaires. Oppressée par la marque de faveur que lui impose le prince, Zoraya s'est résignée à occuper la place laissée vacante.

Le cœur serré d'une anxiété croissante, la favorite feint de s'intéresser aux conversations autour d'elle. Elle sourit, apparemment sereine. Elle répond avec courtoisie aux propos des courtisans, accueillant avec une simplicité grave les hommages que beaucoup croient politique de lui adresser. Elle suit d'un regard vague les évolutions des danseuses. Parfois pourtant elle s'oublie. Les yeux captivés par la voûte de cèdre, elle s'abîme en une contemplation dont, à deux reprises, al Zagal vient la tirer.

Avec le souverain et al Qasim Venegas, le prince de Malaga est le seul, dans cette éblouissante assistance, dont la jeune femme se sente proche. Aussi l'accueille-t-elle avec plaisir, confuse néanmoins de s'être laissé surprendre aux jardins secrets de ses songeries.

– Vous êtes bien pensive, Sejidah, lui reproche en riant l'émir. Votre joli visage exprime une mélancolie que rien dans cette journée dont vous êtes la reine ne paraît justifier.

– Il est vrai que notre sultan et son peuple – bénis soient-ils – m'ont marqué aujourd'hui de bien grandes faveurs. Je serais une ingrate si je m'en plaignais. Pourtant...

– Pourtant trop d'honneur effraie, n'est-ce pas ?

– Précisément, soupire la favorite. Tant que je vivais dans l'ombre, il me semblait être à l'abri des rudesses d'un monde que je ne tiens guère à côtoyer. Tant de lumière soudain me surprend. Je sais que beaucoup m'envient. Mais je ne parviens pas à m'en réjouir.

– Voilà qui dénote une rare sagesse, jeune femme. Beaucoup avant vous ont tardé à l'apprendre : qu'ils soient ministre ou favori, les proches du souverain s'attirent jalousies et cabales. Voyez ce cher al Qasim : il se méfie jusque de son ombre... Mais n'est-ce pas le devoir de qui souhaite servir et son sultan et son royaume que de se risquer ainsi ?

– Le royaume, Haq Siddi, Monseigneur... Mais je ne sais rien du royaume ! Je n'en connais que ce peuple chaleureux qui m'a accueillie tout à l'heure et que j'aime, oui, mais que je ne peux servir en rien. Et cette cour chatoyante où je distingue l'éclat d'une dague derrière chaque sourire.

– Si vous percevez cela, Princesse, alors vous savez tout. Il ne vous reste plus qu'à apprendre qui est qui, de quelle famille, de quel clan, et avec quelles alliances ; qui manipule qui et pour quel bénéfice. Et vous saurez à tout instant si la dague s'apprête à jaillir contre vous, ou en votre faveur, ou encore si elle restera prudemment endormie en son fourreau.

– Dois-je vraiment apprendre tout cela ? soupire à nouveau Zoraya. Ne puis-je continuer de vivre retirée auprès de l'homme qui m'a donné un fils ?

– Je crains que ce ne soit impossible. Mon frère est roi, belle Dame. Ils sont rares les grands de ce monde qui peuvent se dire aimés pour ce qu'ils sont. Le peuple les vénère pour la sécurité et la prospérité qu'ils lui assurent. Il les hait dès que la situation s'assombrit. De même les courtisans, toujours à quémander une faveur mais prêts à fomenter complot aussitôt que le vent tourne. Quant aux épouses et concubines : élevées comme elles le sont dans le seul art de séduire, tout élan spontané dès l'enfance les a fuies...

Rarement la jeune femme a vu mine aussi sérieuse à l'émir de Malaga.

– Mon frère souffre depuis longtemps de son isolement, poursuit le prince. Par bonheur pour lui, Allah vous a mise sur son chemin. Vous l'aimez. Il vous aime... Il a besoin de vous.

– Mais je ne sais rien, vous disais-je, des affaires du royaume. Le souverain ne se confie guère, et je n'ose l'interroger. Peut-être ai-je tort ? se reproche soudain la favorite.

– Agissez selon votre cœur, Princesse, et vous n'aurez jamais tort. Votre cœur me semble un conseiller sûr, sourit al Zagal, à nouveau détendu. Sachez seulement qu'un jour, sans doute, il vous faudra apprendre cela même qui vous répugne. Je le répète : mon frère est roi, belle Dame. Et vous êtes sa reine.

Zoraya s'apprête à répliquer que non, justement, elle ne l'est ni ne souhaite le devenir, lorsque l'alerte un silence brutal.

Sans un regard pour son époux et royal cousin, la sejidah Aïcha vient de faire son entrée. Elle marche droit sur la favorite. Attentifs à ne rien perdre de l'affrontement, les courtisans suivent des yeux la stature pleine de morgue dont la toilette d'un rouge sombre souligne l'expression virile. Visage blême, lèvres serrées, la sultane fixe sa rivale de son regard glacé. Zoraya, presque soulagée, comprend que fond enfin sur elle l'épreuve qu'elle n'a cessé d'attendre depuis le matin. L'assistance au souffle suspendu l'attend désormais avec elle.

Pour faire front, instinctivement, la jeune femme s'est levée.

– Tu fais bien, maudite putain, de te lever à mon approche, grince Aïcha en la toisant.

Elle parle bas. Nul hors Zoraya et al Zagal n'a entendu l'insulte. La chrétienne blêmit.

– A qui la faute si une loi indigne réduit ici les femmes à l'esclavage ? réplique-t-elle. Si vous nommez putains ces malheureuses, de toutes la plus obscène est sans aucun doute celle qu'on leur propose pour modèle : la sultane elle-même.

Aïcha sursaute sous l'affront. Mais la jeune femme, pour les convives, plonge dans une révérence respectueuse dont seule sa rivale perçoit la raillerie.

– Prends garde, effrontée ! Tu ne sais pas ce qu'il en coûte de provoquer la sejidah Aïcha, siffle al Hurra. Pour l'heure, je t'ordonne de quitter cette place qui est celle de la sultane.

Comme la favorite renâcle à perdre publiquement la face, l'émir de Malaga se porte à son secours.

– Bienvenue parmi nous, Altesse, lance-t-il d'une voix sonore. Nous nous désolions de votre absence. Setti Zoraya, précisément, s'en inquiétait à l'instant. Voyez, ajoute-t-il comme la sejidah avance d'un pas vers la jeune femme : un siège vous attend auprès de votre époux, qui s'attristait de le voir vide.

De la main, l'émir désigne la place qu'il a quittée pour converser avec la favorite. La sultane veut résister. Le regard tranchant d'al Zagal la fait hésiter. Et lorsqu'Abu al Hassan à son tour se lève, lorsqu'il marche vers elle, lui offrant le bras avec ostentation, la sejidah Aïcha est forcée de s'incliner.

– Vous vous êtes fait désirer, ma Dame, grince le souverain. Venez donc auprès de moi, et faisons honneur à nos hôtes. Il sera toujours temps pour vous de justifier une absence remarquée, en cette journée où nous fêtons la naissance de mon fils.

Zoraya est retombée sur son siège plus qu'elle ne s'y est assise. A retardement, ses lèvres tremblent de rage. En la traitant de catin une fois encore, la sultane a touché un point sensible : la fille de Don Sancho souffre de son état de concubine. Passé la tension de l'affrontement, ses prunelles commencent à se brouiller, lorsqu'une voix à son oreille ordonne :

– Pas maintenant, de grâce ! Et pas ici.

Le ton d'al Zagal est sans appel.

– Quand vous serez chez vous, à l'abri des regards, pleurez ou tempêtez à votre guise, souffle l'émir. Mais pas en public. Pas devant ces charognards qui n'attendent qu'une défaillance de vous pour s'en repaître.

Il a raison, une fois de plus. Et la jeune femme lui lance un regard chargé de gratitude.

– Vous et moi sommes les seuls à avoir entendu, poursuit le prince qui devine la blessure de l'ombrageuse chrétienne. Et je fais le serment de n'en rien répéter jamais, à quiconque. Ce sera notre secret, si vous le voulez bien. Un secret que vous pouvez oublier aussitôt : songez qu'aux yeux de tous l'honneur est sauf, Madame. Toute la cour l'a compris.

– Grâce à vous, mon frère, rappelle la favorite. Comment vous remercier ?

– Vous ne m'avez jamais cru, Princesse, raille doucement al Zagal, mais je suis votre serviteur. Et continuerai de l'être aussi longtemps que vous aurez besoin de moi.

– Merci, Seigneur. J'accepte votre aide. Je ne mesurais pas tout à l'heure la justesse de vos propos. Cet éclat vient de me convaincre. Accepteriez-vous d'initier une femme aux mystères et traquenards de la cour ? ajoute-t-elle d'une voix malicieuse.

– Avec plaisir, Sejidah. Et, si vous voulez m'en croire, il est un autre conseiller, habile et fidèle entre tous, que je vous recommande...

– Qui donc ?

– Abu al Qasim Venegas, bien sûr, chuchote l'émir en désignant le ministre du regard. Si vous m'y autorisez, je lui ferai part de notre inoffensif complot. Lorsque je m'en retournerai à Malaga, ce qui ne saurait tarder, il sera pour vous le meilleur des guides.

Burgos, novembre 1502

TROIS ans et demi s'étaient écoulés, au cours desquels mon Isabel avait donné au sultan de Grenade un second fils, le prince Nassar, et une petite Meryem dont les boucles rousses et l'œil impertinent faisaient la joie du souverain.

– Au cours de ces années-là, m'avait conté ma sœur Isabel, l'étoile de mon ami al Qasim Venegas n'avait cessé de grimper au firmament de l'Alhambra. Il avait remplacé Ibn Kumasa à la charge de vizir et s'inquiétait, avec le prince, des nouvelles qui leur parvenaient de Castille. De son côté, le ministre déchu multipliait les intrigues. Tout comme la sultane Aïcha, épouse humiliée, princesse écartée du pouvoir que l'émir avait reléguée dans le palais des Lions. Nous, nous partagions notre temps entre le palais de Comares, la tour précieuse et, bientôt, le palais de Mondujar, dont le sejid Abu al Hassan allait me faire cadeau peu après la naissance de Nassar.

Doña Isabel m'avait maintes fois parlé de ce joyau sauvage perché dans la sierra au-dessus du val d'Allégresse que nous appelons vallée de Lecrin. Elle m'en avait conté les jardins suspendus par-dessus l'abîme, et les terrasses, et les fontaines. Elle m'avait dit l'âpre solitude, les bienfaisants silences loin de l'Alhambra, de ses fracas, de ses intrigues. Elle avait évoqué avec pudeur les tendres heures des retrouvailles lorsque, délaissant pour quelques jours les affaires du royaume, le souverain l'y rejoignait. C'est dans le nid d'aigle de Mondujar, m'avait-elle laissé entendre, que leur amour mieux que jamais, plus haut, plus loin toujours, avait déployé ses ailes. C'est dans cette retraite aux souvenirs heureux que l'épouse de Moulay Hassan allait plus tard enfouir son chagrin de veuve... A force de le voir paraître et reparaître dans la vie de ma jeune amie, le palais de Mondujar avait fini par m'être proche. Je soupçonnais qu'à ce refuge offert par son bien-aimé mon Isabel devait le goût croissant pour la solitude, le silence, et le recueillement, qu'elle manifesterait plus tard en choisissant la paix de notre monastère pour y porter le deuil de son royaume perdu.

– Mais, remarquait ma jeune compagne comme elle évoquait pour moi l'époque où Grenade vivait encore, c'est à des centaines de lieues de l'Alhambra, et plus encore de Mondujar, que l'Histoire s'écrivait. C'est entre Ségovie et Tolède, entre Burgos et Séville, partout où la nouvelle reine de Castille installait une cour dont tous ne reconnaissaient pas encore la légitimité, que le vrai complot se fomentait. Je ne m'en rendais pas compte, alors, moi qui malgré les leçons d'al Zagal restais obstinément étrangère aux affaires politiques : les premiers nuages s'amassaient à l'ouest, qui bientôt feraient souffler l'ouragan sur ma chère terre grenadine...

Je me rappelais moi aussi cette époque, ces temps de trouble et d'effroi qui avaient suivi la mort du roi Henri IV. A Ségovie, on avait intronisé l'infante Isabel – que Dieu l'ait en Sa Sainte Garde. Mais, soutenus par Alphonse V du Portugal, les partisans de la princesse Jeanne, la fille du roi défunt, avaient pris les armes. La guerre de succession commençait, qu'aggravait l'invasion des troupes portugaises.

– Pour Grenade, m'expliquait ma jeune compagne, c'était une excellente nouvelle. Tant qu'ils étaient mobilisés à l'ouest, mieux encore s'ils se déchiraient entre eux, les Castillans se désintéresseraient de nous.

Avec quelle flamme elle s'exprimait alors, mon Isabel, inconsciente d'avoir dit « nous » pour parler des mauresques comme d'avoir traité en ennemis ces Castillans dont le sang coulait pourtant dans ses veines. Le parti qu'elle avait un jour pris par fidélité à son amant était, au fil d'une vie, devenu l'unique parti de son cœur.

– Cela ressemblait à un répit, avait poursuivi Isabel les yeux rivés sur le passé. Qu'adviendrait-il de nous si, la reine Isabel victorieuse et son époux bientôt roi d'Aragon, tous deux pacifiaient les seigneurs rebelles et tournaient leurs regards vers l'est, vers cette lame musulmane flanquée à leur flanc très chrétien ?

Le « très chrétien » avait cinglé d'une peu charitable ironie.

– Je sentais le sultan préoccupé, poursuivait la veuve de Grenade que je n'avais pas eu le cœur de réprimander. Même la première ambassade envoyée par Doña Isabel ne l'avait pas réconforté. La reine avait pris soin, pourtant, de choisir pour émissaire l'un de nos alliés de longue date : Don Diego Fernandez de Cordoue, comte de Cabra. Lequel s'était montré fort conciliant puisqu'il avait à peine évoqué le tribut annuel que depuis plus d'un demi-siècle Grenade payait à la Castille et qu'Abu al Hassan ne versait plus... Sens politique ? Intuition ? Au lieu de s'en réjouir, mon bien-aimé n'en était devenu que plus vigilant. Il avait donné ordre que fût remise en état la moindre tour de guet le long de la frontière, que fussent renforcés en chaque citadelle les systèmes de défense, et fabriqués en surnombre les lances courtes et les poignards, les arbalètes et les cimeterres, les boucliers et les armures dont il craignait que notre armée eût avant peu l'usage.

Aux douces lèvres de celle qui me faisait face, ce vocabulaire de la guerre prenait une résonance étrange, mélange de désarroi et de naïveté qui en soulignait l'horreur. Isabel semblait ne pas s'en apercevoir et poursuivait, toute à ses souvenirs :

– Inch'Allah ! Peut-être je me trompe, me disait parfois celui que vous, Castillans, appelez Moulay Hassan. Peut-être le Très-Clément ne voudra pas que ces deux-là aient la victoire contre le Portugais, peut-être perdront-ils le trône de Castille : roi et reine d'Aragon, ils ne menaceraient plus Grenade... Mais j'ai de sombres pressentiments.

« Ces deux-là », que Dieu pardonne ma jeune sœur, c'étaient Doña Isabel de Castille et Don Fernando d'Aragon !

– Je ne voulais pas l'entendre, avait conclu mon Isabel. Grenade était trop belle, elle me semblait trop éternelle, pour devoir un jour mourir. Songe-t-on que le bonheur a une fin, à l'instant où on le savoure ? Mon amant avait raison. L'avenir nous le prouverait bientôt. Mais comment l'aurais-je entendu, alors ?

XXI

L'ANNÉE 1478 vient de commencer. Par une froide matinée de janvier, Don Juan de Vera y Mendoza, commandeur de l'ordre de Santiago, s'est fait annoncer à l'Alhambra. Il est de cette puissante famille ralliée l'une des premières à celle qui n'était encore que l'infante Isabel. Auprès du sultan de Grenade, la reine de Castille l'a fait son ambassadeur.

L'escorte qui franchit la Porte d'Ilbira est sobre. Cinq ou six hommes à peine, tous chevaliers chrétiens d'al Andalus dont on devine à l'allure la noblesse et le sang guerrier. Hiératiques dans leurs armures pesantes, visage à demi caché par le heaume, ils éclatent d'insolence sous le soleil d'hiver. Au petit peuple qui les regarde passer et les compare aux troupes grenadines, plus légères et plus court montées, ces cavaliers paraissent étranges, raides qu'ils se tiennent sur leurs lourds chevaux caparaçonnés.

On conduit Don Juan et sa suite à travers le Sahan Arrajahin. Dans la salle de la Bénédiction, on leur présente les aiguières d'eau parfumée en signe d'hospitalité. A peine franchie la dalle de marbre blanc qui en marque le seuil et force le visiteur à baisser la tête face au sultan, les voilà plongés dans la semi-pénombre de la salle du Trône qu'éclairent doucement les verrières colorées des jalousies. Le temps qu'ils s'accoutument à l'obscurité, on les sent brièvement désarmés.

Postée à l'étage, Zoraya les observe. Imberbes, le teint clair, ces chevaliers aux toilettes empesées la ramènent des années en arrière. Semblables à Don Sancho par la rigueur, c'est en étrangers que, pourtant, elle les découvre. Et c'est vers le prince nasride qu'au même instant son cœur s'élance. Vers le royal visage dont le taylasan immaculé souligne la noblesse et la gravité.

Majestueux, dans sa marlota de pourpre et d'argent brodée, Abu al Hassan sur son trône se tient immobile. Derrière lui, la jeune femme distingue la mince silhouette d'Abu Abdil. Le prince héritier paraît mal à son aise, qui prend là sa première leçon de grandeur royale. Le sultan aurait-il raison, quand il prétend que manquent à son aîné les vertus de l'orgueil et de la mâle autorité essentielles à l'exercice du pouvoir ? La question traverse à peine l'esprit de la jeune femme : son œil s'attarde sur les coiffes et les brocarts des ministres, qui scintillent dans la lumière tamisée des alcôves.

A peine les ambassadeurs ont-ils esquissé leur révérence que, d'un geste, le sultan leur enjoint de se redresser. Pour Zoraya qui ne le quitte pas des yeux, son amant en cet instant incarne la majesté. Attentif mais impénétrable, son beau visage sombre rayonne la superbe.

Pendant de longues secondes, chacun demeure suspendu à la silhouette immobile du souverain. Enfin, d'une inclinaison de la tête, le sultan donne la parole au Castillan. Aussitôt s'élève des alcôves le murmure feutré des courtisans rendus à leurs commentaires. Forte et grave, la voix du commandeur de Santiago les interrompt bientôt.

Zoraya s'attendait à ce qu'elle entend. La morgue de l'ambassadeur la fait cependant frémir. A peine voilé par les formules courtoises, son propos est un camouflet : la reine Isabel de Castille rappelle au sultan de Grenade son statut de vassal. Loin de vouloir signer un accord de souverain à souverain, comme Abu al Hassan en a exprimé le souhait, elle exige le respect des engagements passés et réclame le versement des tributs que l'émir ne paye plus. L'alliance de paix ne sera signée qu'à ces conditions.

Les yeux braqués sur son amant, la favorite guette une réaction. Tandis que l'interprète s'échine à noyer dans un langage fleuri l'arrogance du discours chrétien, le visage royal demeure imperturbable. Quand l'interprète achève son discours, un silence de mauvais augure pèse sur la salle du Trône. Durant de longues secondes, nul murmure ne le froisse.

– Transmettez mes paroles à ceux qui vous envoient, énonce enfin Abu al Hassan d'une voix glaciale... Dites-leur que les rois de Grenade qui avaient coutume de payer le tribut sont morts. De même que les rois de Castille qui le percevaient.

Les courtisans retiennent leur souffle.

Ils savaient l'intention du souverain. Nombre d'entre les plus fiers se réjouissaient de voir remis à leur place les présomptueux Castillans. A tous, le moment semblait propice : les rois chrétiens, en effet, ont trop à faire sur le front du couchant où les affronte leur cousin du Portugal, pour s'en venir attaquer Grenade... Ce n'est donc pas le contenu, c'est la majestueuse nudité du discours, qui stupéfie les ministres.

Comme les Espagnols lancent à l'interprète des regards soupçonneux, le souverain reprend :

– Dites encore ceci de notre part à vos souverains. Dites-leur qu'aujourd'hui l'Hôtel de la monnaie de Grenade ne bat plus dinars d'or ni d'argent, mais lames de cimeterre et fers de lance pour n'avoir plus à payer l'infâme tribut.

La réponse du sultan est sans appel. Zoraya, atterrée, l'a entendue claquer comme une gifle. Don Juan de Vera semble la prendre de même. A l'énoncé de son traducteur, il retient un haut-le-corps. Mais masque d'un salut son courroux. Il ne se dévoilera que trois jours plus tard lorsque, au terme des réceptions princières organisées en son honneur, le sultan lui fera remettre un somptueux cimeterre. La lame en est du plus pur acier de Damas ; la poignée d'agate et d'or.

– Sa Majesté me fait cadeau d'une lame effilée, lancera alors l'ambassadeur avec un regard de défi. Je ne doute pas d'avoir l'occasion de lui démontrer promptement comment je compte user de son royal présent.

L'anecdote aura vite fait le tour de l'Alhambra. Pour tous, à commencer par Zoraya, elle laisse présager des temps de guerre.

– Tu as raison, ma bien-aimée, confirme le prince lorsqu'il la rejoint en leurs appartements de Comares. C'est à la guerre que Grenade se prépare.

– Mais enfin, Seigneur, pourquoi ? Pourquoi cette provocation ?

– La guerre, de toute façon, nous l'aurons. Que nous le voulions ou non. Autant l'aborder avec panache, sourit Abu al Hassan d'un air absent.

Zoraya ne comprend pas.

– Aujourd'hui, explique l'émir en revenant à elle, comme depuis deux siècles et demi que règne ma famille nasride, Grenade ne combat en ses frontières que des seigneurs isolés. Elles sont même devenues un jeu, ces escarmouches que tant tu déplores et où tout jeune chevalier andalou, qu'il soit maure ou chrétien, s'exerce à passer maître dès avant son adoubement. On y franchit la frontière, on pénètre en terre ennemie ; là, sans tambour ni trompette, sans bannière ni campement guerrier, en moins de trois jours on s'empare d'autant de bétail que l'on peut, on rase au passage les moissons, on incendie ici et là les greniers, et l'on embarque le plus de captifs possible... De père en fils, sur des générations, voilà ce que se transmettent les familles guerrières de la frontière. Tu sais tout ça, princesse au doux sourire : à ce jeu parfois périlleux ton père ne manquait autrefois ni d'adresse ni d'héroïsme.

– Je sais tout ça, admet-elle. Et cela me déplaît assez...

– Ce ne sont là que charges passagères, pourtant. Plus glorieuses que meurtrières. Si elles sont indispensables, puisqu'elles maintiennent en respect l'adversaire, elles ne modifient en rien l'équilibre des forces entre les chrétiens et les maures.

– Précisément, Seigneur : pourquoi avoir rompu cet équilibre ? interroge la jeune femme.

– C'est que ces temps dont je te parle, qui furent ceux de mon père, et de son père avant lui, sont en train de finir, énonce Abu al Hassan d'une voix ennuagée. Je le crois. Je le sens. Les nouvelles qui nous viennent des parents d'Abu al Qasim me le confirment... Il nous faut donc, s'il n'est trop tard déjà, porter au plus tôt le fer dans le flanc castillan.

– Êtes-vous sûr de ne pas provoquer cela même que vous craignez, mon prince ?

Zoraya a parlé d'une voix douce. Trop grande tristesse, au front de son amant, lui fait presque regretter son insistance.

– Écoute, mon étoile, ma vie. D'une part, d'un jour à l'autre, l'infant Don Fernando doit hériter le royaume d'Aragon : Grenade aura alors face à elle deux puissances ennemies au lieu d'une. D'autre part, m'ont rapporté nos espions dans les cités d'al Andalus : tandis que son époux affronte les Portugais, Doña Isabel s'emploie à réconcilier les féodaux andalous que d'ancestrales querelles divisent. La tranquillité du royaume repose en partie sur ces querelles qu'au besoin il nous est arrivé d'attiser. Or, nombre de nos voisins, déjà, ont prêté serment à cette reine guerrière qu'ils ne sont pas loin, paraît-il, de tenir pour une sainte. Ainsi de Don Guzman, duc de Medina Sidonia, qui fut un temps notre allié contre le marquis de Cadix. Ainsi de quelques autres dont tu ne sais rien... Qu'arrivera-t-il, à ton avis, si les chrétiens d'al Andalus cessent en effet leurs disputes et s'unissent ? Si un jour, comme un seul homme, tous tournent leurs regards vers Grenade et décident de bouter les maures hors de la péninsule...

– Cela n'arrivera pas, tente de l'apaiser la jeune femme. Depuis tant de siècles nos peuples vivent côte à côte... Qui voudrait assassiner Grenade ?

A peine Zoraya a-t-elle prononcé ces mots qu'elle en comprend la naïveté.

– Assassiner ? Personne, réplique en effet l'émir. Mais capturer : combien en rêvent ? Grenade est belle, Grenade est riche, Grenade est un joyau...

– Et Grenade est mortelle, oui, Seigneur, coupe Zoraya d'une voix plus douce que jamais. Comme nous le sommes tous.

Abu al Hassan a sursauté. Il connaît ces mots : ce sont les siens. La favorite se moquerait-elle ? Un instant, son regard hésite entre colère et reproche. Le tendre sourire de la jeune femme l'incline au calme. Mais c'est d'une voix poignante qu'il reprend :

– Voir les nuages qui pointent à l'horizon et n'avoir pas le pouvoir de changer le sens du vent ; se savoir lucide, mais impuissant : si tu savais, ma douce, comme c'est épuisant parfois. Las de subir, las d'attendre le pire, le sultan de Grenade a décidé de le devancer et, qui sait, de le déjouer. A-t-il eu tort ? Ou bien raison ? Qui le saura jamais ? S'il faut un jour s'avouer vaincu, s'il faut mourir peut-être, et voir mourir tout ce à quoi l'on tient : au moins sera-ce la tête haute et l'arme à la main.

Quelques jours plus tard, le souverain réunissait ses

ministres. Il devenait urgent de recenser les troupes du royaume.

– Nous organiserons une revue militaire si grandiose, avait-il déclaré, que de mémoire de Grenadin on n'en puisse citer de semblable.

Ainsi apaiserait-il d'une main le mécontentement qu'il suscitait de l'autre, avait-il expliqué à la jeune femme qui suivait ces préparatifs avec résignation. Son peuple, déjà partagé entre la fierté de s'être débarrassé de la tutelle castillane et la crainte que ce fût là l'annonce de grandes douleurs, risquait de renâcler au paiement du nouvel impôt qu'exigerait l'effort de guerre. De la réussite de la parade dépendait donc que la foule volontiers changeante choisît de bénir ou de maudire son maître.

– La revue commencera avec la nouvelle année 883, avait décidé le souverain. Elle durera plusieurs semaines, au cours desquelles le royaume entier sera en fête. Les auberges et les mosquées de la capitale seront aménagées pour accueillir les habitants des villages environnants. Partout ailleurs, les gouverneurs organiseront le même type de réjouissances. Quant aux plus vaillants de nos guerriers, c'est ici même qu'ils accourront pour défiler devant leur roi. Ainsi, nul ne pourra douter de la puissance de l'armée de Grenade, avait conclu l'émir, ni de la vaillance de son souverain.

Le sultan semblait se réjouir de ces préparatifs. Le ton enthousiaste qu'il prenait pour les décrire démentait l'orgueil de ses paroles.

– Tu verras, Princesse, ce sera une belle fête. Nous en avons tous besoin, après cette offensante ambassade. Et mon peuple lui aussi la mérite.

Malgré son inquiétude, Zoraya avait souri. Abu al Hassan s'apprêtait à la guerre. Il le savait. Et s'y donnait avec une vigueur gourmande qui la laissait désarmée.

Au jour dit, toute la population de Grenade semblait

massée sur la rouge pente de la Sabika. Près de la Porte du Puits, des gradins avaient été installés. Abu al Hassan y était apparu en compagnie de Zoraya et de sa cour. Là, il recevait ses serviteurs, saluait ses généraux à la tête de leurs troupes, et traitait des affaires les plus urgentes de l'État. Pendant des heures, jour après jour, avaient paradé les détachements de soldats venus de tous les coins du royaume, qui saluaient fièrement leur sultan, lui souhaitant santé et longue vie.

Aux côtés du souverain, des princes Abu Abdil, Yusuf, Saad et Nassar, Zoraya avait d'abord admiré le groupe des cavaliers andalous, mené par Ibrahim Ali al Attar dont on murmurait qu'il aurait bientôt l'honneur de donner sa fille en mariage au prince héritier. Elle s'était effrayée des Gomeres, troupes bariolées d'al Zagal, armée mercenaire composée de rebelles insoumis aux sultans d'Afrique dont l'intrépidité était reconnue, se rappelait-elle, jusque par les chrétiens de son enfance. Puis avait défilé la garde personnelle du sultan, ces renégats si stricts dans leurs tuniques blanches et leurs capes noires...

Tant d'heures s'étaient écoulées, dans la chaleur, la poussière et l'excitation belliqueuse de la foule, que Zoraya s'était excusée. Après son départ étaient passés la cavalerie lourde et la cavalerie légère, l'infanterie, les arquebusiers, les lanciers, les arbalétriers. Et les moines guerriers, dont les haillons et le regard fanatique avaient figé l'assistance. Et les chariots tirés par les captifs, transportant les pièces d'artillerie, les catapultes, les béliers, les mantelets, les tours d'assaut. Des milliers d'hommes, de chevaux, de bannières étincelantes jour après jour rivalisaient sous le soleil printanier. La foule se laissait griser. La confusion grandissait. Des rixes naissaient et se multipliaient... Abu al Hassan avait dû se résoudre à écourter la parade.

Le 22 moharram de l'an 883, pour clore en beauté la revue, le sultan avait annoncé des réjouissances plus somptueuses encore que les précédentes. Aussi ce matin-là, dans leurs plus beaux habits, les hommes, les femmes, les enfants se précipitaient vers la Sabika. Les jongleurs, les baladins, les mendiants et les montreurs de singes étaient aussi de la fête. Et les voleurs, et les devins, et les vendeurs de figues sèches, de fruits frais ou de chevaux... L'air était tiède, le ciel radieux. On s'excitait au spectacle de la tabla. On se réjouissait de voir une dernière fois le sultan et sa jolie concubine qui offrait au peuple son doux sourire comme au jour de sa première apparition. C'était un beau jour de printemps, une belle nouvelle année, une grande armée dont Grenade pouvait s'enorgueillir. Insouciante du prix à payer, la cité en liesse faisait fête aux belliqueux jours à venir.

Un nuage... Ce ne fut d'abord qu'un nuage, d'un noir de jais, à l'aplomb de l'Alhambra. Dans le ciel bleu de ce matin d'avril, rien ne l'avait annoncé. Mais le soleil, soudain, s'était éteint. D'un coup, tout s'était arrêté. Il faisait nuit en plein midi. Et chacun enregistrait, stupéfié, la zébrure du premier éclair dans le claquement de la foudre.

Alors, le ciel s'était déchiré. De sa blessure une trombe d'eau avait jailli. Un flot noir, tranchant. Un flot rageur, une tempête qui s'abattait sur la foule agglutinée dans la Sabika, qui la fouettait, la dispersait sans qu'elle pût distinguer rien des lieux où elle portait ses pas.

La parade tournait au désastre. Des femmes, des enfants, des vieillards s'écroulaient sur la chaussée boueuse. D'autres les piétinaient, qui couraient et glissaient entre les corps aveugles. On criait, on s'interpellait, on s'insultait, on se cherchait en vain. Les uns espéraient regagner leurs foyers ; ils essayaient de descendre vers le Darro : la foule massée sur la pente leur barrait la route. D'autres, voyant gronder le fleuve et monter ses eaux furieuses, tentaient de fuir vers le haut. Tous se bousculaient, se heurtaient, faisant grimper les cris et la terreur. Bientôt sur ce tumulte, sur cette marée confuse des êtres et des choses, un torrent de pluie, de boue, de barricades et d'étals arrachés commença de se déverser. Il renversait les uns, assommait les autres, et dispersait au hasard ceux qui restaient debout.

Dès la première alerte, les fonctionnaires royaux chargés du protocole s'étaient empressés de guider les princes et leur entourage jusqu'à la protection de l'Alhambra. Zoraya avait profité de la panique pour rester en arrière. C'était plus fort qu'elle : elle voulait voir. Tout voir. Participer à sa manière à ce qu'elle pressentait être le commencement d'un désastre. Tremblant de froid et de terreur, elle s'était tapie dans un recoin de Bib Xarea, la lourde porte de la Loi. Elle entendait l'appel des mères séparées de leurs enfants. Elle devinait les pleurs des petits, perdus. Elle frissonnait aux gémissements des vieillards agrippés qui à la branche d'un arbre, qui à un pilier de l'estrade royale. Elle voyait passer des chiens noyés, des corps inanimés, d'autres qui s'agitaient en tous sens, et des capes, et des babouches, et des débris de bois, de cuir, de tissus. Hagarde, dégoulinante, elle prenait la mesure du naufrage.

Sa démesure, elle, ne serait constatée que le lendemain. Pendant tout le jour, et une partie de la nuit, le ciel avait continué de déverser ses flots noirs. Les eaux du Darro débordaient de leurs rives, arrachaient les ponts, rasaient les maisons, les boutiques, les halles à blé avoisinantes. La vague fanatique avait attaqué la cité entière. Chargée de troncs, de poutres, de débris, elle avait inondé les demeures et les souks, ravagé les jardins, les vergers, les moulins à huile. Elle avait profané les cimetières et dévasté la grande mosquée. Dans chaque famille elle avait pris un fils, un frère, une mère.

Grenade était en deuil. Grenade était brisée. Pendant des mois, Grenade panserait ses plaies. Et il se trouverait plus d'une voix, au milieu des décombres, pour murmurer que Grenade devait à l'orgueil de son sultan l'effroyable châtiment divin.

XXII

Mondujar, janvier 1479

NEUF lunes ont passé depuis la journée tragique. Nouvel été, nouvel hiver, sans qu'Abu al Hassan retrouve goût à rien. La nuit tombée sur sa parade, le déluge balayant son armée ont brisé le sultan comme aucune défaite militaire n'y serait parvenue.

– Je ne sais plus quoi entreprendre, mon étoile, avoue-t-il à Zoraya qui tente depuis des semaines de le réconforter. De cette journée fatale, il me semble ne plus voir la fin.

Sa voix est lasse, ses traits tirés. C'est à peine s'il prend garde au regard plein de reproche que lui adresse la jeune femme. Cédant à ses prières, l'émir a accepté de se laisser entraîner jusqu'à Mondujar, ce repaire de leur amour qui tant de fois les vit heureux. Mais son esprit demeure prisonnier de l'Alhambra, et de son inquiétude pour Grenade.

– L'impôt que je m'apprêtais à lever : c'est à rebâtir ma cité qu'il est parti tout entier, énumère-t-il ce soir-là d'une voix atone. L'armement neuf, les troupes fraîches : nous ne les verrons jamais. Sur les soldes des guerriers, mes généraux ont dû rogner, au contraire. Imagine si l'armée est d'attaque ! Qu'il vienne, l'ennemi. Qu'il s'avance. C'est le moment ou jamais : avant même que les chrétiens n'arrivent, Grenade est déjà à genoux.

Depuis des semaines, depuis des mois, enfermé avec son vizir, et le wakil préposé aux finances, et les qadis et les amins, l'émir s'efforce d'assainir, de soigner, de guérir les plaies de sa cité endeuillée. Les ravages sont considérables... Brisé d'abord par la détresse, rompu maintenant par les nuits sans sommeil, le souverain est à bout de forces.

– Et si les faqihs avaient raison ? poursuit-il, tout à son cauchemar. Si j'avais, par trop d'orgueil, provoqué le châtiment divin ?

C'est que, depuis la funeste parade, le peuple gronde. La colère céleste, les impôts, le harcèlement provocateur des chrétiens qui, depuis l'ambassade de Don Juan de Vera, multiplient aux frontières les escarmouches : tout à ses yeux se retourne contre un souverain qu'Allah semble abandonner. Qu'il paraît loin l'heureux temps où les Grenadins chaque jour bénissaient leur souverain.

– Vous n'allez pas croire ces superstitieux ! gronde doucement Zoraya, qui connaît la blessure d'Abu al Hassan. Colère céleste, châtiment divin : ce sont là propos de crédules.

– Comment l'interpréter autrement ? Grenade fièrement s'apprête à la guerre. Devançant l'ennemi, Grenade fourbit ses armes et rassemble ses guerriers. Et voilà qu'imprévisible, invincible, meurtrier, le flot emporte mon armée, brise mon peuple, et réduit à néant toutes mes espérances. Tu ne me diras pas que le signe est de bon augure !

– Ce fut une journée tragique, Seigneur. Je l'ai vue, je l'ai partagée : je serai la dernière à en minimiser l'ampleur. Mais c'est une tragédie comme il peut en survenir à tout instant dans l'existence des peuples... Je vous en prie, Seigneur : ne prêtez pas à cette colère de la nature un sens qu'elle n'a pas, s'obstine la jeune femme.

– Ah ! ma petite chrétienne, comme tu es raisonnable ! Tu crois au hasard. Tu soupçonnes peut-être la nature de vivre selon des lois où le Tout-Puissant n'aurait plus sa part. Mais c'est cela, précisément, que le Croyant réfute. Rien n'arrive, pas même la tempête, qui ne soit voulu par le Très-Haut. L'orage et l'arc-en-ciel, la maladie et l'heureuse fortune sont les signes, parmi tant d'autres, par lesquels Il s'exprime. Que nous ayons perdu les yeux de l'âme pour voir et l'oreille pour entendre, conclut Abu al Hassan avec dérision : c'est une autre affaire. Mais je ne doute pas, ici, de ce que mes yeux de chair ont vu.

– Je n'en doute pas, moi non plus, Seigneur, se défend la favorite. Pas plus que je ne doute que tout ce qui advient soit signé de la main de Dieu. Mais ce signe, vous l'interprétez à votre guise, il me semble. Le Ciel vous abandonne, dites-vous ? Aide-toi, le Ciel t'aidera, répond-on dans le pays de mon enfance. Autrement dit : bats-toi ! N'est-ce pas votre destinée de guerrier, de roi, et d'homme ? ajoute Zoraya dans un souffle. Accomplir sa destinée, mon amour, l'accomplir la tête haute : ce sont vos propres mots. N'est-ce pas là le signe véritable, l'ordre vital, l'ordre divin à tout homme adressé ? A vous plus instamment peut-être, plus cruellement rappelé...

Perdu dans ses pensées, le prince ne paraît pas l'entendre. Ils vont tous deux par les jardins enneigés, emmitouflés dans leurs fourrures. Le souverain se laisse mener vers les hauteurs de Mondujar. Mais de ce qui l'entoure il se désintéresse.

– Vous n'allez pas abandonner, n'est-ce pas ? s'emporte la jeune femme qui vient de s'arrêter au pied d'un escalier. Vous êtes notre sultan, Seigneur. Grenade, votre peuple, moi : nous avons besoin de vous !

Ce n'est pas la tendre favorite qui s'exprime soudain. Ni l'épouse compréhensive. C'est une femme exigeante, impitoyable. Celle dont le désir, pour jaillir, réclame en face d'elle une puissance indomptée.

– Vous êtes roi, Seigneur. Or, si je me moque bien d'être reine, je ne me moque pas de voir le roi à terre.

Un éclair d'amusement ranime le regard d'Abu al Hassan. N'est-ce pas la panthère de naguère, celle dont l'ardeur contagieuse le provoque depuis le premier soir, qui montre à nouveau les dents ?

– Ne renoncer jamais, Seigneur, insiste la jeune femme. Se mettre en danger, toujours. Courir le risque de vivre, courir le risque d'aimer. Courir le risque, aussi, de régner, de gouverner, de guerroyer...

L'émir contemple la jeune femme sans mot dire.

– M'entendez-vous, Monseigneur ?

– Je t'entends, je te regarde, et ton corps me parle autant que tes paroles.

La jeune femme déçue croit à une dérobade.

– Tu es la vie même, Zoraya. Tes paroles sont la sagesse. Non celle des courtisans qui calculent et supputent, ni celle des stratèges qui mesurent les enjeux et les risques. La sagesse de la vie. Celle qui jaillit et rebondit, flot impétueux d'une rivière que rien ne saurait endiguer. Celle qui abreuve la terre et porte en germe toute naissance. Celle qui, au gré de la terre et du ciel, se fait torrent, orage ou nappe souterraine, mais jamais ne renonce, et toujours féconde. Celle qui tant nous effraie, nous, les hommes, parce qu'elle est insoumise ; et qui tant me captive en toi, ma sauvageonne.

– Mais alors...

– Faire face, dis-tu. Faire front. Évidemment ma vie : c'est l'unique voie. Avec toi à mes côtés, je finirai de panser les plaies de ma cité meurtrie. Et nous ferons la guerre... Pour vaincre ? s'interroge à haute voix le prince. Pour être vaincus ? Qui le sait de manière certaine ?... Dieu en décidera.

Comme l'émir prononce ces mots, tous deux atteignent l'une des terrasses qui font le charme suspendu de Mondujar. D'un coup, ils dominent le paysage. Par-delà les maigres champs enneigés qui s'agrippent à la pente, du fond du val d'Allégresse leur parviennent le meuglement des bêtes et la fumée des foyers. Tout appelle au repos à cette heure, après la journée de labeur. L'air pique de froid. Le ciel à l'horizon rougeoie. Sensible à la quiétude de l'heure, le sultan brusquement se tait. La main dans la main de son amante, il laisse au loin voguer son regard. Loin jusqu'aux blanches collines, là-bas, de l'autre côté de la vallée, jusqu'au disque flamboyant qui lentement s'efface derrière l'une d'elles, et l'ensanglante.

Alors, silhouette découpée sur l'écarlate des cieux, Abu al Hassan a prononcé l'appel des Croyants. Par deux fois, il s'est prosterné. Puis, longtemps, il s'est recueilli... Les yeux sont noirs, implorants, qu'il braque sur l'horizon incendié. La nuque, humble comme jamais, pour quelques secondes a ployé. Par cette prière d'al Maghreb, le souverain de Grenade lance au Tout-Puissant sa supplique.

Silencieuse à ses côtés, Zoraya elle aussi se recueille. Elle ne prie pas cependant : les yeux fixés sur son amant, elle grave dans son cœur l'image de ce prince à genoux, auguste figure d'orant inscrite entre terre et ciel sur le firmament pourpre.

Lorsque, un long moment plus tard, le souverain se redresse, son visage est empreint d'une gravité neuve.

– Tu avais raison, mon étoile, énonce-t-il : c'est une bonne idée de passer en ces solitudes la nuit de la destinée.

Car Zoraya n'a pas choisi par hasard cette froide journée de janvier pour arracher son amant aux réunions du diwan comme à l'air sinistre de la cour. Cette nuit est celle de Leilet al Qadr, nuit bénie entre toutes où, selon la tradition, l'Ange Gabriel apparut à l'Envoyé de Dieu pour lui remettre le Coran, Révélation, Flambeau et Loi d'al Islam.

C'est Fleur de Soleil qui a initié sa jeune amie, naguère, aux mystères de Leilet al Qadr. Elle qui lui a expliqué pourquoi, en cette avant-dernière nuit du mois de ramadan, tandis que les hommes s'enferment à la mosquée, femmes et enfants se précipitent aux terrasses. Pourquoi, tantôt murmurant les sourates sacrées, tantôt s'abandonnant aux bavardages ou à la rêverie, tous scrutent le ciel avec un même regard alourdi d'espérance.

– Car en cette nuit où les anges mettent à jour les comptes des hommes, avait affirmé Malika, Dieu peut choisir un élu et fendre le ciel devant ses yeux. Alors, s'il tient prêts ses vœux et les formules avant que ne retourne aux ténèbres l'astre du Très-Haut, celui qui aura vu passer l'étoile fulgurante verra aussi ses désirs exaucés.

Par deux fois, auprès de son amie, Zoraya avait guetté l'astre divin. Par deux fois, les jeunes femmes avaient été rattrapées par l'aube sans avoir eu à formuler leurs vœux. De ces nuits passées la tête dans les étoiles, la chrétienne gardait un souvenir enchanté. Chaque année, depuis qu'elle vit à l'Alhambra, elle avait regretté de ne passer en compagnie de son bien-aimé la nuit féerique de Leilet al Qadr. Ce soir, elle est parvenue à l'entraîner jusqu'à cette terrasse de Mondujar.

Timides, d'abord, entre les lambeaux de jour, les étoiles une à une ont risqué leur éclat. Bientôt, myriades de chandelles accrochées au velours sombre du ciel, elles ont refermé l'espace autour des deux amants. Tête en arrière sur les coussins, Zoraya se laisse bercer par leur murmure. A ses côtés, elle sent peu à peu se détendre le corps du sultan qui l'a rejointe. Le souffle d'Abu al Hassan s'est ralenti. Son regard s'est rivé sur la nuit. Ses doigts ont cherché ceux de son amante. Rassurée, Zoraya s'abandonne à une contemplation qu'elle devine partagée.

– Tu as été bien inspirée en m'obligeant à quitter l'Alhambra, vient de soupirer l'émir. Le ciel me redonne ces forces qui me fuyaient. Je te soupçonne, ajoute-t-il en tournant vers elle son visage auréolé d'absence, d'avoir prévu de longue date ce rendez-vous avec tes sœurs, mon étoile.

Un sourire dans l'obscurité. La tête de Zoraya a roulé sur l'épaule du prince. Blottis dans une même cape, les deux amants rendus à la paix savourent l'écoulement et le silence des heures qu'à peine ils entrecoupent d'un murmure, d'un baiser. Chacun s'est mis à suivre le fil de ses pensées. Il arrive qu'elles se rejoignent.

– Avant de te connaître, rêve le souverain à voix chuchotée, j'étais assis sur un trône trompeur. Le peuple chantait mes louanges. Il acclamait mes victoires. Il exaltait ma sagesse. Quand je regardais le cœur de mon cœur, pourtant, je n'y voyais que solitude. On me croyait riche, j'étais pauvre. On me voyait puissant, j'étais écrasé par le sentiment de ma petitesse. On me pensait comblé, j'étais désespéré... Alors, tu es apparue. Mon âme et ton âme se sont reconnues. Et je n'ai plus été seul, jamais.

– Avant de vous connaître, soupire Zoraya en écho, j'avais soif et ne savais de quoi. J'aimais les aurores enflammées, et le chant de l'oiseau enivré de soleil, et l'étonnement froissé de la rose en bouton. J'aimais le son que je tirais du luth, et les galops de mon cheval, et la danse éperdument. J'aurais voulu aimer chaque visage entr'aperçu, mais tous me fuyaient. J'aimais chaque seconde, et chaque seconde me révoltait. J'avais soif, Seigneur, toujours. J'avais tellement soif... Mais je ne savais de quoi.

Les prunelles de Zoraya se sont détournées des étoiles. La jeune femme dévisage l'homme à ses côtés.

– Depuis que je vous ai vu, conclut-elle, j'ai plus soif encore. D'une soif qui m'abreuve, qui m'emplit, qui m'émerveille. Ma vocation, ma vie, c'est d'aimer. Et mon amour, c'est vous.

– Le cœur est un trône, mon étoile, reprend l'émir après un long silence. L'amour est un roi. Et la constance une couronne... Qui sait si, en te donnant à moi, le Très-Haut ne m'a pas désigné mon seul véritable royaume ?

La jeune femme se garde de commenter. La pensée du royaume de Grenade est trop proche, trop douloureuse à cette heure, pour qu'elle se risque à l'évoquer.

– Qui sait, ajoute précisément Abu al Hassan, si ce peuple qui hier m'adulait, et aujourd'hui murmure contre moi, ne m'aide pas, lui aussi, à me détourner des vaines gloires et à ne désirer que cela seul qui importe : aimer...

Enlacés tous deux, se réchauffant chacun à la chaleur de l'autre, le sultan et sa favorite se perdent à nouveau dans la danse immobile du firmament étoilé.

Des heures s'écoulent ainsi, où le silence répond aux soupirs, où l'éveil peu à peu se frange de sommeil. Leurs corps se sont alanguis, leurs paupières alourdies... lorsqu'un même sursaut brusquement les transporte.

Surgi du plus noir, un feu a fondu sur eux. Une étoile ? Un soleil ? Une boule de flammes que Zoraya, souffle coupé, croit comète tombée des ténèbres droit pour les foudroyer. Le temps d'un éclair elle la voit tournoyer, zébrer le ciel, et s'enfuir.

Un même effarement les tient suspendus. Un même silence ébloui. Un même sourire émerveillé à leurs lèvres.

– Tu l'as vue, n'est-ce pas ? chuchote enfin Abu al Hassan. Tu l'as vue comme moi.

Zoraya, bouleversée, hoche simplement la tête.

– Nous sommes bénis de Dieu, mon amour, ma vie, reprend l'émir.

– Oui, complète la jeune femme : Leilet al Qadr ne peut tromper...

– Le ciel se déchire pour libérer sur mon armée l'ouragan, récapitule l'émir d'une voix sourde : c'est le signe que Grenade est maudite, qu'elle sera attaquée, meurtrie, assassinée peut-être. Le ciel se déchire pour révéler à nos yeux l'astre de la destinée : c'est le signe que notre amour est béni... Le Très-Haut a parlé, ma vie. S'il dit, hélas, les souffrances de mon royaume mauresque, il dit aussi l'éternité de notre royaume d'amour...

La voix du prince s'est brisée. De tristesse, de joie : Zoraya ne saurait le dire. Rompant avec les heures d'immobilité, Abu al Hassan doucement s'est levé. Il fait face à sa compagne.

– Tu es ma femme, Zoraya, reprend-il d'une voix étrangement grave. Ce soir, devant Dieu, avec les étoiles et Leilet al Qadr pour témoins, je te prends pour seule et unique épouse.

– Seigneur...

– Aux yeux des hommes, il faut l'imam pour valider un mariage, la coupe l'émir. Aux yeux de l'Omniscient, l'amour est secret de deux cœurs, et le mariage sacrement que se donnent l'un à l'autre deux êtres qui s'aiment sous Son regard.

Zoraya à son tour se lève. Les yeux dans les yeux de son amant, dont elle distingue l'éclat à la lueur des étoiles, elle se laisse pénétrer par la féerie de l'instant.

– Toi, Zoraya, fille de Doña Lucia et de Don Sancho Jimenez de Solis, devant le Très-Haut, le Tout-Puissant, le Miséricordieux, veux-tu me prendre pour époux ? interroge fiévreusement le prince. Je t'aimerai, je te protégerai, je t'assisterai jusqu'à la fin de mes jours...

Hypnotisée par les inflexions rauques de la voix aimée, Zoraya se laisse ravir.

– Oui, je le veux, murmure-t-elle. Et toi Abu al Hassan, fils de Saad de la tribu des Nasrides, sultan de Grenade le vingt et unième, veux-tu me prendre pour épouse ? Je t'aimerai, je te serai fidèle, je t'assisterai jusqu'à mon dernier jour...

Est-ce bien elle qui prononce ces mots ?

– Oui, je le veux, répond une voix affermie.

Deux mains rudes et sèches emprisonnent les siennes. Un regard d'encre noire boit à son regard. Tandis que la terrasse, les étoiles, l'horizon autour d'elle basculent, une bouche impatiente s'empare de ses lèvres... Ils étaient deux, ils sont un. Mari et femme – est-ce possible ?

Des larmes, trop-plein d'effarement, coulent aux joues de Zoraya et se mêlent à leurs baisers.

– Tu es mienne, Zoraya, désormais. Et je suis tien à jamais, chuchote l'émir entre deux étreintes. Quoi qu'il advienne de Grenade, quoi qu'il advienne de nos vies passagères, notre amour, lui, vit pour l'éternité.

Retombés sur les coussins, tous deux entremêlent les souffles et les chants, les murmures et les mots. Des doigts, des lèvres, de la peau, Abu al Hassan voudrait parcourir les mystères mille fois caressés du corps aimé. Leilet al Qadr est nuit de ramadan : l'étreinte amoureuse en est bannie. Mais les regards suffisent au prince pour se laisser gagner par l'ivresse. Des yeux, il mesure les lieux tendres et fous de son désir. Cette chair connue et inconnue, terre sans limites, saison d'éternité, achèvera-t-il jamais d'en avoir soif ? Ces prunelles marines que la tendresse dilate, finira-t-il jamais de s'y noyer ?... Lui si vaillant au combat et si fier en sa cour, auprès de sa belle épousée il se sent empli de révérence.

Ame qui vibre, âme qui chante, Zoraya elle aussi est aux prises avec un grand tremblement de l'être. Son corps la brûle, qui fond de désir et s'embrase. Cette lenteur du chaste désir, cette chair traversée de lumière, ce cœur éclaboussé de rire : elle les offre à la célébration d'une cérémonie dont le sens la transporte. Unis l'un à l'autre devant Dieu... Cette nuit, sous les étoiles, leurs corps sereinement enlacés, leurs âmes vibrant d'une même joie, ces mots prennent leur saveur d'éternité.

Plus tard, comme le sommeil les a pris et dépris maintes fois, comme l'aube bleuissante arrache le prince aux bras de sa bien-aimée, un long frisson les transperce. Est-ce l'air glacé de janvier ? Ou l'appel de Grenade au loin ? A l'heure d'al mashreq, Abu al Hassan s'est redressé. Tandis qu'il fixe, hypnotisé, la pâleur de l'astre qui se lève, l'action de grâces qui monte aux lèvres du souverain est éblouissement de douleur et de joie mêlées. En cet instant, plus que jamais, le bonheur lui est déchirement. L'émir souffre avec son royaume – et s'apprête, il le pressent, à souffrir davantage. Pourtant, rien à ses yeux ne peut égaler, rien ne pourra effacer, jamais, l'intensité de cette nuit où Dieu a béni l'amour du sultan de Grenade et de sa captive chrétienne.

XXIII

Zahara, décembre 1481

Depuis trois jours, la tempête fait rage dans la Serrania de Ronda. La montagne est grise. L'air glacé rugit de neige et de givre. On n'y voit pas à trois pas, en cette nuit du 26 décembre, aux alentours de Zahara la blanche qui dort du lourd sommeil d'après les fêtes. Chargées de sa protection, les sentinelles chrétiennes scrutent en vain la frontière. Chaque fois qu'elles quittent leur guérite, la bourrasque les assaille, manquant les faire basculer par-dessus les créneaux qu'elles regardent en aveugles.

– Quel être vivant, fût-il païen et suppôt de Satan, se risquerait à affronter pareil enfer ? bougonnent les malheureux en regagnant leurs abris.

La tourmente fouette et gronde. Des heures durant elle règne, seul vrai maître de la place. Jusqu'à ce qu'un cri la transperce :

– Les maures ! Les maures !

Une voix castillane vient de déchirer la nuit. Une voix qui grelotte de terreur et de froid, et couvre avec peine le rugissement des éléments. Une voix qui fait courir aux armes la garnison hébétée.

– U la ghalib ila Allah ! lui répond l'ouragan. Il n'y a de victoire qu'en Allah !

Le cri de guerre des Grenadins !

Escaladés le piton et les hautes murailles, les maures sont dans la place. Trois cents cavaliers et quatre cents fantassins, menés par leur sultan vénéré, ont pris d'assaut la cité. Zahara se réveille en sursaut, dans les cris et le crissement des cimeterres. Surpris dans leur sommeil, les défenseurs ne quittent leurs quartiers que pour sombrer dans la mêlée confuse où corps à corps, sang à sang, la bataille se devine perdue.

Il suffit de quelques heures pour que Zahara l'imprenable tombe aux mains des maures. Bientôt, Abu al Hassan fait sonner le clairon. Tirés du lit, à peine vêtus, hommes, femmes et enfants sont jetés hors de chez eux. Les corps sans vie de leurs soldats jonchent les ruelles escarpées où l'avant-veille passait en procession la crèche. La neige qui fouette l'air en tourbillons féroces recouvre d'un même linceul les morts et les mourants que nul n'ose relever. Seul le rouge du sang tranche, ici et là, sur la blancheur funeste.

Tous maintenant se tiennent, muets, dans le matin blafard. Assaillis par la tourmente, rongés par la détresse, les Zahariens attendent. Des ordres claquent : la garde de la forteresse est confiée à cinquante cavaliers et deux cents arbalétriers ; deux cents parmi les vaincus partent en captivité. On arrache des femmes à leur mari, et des enfants à leur mère. Les menaces cinglent. Les coups pleuvent sur ceux qui résistent. Les fers se referment aux chevilles des prisonniers. Les soldats grenadins piétinent d'impatience. Il faut se mettre en route.

Le chemin est rude, entre Zahara et Grenade. La montagne est terrifiante, en cette quatrième journée de tempête. Et les rafales, et la neige, et les griffes hargneuses du gel qui paralysent la marche... Le souverain à leur tête, les cavaliers sont passés devant. Bientôt on ne les voit plus. Des femmes s'écroulent, la face bleuie de leur petit serrée contre leur sein. A demi morts de froid, de peur, d'épuisement, ceux qui tiennent debout chancellent sous les chaînes. Le cortège des vaincus a bien piteuse mine.

Tôt dans l'après-midi, Abu al Hassan et sa suite ont franchi la porte d'Ilbira. Ils défilent, victorieux, brandissant en trophée les bannières et les étendards enlevés à Zahara. Aussitôt informés de l'heureuse nouvelle, les Grenadins s'égaillent par les rues. Ils chantent gloire et louanges à leur sultan vainqueur.

– Grenade retrouve son orgueil ! entend-on ici et là. Ronda, grâce à Dieu et à notre sultan, est vengée...

Ronda humiliée deux mois auparavant par le marquis de Cadix qui est parvenu à raser, sans que sachent réagir les défenseurs, sa fière tour du Mercadillo.

La sinistre parade depuis peu oubliée, toute honte grâce à Zahara effacée, Grenade se prépare à festoyer. A l'Alhambra, ministres et courtisans se congratulent, tandis que dans l'intimité du sérail Zoraya s'empresse auprès de son amant.

– Vous êtes revenu, Monseigneur. Comme j'ai eu peur !

– Ce ne fut rien, ma vie. Rien que la neige, et le froid, et le sang. Rien que des cris dans la tempête, et la peur de l'ennemi surpris. La garnison était maigre. La place à peine défendue. Les chrétiens se fiaient trop à leur rocher réputé imprenable. Mes hommes ont été admirables.

Abu al Hassan réduit à rien la bataille. Son regard halluciné raconte une histoire plus brutale dont Zoraya ne saura rien.

Dans les rues de la capitale, aux abords des mosquées, on s'active joyeusement en vue des repas de fête auxquels chacun, cette nuit, aura sa part... Mais quand au soir paraît la troupe des captifs, quand commencent à défiler ces corps brisés, ces femmes en larmes, ces enfants survivants qui respirent à peine, Grenade la tendre se met à pleurer. Les victuailles, les plats de fête, c'est aux esclaves moribonds que le peuple les offre. Et plus d'un cœur, saisi de pitié, se retourne en secret contre la cruauté de son roi.

– Aïe, Grenade, aïe, aïe ! s'élève soudain une voix.

C'est un vieux santon, un de ces saints ascètes qui vivent retirés dans leurs ermitages et ne sortent de leurs prières, de leur jeûne et de leurs extases que pour s'en aller de temps à autre mendier l'aumône qu'aussitôt tout Croyant s'empresse de leur accorder.

– Aïe, Grenade, aïe ! psalmodie le maigre vieillard.

Et la population, craintive, s'ouvre sur son passage.

– L'heure de ta désolation approche ! Les ruines de Zahara retomberont sur ta tête... Mon cœur me dit que la fin du royaume s'avance.

Les Grenadins frissonnent au son de la prophétie.

– Pauvre de toi, Grenade ! poursuit l'anachorète, les yeux brûlés par le feu de sa vision funeste. La paix à jamais est rompue. La guerre a commencé, qui ne s'achèvera qu'avec ta destruction.

Le peuple, saisi de crainte, se referme derrière le vieillard au lourd turban. Mais lui continue d'avancer, insensible à l'effroi qu'il provoque.

– Malheur sur toi, Grenade ! reprend-il sans se lasser, de rue en rue, de place en place. Ta chute est proche. Seule la désolation habitera désormais tes palais. Tes forts tomberont sous les coups de l'épée. Tes fils et tes filles gémiront en captivité. N'oublie jamais que Zahara annonce ce que tu deviendras toi-même.

La terreur peu à peu s'empare de la foule. Cette voix grêle qui vibrionne au cœur de ses auditeurs, cette silhouette d'oracle maudit que seule la main du Tout-Puissant a pu mener aux chrétiens pitoyables : tout concourt à marquer les esprits.

Le jour de fête et de fierté s'achève dans la crainte. A cause d'un vieux fou, d'un vieux sage peut-être, le peuple se retire ce soir animé de pressentiments sinistres.

XXIV

Grenade, mars 1482

Le mois de mars vient d'éclore. Encore engourdie par l'hiver, l'Alhambra s'ébroue sous un soleil pâle. Dehors, les oiseaux risquent leurs premiers trilles. Dans le salon de Comares qu'un brasero réchauffe à peine, Zoraya se tient, frileuse, aux pieds de son époux. Menton posé sur ses genoux en un geste familier, regard fixé sur les prunelles de nuit, elle écoute les plans du prince et partage ses espérances.

– Dès la fonte des neiges, explique-t-il, nos émissaires sont partis vers la côte. Ils portent des courriers au roi de Tlemcen, à ceux de Tunis et de Fès. S'il le faut, ils iront ensuite au Caire, auprès du sultan mamelouk. Grenade a besoin d'hommes, et d'armes, et de subsides. S'il plaît à Dieu, nos frères nous entendront. Au nom d'Allah ils viendront nous prêter main-forte.

Ainsi espère Abu al Hassan, lorsqu'un eunuque du palais apparaît au seuil du salon.

– Siddi al Qasim Venegas m'envoie auprès de Sa Majesté. Un cavalier vient d'arriver, un messager d'Alhama. Il semble épuisé. Et supplie d'être reçu par le sultan en personne.

Zoraya, elle ne sait pourquoi, sent son cœur se serrer.
– Pardonne-moi, ma vie, s'excuse Abu al Hassan dont les traits, eux aussi, se sont crispés. Une fois encore je crains le pire, ajoute-t-il en se levant pour rejoindre l'eunuque.

Les nouvelles vont vite, au palais. Les murs du sérail ont des oreilles, et toujours quelque anonyme s'empresse de répandre les rumeurs funestes. Une heure à peine a passé sans que revienne le prince qu'une bonne âme a informé Zoraya : les chrétiens assaillent Alhama. A huit lieues de la capitale, celle qu'on appelle la Clef de Grenade est près de tomber aux mains ennemies.

Au secours des assiégés, le sultan vient d'envoyer mille de ses meilleurs cavaliers.

– Alhama, tu te rends compte ! enrage-t-il quand un peu plus tard il la rejoint. Alhama, son or, son argent, ses pierreries livrés aux pillards. Alhama, si proche, si précieuse, avec ses ballots de soie, ses chevaux du plus pur sang andalou, ses réserves de grain, et d'huile, et de miel... Les cités frontalières ne suffisent donc plus à ces rapaces ? Faut-il que n'ait plus de bornes l'assurance des chrétiens, pour qu'ils osent porter le fer au cœur même du royaume ! Mais de cette troupe insolente, heureusement nos cavaliers ne feront qu'une bouchée !

Dans la tristesse et l'anxiété, la nuit a fini par tomber. Chacun, à l'heure qu'il est, espère trouver l'oubli dans le sommeil... Mais voilà que les cavaliers partis au matin s'annoncent aux portes de la cité : ils reviennent sans avoir combattu.

– Nous n'avons rien pu faire, Majesté. Ce n'est pas une troupe de têtes brûlées qui s'est attaquée à Alhama, explique piteusement leur qa'id. Mais une véritable armée, menée par le marquis de Cadix, Don Rodrigo Ponce de Leon. Lorsque nous sommes arrivés en vue de la cité, la citadelle était déjà tombée. Les étendards chrétiens flottaient aux remparts. A cette heure, on se bat encore dans la ville.

Longtemps, cette nuit-là, Zoraya a attendu le prince. Quand enfin il est reparu, le ciel blêmissait à l'approche de l'aube. Abu al Hassan portait la dague et l'épée, sa cape et sa cotte de mailles.

– Nous partons, ma vie, pour Alhama. Trois mille cavaliers cette fois, et cinquante mille fantassins réunis au cours de la nuit. Nous prendrons la ville d'assaut... La guerre est bel et bien déclarée, avait-il ajouté.

– Prenez garde à vous, Seigneur, avait pâli la jeune femme.

– Prends garde, toi, princesse au doux sourire : tu m'es plus précieuse que la vie. Et prie pour nous, Zoraya, prie pour mes hommes, et pour le peuple d'Alhama dont le sang coule à cette heure par les rues de sa pauvre cité.

A peine le souverain avait-il rejoint ses hommes que la favorite, le cœur étreint d'une folle angoisse, appelait Hanouna. Cachées dans des voiles épais, les deux femmes s'étaient glissées dans l'Alcasba, où vivait un cousin de la servante. Moyennant quelques poignées de dirhams habilement distribuées, et en prenant soin de maintenir voilé le visage de Zoraya, elles avaient pu atteindre Bordj al Chems, la Tour du Soleil, qui dominait la Vega. Blotties l'une contre l'autre, les deux femmes avaient suivi des yeux l'armée qui serpentait dans les poudroiements de l'aurore.

La favorite n'avait accepté de regagner le sérail qu'une fois perdue de vue la silhouette du fier cavalier qui menait ses hommes au combat.

Des jours avaient passé. Plus d'une semaine maintenant, depuis cette aube blafarde. Des jours et des nuits sans nouvelles, dont tout Grenade comptait les heures, priant Allah le Magnifique de leur rendre un souverain victorieux.

Chaque soir, Zoraya s'endormait à grand-peine, les lèvres murmurantes encore des prières qu'une part d'elle égrenait tout le jour. Chaque matin, elle s'éveillait en sursaut, la gorge sèche et le ventre serré. Elle cherchait à tâtons auprès d'elle un corps qui ne s'y trouvait pas. Soudain, elle se rappelait l'attente... Serait-elle pour aujourd'hui, l'atroce nouvelle qu'elle craignait ? Ou bien les reverrait-elle enfin, ces longs yeux noirs dont la paupière tombante accentuait ces derniers temps la tristesse ? Et ce sourire de carnassier tendre ? Et ces mains douces, ces mains puissantes, ces mains qui avaient le pouvoir de la ravir ? Et cette voix de velours, si rauque, si caressante, dont le souvenir suffisait à la faire trembler d'espérance ?...

Chaque nuit, elle attendait l'heure où le sérail, endormi, cessait sa surveillance. Alors, elle fouillait dans le coffre où s'entassaient ses trésors dérisoires. Voiles, ceintures, colifichets : rien de bien précieux en somme, dans les effluves d'ambre et de santal. Rien, sauf la boîte de bois clair qu'avaient usée les années, cette humble boîte que ses doigts reconnaissaient avec soulagement.

Au pied du lit elle s'agenouillait.

– Sainte Marie, Mère de Dieu, implorait-elle : protégez l'homme que j'aime. Veillez sur lui. Rendez-le-moi. Faites que demain il me revienne... Oh, Marie, je vous en prie, gémissait-elle chaque fois que l'image intolérable d'un Abu al Hassan blessé faisait chanceler son esprit.

Cette nuit-là, si grande était sa fatigue : Zoraya s'était endormie au milieu de sa prière, à genoux, la tête entre les mains.

– Que fais-tu là, ma vie ? avait murmuré dans son rêve la voix dont elle se languissait. Est-ce ainsi que tu prends soin de mon bien le plus cher ?

Deux bras l'avaient soulevée. Un souffle avait frôlé son cou. Large stature taillée dans la nuit, un homme qui ressemblait à Abu al Hassan l'avait allongée sur sa couche.

Se pouvait-il que ce ne fût qu'un rêve ?

– Chut, mon amour, ne dis rien, avait chuchoté à sa tempe la voix qui l'arrachait au sommeil. Ne pose pas de questions. Je suis venu pour t'aimer.

Deux lèvres altérées se refermaient sur son cri. Une barbe rêche lui chatouillait le visage. Urgentes et lentes à la fois, deux mains écartaient les pans de sa chemise, remontaient le long de ses cuisses, s'attardaient sur ses hanches, sur son ventre, sur sa gorge. Dans la pénombre, comme si l'horreur des jours passés à Alhama lui en avait fait tout oublier, Abu al Hassan réapprenait le corps de son amante. Il l'effleurait, le pétrissait, en dessinait chaque courbe. Une religieuse stupeur prêtait des accents rauques à sa respiration précipitée.

Tiède encore de sommeil, bientôt amollie de désir, la jeune femme frissonnait sous le regard affamé. Elle respirait au ralenti. Le sang lui battait aux tempes, sa tête balançait, à droite, à gauche, de plus en plus vite tandis qu'un flux et un reflux embrasaient sa chair. Quelqu'un venait de gémir. Était-ce lui ? Était-ce elle ?

Abu al Hassan entrait dans la danse ronde des mains, du ventre de son amante. Il accordait son souffle au souffle de la jeune femme. Et Zoraya, à son tour, entrait dans ce galop qui débordait l'espace de l'alcôve.

– Viens, mon époux, mon roi, ma vie, soupirait-elle, à demi inconsciente. Viens mon aimé, mon guerrier : entre en moi. Je t'espère depuis si longtemps...

Femme fontaine, femme source, femme féconde de tant d'attente, de tant de peur, de tant d'espérance aussi, Zoraya renouait avec la vie.

Toute la nuit, l'émir et sa bien-aimée avaient fait provision de bonheur. A l'aube, comme si elle craignait avoir rêvé, Zoraya s'était blottie contre son amant. Son ventre appelait la main aimée, sa joue cherchait la veine du cou où palpitait une vie fragile, son dos réclamait le frisson des paumes rassurantes. Une étreinte encore, un soupir. Et l'aurore pointait ses reflets bleutés.

Alors seulement, devenu grave, Abu al Hassan avait parlé.

– C'était effroyable, ma vie. Les cadavres jonchaient le sol. Des centaines de nos frères, les fiers défenseurs d'Alhama, gisaient aux pieds des remparts. Les barbares les avaient jetés là. Quand nous sommes arrivés, les chiens errants se partageaient leurs dépouilles.

Le sultan parlait d'une voix blanche. Sa lèvre tremblait, amère. Et ses prunelles hantées erraient parmi les visions hideuses.

– Nous étions aveuglés par l'horreur, poursuivait-il. Poussés par la fureur, les meilleurs de mes guerriers se lancèrent aussitôt à l'assaut. C'était absurde. C'était suicidaire. Et je porterai à jamais le poids de ce carnage. Sans mantelets, sans tours d'assaut, ayant gâché l'effet de surprise, mes frères succombaient par dizaines sous les lances et les pierres... A la fin du jour, près de deux cents des nôtres gisaient autour de la citadelle.

Poings serrés, regard vide, Abu al Hassan revivait chaque scène de l'atroce journée. Zoraya en imagination l'y suivait. Du sang, des cris, des hurlements. Le tumulte des armes qui s'entrechoquent, des coursiers qui hennissent de terreur tandis que hurlent les blessés et que les mourants, piétinés, gémissent leur agonie.

– A l'heure qu'il est, le siège se prolonge. Il nous a fallu trois jours et plusieurs centaines de morts pour détourner la rivière de son cours. Depuis, la ville est privée d'eau. Son unique citerne, réquisitionnée par la garnison chrétienne, doit bientôt être à sec. La reddition n'est plus qu'une question de jours. Mais ce sont les Alhameños, avait conclu le prince d'une voix lugubre, qui ont souffert le plus. A cette heure, la plupart d'entre eux sont en train de mourir de soif.

Devançant le geste de Zoraya, Abu al Hassan s'était arraché à la tiédeur de l'alcôve.

– Je te rends grâce, princesse, pour ta tendresse. Pour cette source de vie dont cette nuit tu m'as abreuvé. Trop de détresse, tu comprends, trop de morts, trop de laideur : j'avais besoin de ton désir.

– Mon désir vous accompagne, Seigneur, et ma tendresse, et ma prière.

– Dieu l'entende, ta prière. S'il Lui plaît, dans quelques jours, les héros d'Alhama ne seront pas morts en vain : l'écarlate des bannières nasrides à nouveau ornera la cité.

*
* *

Une semaine avait passé encore. Le mois de mars tirait à sa fin. Les orangers étaient en fleurs, dont le parfum de verdeur et de sucre exhalait en vain son ivresse. Rien n'apaisait les craintes de Zoraya. En attendant Fleur de Soleil qui avait annoncé sa visite, dans le patio de Comares elle traînait son âme inquiète. Ni le bassin aux eaux paisibles, ni les effluves aimés du myrte ne parvenaient à la tranquilliser. C'était en elle une angoisse sourde dont elle espérait, ce jour-là, se distraire auprès de son amie. Aussi redoubla-t-elle d'inquiétude quand elle vit le visage défait de Malika.

– Qu'y a-t-il ? Pourquoi cette mine atterrée ? Aurais-tu de mauvaises nouvelles d'Alhama ?

Le malaise de la favorite se muait en terreur.

– Non, non, la rassura la visiteuse. Il n'est rien arrivé à notre sultan. Ce n'est pas ça, non... C'est ma cité qui me fait peur.

– Ta cité ?

– Je ne reconnais plus ma ville, habibti. Elle si rieuse,

si accueillante, je la vois devenir triste, et soupçonneuse, et méchante.

– Qu'est-ce que tu racontes, ma douce ? Tu ne m'avais pas habituée à ces enfantillages, la coupa Zoraya, surprise.

– Ne te moque pas, amie : j'ai des yeux pour voir, des oreilles pour entendre, et ma jugeote pour en déduire que ce qui se prépare est grave. Ces hommes en armes, partout dans les rues...

– Mais c'est Abu al Qasim qui a doublé la garde ! Je le sais : il me l'a dit. En l'absence du sultan, cela me paraît sage.

– Ce ne sont pas des soldats du vizir dont je parle, mais des autres.

– Les autres ?

– Les amis des Beni Serradj, oui. Ceux qui rasent les murs et chuchotent sous le manteau, ceux qui répandent comme traînée de poudre la calomnie, le mécontentement et les récriminations contre notre sultan. Ceux qui ne sont pas loin d'en appeler mes frères d'al Bayyazin au soulèvement.

– Es-tu sûre de ce que tu avances ?

Zoraya cette fois ne se moquait plus.

– Juges-en toi-même, répondit Malika : même le marché, même les souks désormais sont sinistres. Chaque artisan cache une arme dans son échoppe. Les marchands ambulants ne servent plus qu'à répandre de vilaines rumeurs. On dit que dans les mosquées, à la prière du vendredi, les imams appellent les hommes à mettre le jeune Abu Abdil sur le trône...

– Abu Abdil ! Le prince héritier ?

– Bien sûr. C'est depuis toujours la méthode des Beni Serradj : brandir le fils contre le père, ou le frère contre le frère. Et se servir de leur prétendant comme d'une marionnette. Ils ont souvent essayé. Avec notre sultan lui-même, qu'ils portèrent sur le trône autrefois. Mais le sejid Abu al Hassan avait du caractère : une fois au pouvoir, il a gouverné sans eux. Avec al Zagal, quelques années plus tard. Grâce à Dieu, il refusa de trahir son aîné...

– Je connais tout ça ! l'interrompit Zoraya avec impatience. Parle-moi d'aujourd'hui, si tu veux bien.

– Je ne sais pas si tu imagines l'ébullition qui a saisi cette pauvre cité de Grenade. Même les femmes y prennent parti : il y a les fidèles du sultan et les partisanes du jeune prince. A Dar al Anouar, c'est devenu invivable : ces idiotes ne cessent de gémir et de se chamailler. Et puis, il y a ce pamphlet...

– Un pamphlet ?

Malika s'était interrompue. Son visage brusquement s'empourprait.

– Quel pamphlet ? insistait Zoraya.

– Tu ne m'en voudras pas, j'espère, reprit Fleur de Soleil d'une voix soudain hésitante.

– T'en vouloir ? De la haine des Beni Serradj ? De la folie de Grenade ?... Ma parole, amie, cette folie te gagne toi aussi.

– C'est infamant, je te préviens. Mais il vaut mieux que tu le saches... Voilà ce qui, depuis quelques jours, se murmure de foyer en foyer. « *L'amour honteux d'une chrétienne domine et endort le vieux sultan. Et pendant qu'il s'en remet à Venegas, fils de renégat, traître et faux musulman, la dague du bourreau tranche le col des fidèles Beni Serradj tandis que l'épée des chrétiens extermine les habitants de nos villes et de nos campagnes.* »

Zoraya se taisait, atterrée.

– Tu ne dis rien, amie ? reprit Fleur de Soleil d'une voix inquiète.

– Mais... Pas un mot de tout cela n'est vrai, parvint à prononcer la favorite royale. Abu al Hassan, à cette heure, risque sa vie pour sauver Alhama. Abu al Qasim est le plus fidèle serviteur du royaume. Tout le monde sait que les Benni Serradj passent leur vie en intrigues et complots. Quant à moi...

Des larmes d'impuissance lui montaient aux yeux. Qu'était-il advenu du peuple allègre qu'elle avait aimé ? En était-ce fini de la confiance qui depuis le premier jour l'avait unie à Grenade ?

– Mais que veulent-ils, enfin ! s'était ressaisie la jeune femme. Qu'espèrent-ils, ceux qui se gargarisent de ces propos infâmes et rêvent de porter sur le trône un tout jeune homme dont ils ne savent rien ?

– Si tu parles du petit peuple : il n'espère rien, je le crains. Il a peur, la peur l'aveugle, et il se laisse manipuler. Abu al Hassan n'a pas encore repris Alhama : tous se détournent de lui. Abu Abdil est jeune, personne ne le connaît : on le pare donc de toutes les vertus... Ce qu'ils veulent ? Ce que nul ne saurait leur donner : l'insouciance d'autrefois. Plutôt que d'admettre que les temps s'assombrissent, et de s'y préparer, ils préfèrent croire en l'homme providentiel qui leur rendra les cieux tranquilles d'hier...

Après le départ de son amie, Zoraya était demeurée seule à méditer ces désastreuses nouvelles. Elle errait par le Sahan Arrajahin, et s'apprêtait à faire appeler Abu al Qasim pour s'entendre confirmer les dires de son amie, lorsqu'un mouvement à ses côtés l'avait tirée de ses noires songeries. Une colombe, sur l'un des myrtes taillés, se posait à grands battements d'ailes. La jeune femme savait le colombier voisin : mais l'oiseau blanc ne semblait pas égaré. Au contraire : il paraissait l'attendre. A sa patte, quelque chose brillait. Un anneau peut-être ? Un message...

Le cœur battant, la favorite avait saisi le mince rouleau à la patte de l'oiseau docile. Sitôt parcourues les premières arabesques, elle avait reconnu l'écriture de son seigneur.

Celui-ci empruntait ses mots à Ibn Hazm :

– *Noé l'avait choisie et, loin de le trahir,*

Elle vint lui porter une heureuse nouvelle, disait Abu al Hassan par la voix du poète.

– *Je lui confierai donc ce que j'écris : ces mots,*
Ces lettres, vois, qui filent à tire-d'aile...
... Et te portent mon amour.

« Il est vivant ! » songea-t-elle dans un frisson.

– *Depuis des semaines je suis loin de toi,* poursuivait le message royal. *Pourtant, t'offenseras-tu si j'avoue que tu me manques à peine ?*

Que voulait-il dire là ?

– *Je ne t'ai pas quittée, ma vie,* reprenait le prince. *Depuis cette nuit où tu m'as redonné courage, je te porte en moi. Même ici, au cœur de l'horreur, ton cher visage m'accompagne. Quelque détresse en laquelle je me sente, ton sourire me rejoint et m'apaise. Allah seul sait combien j'en ai besoin, en ces heures où nous tenons le siège et voyons, jour après jour, les corps de nos frères, morts de soif, jetés par-dessus les murailles. Morts de soif par notre faute, comprends-tu ? !... Il faut tenir, pourtant. Nous n'avons pas le choix. Mais à voir chaque matin sous de nouveaux traits le visage de la guerre, la face blême de la mort, je songe à ma chère Grenade, et je songe à toi, à moi, à nous mon étoile... Oui, Grenade est mortelle, comme nous le sommes nous-mêmes. Cette pauvre cité d'Alhama aujourd'hui me le rappelle. Mais, dois-je te l'avouer ? Que m'importe la mort quand je comprends que rien, pas même elle, ne nous séparera plus ? Quoi qu'il advienne, j'en suis sûr désormais. Car ce qu'Allah a uni sur terre, qui saurait le désunir ?*

Seule dans le Sahan Arrajahin, Zoraya se retenait de tomber à genoux. Et de laisser couler les larmes qui lui nouaient la gorge... Que d'amour en ces mots ! Que de détresse aussi. Roi, homme, Croyant, amant : tout Abu al Hassan était là, au creux de sa paume où reposait une feuille de papier écarlate. Jamais, comme entre ces lignes, Zoraya n'avait eu le sentiment de toucher à la plaie secrète et vive qu'elle avait devinée au cœur du prince. Cette part de nuit inconsolable que, depuis toujours, à fleur d'âme, elle lui savait : c'était là sa beauté d'homme. Ce soir, par-dessus le fracas de la guerre, Abu al Hassan déposait à ses pieds son cadeau le plus précieux : il lui faisait, avec sa foi, l'offrande de sa vulnérabilité.

*
* *

– Mère, mère, viens vite !

Les joues en feu, tout excités, Saad et Nassar pénétraient en trombe dans l'alcôve où Zoraya sommeillait encore. Leurs cris allaient faire voler cette matinée en éclats.

– Notre père est de retour, clamait Nassar. Je l'ai vu depuis les remparts.

– L'arrière-garde traînait encore dans la Vega, précisait son aîné. Mais le sultan caracolait en tête. Il était déjà dans Grenade, tout près du pont du Qadi.

Zoraya avait bondi vers ses fils. Elle les serrait contre son cœur. Elle riait, elle pleurait, elle remerciait le Ciel de l'avoir exaucée, elle se moquait de ses peurs et piétinait ses pressentiments. Abu al Hassan était de retour ! Abu al Hassan était sauf ! Son bien-aimé lui revenait...

Hélas, il revenait vaincu.

Harassés, décimés, ses hommes et lui s'en retournaient chargés de rage et de honte. Les maures avaient perdu la bataille. A cette heure, la Clef de Grenade était chrétienne plus que jamais.

– Tout est perdu, ma vie, affirmait quelques heures plus tard le sultan à sa favorite. Non pas Alhama seulement, mais Grenade, mais le royaume...

Jamais son visage n'avait semblé si bouleversé. De larges cernes creusaient ses joues. Des rides nouvelles marquaient sa bouche. Mais c'était loin au fond de sa prunelle d'un noir qui virait au gris, que se lisait le désarroi. Une détresse sans recours dont Zoraya n'allait pas tarder à découvrir la vraie cause.

– La victoire était proche, racontait le prince. Dans Alhama exsangue, la garnison chrétienne était près de se rendre. Ce n'était plus qu'une question d'heures. Mais ce matin, à l'aube, tout a basculé. Mes éclaireurs m'informaient qu'en direction du couchant, par-delà les collines une troupe fringante s'avançait. Une troupe : que dis-je ? Une armée !

Livide, Abu al Hassan revivait l'instant crucial.

– Nous étions épuisés, ils étaient pleins d'ardeur. Nous avions perdu des hommes, ils étaient cinquante mille. Bientôt, prise en tenailles, notre armée se serait fait tailler en pièces... Je n'avais pas le choix. A un cheveu de la victoire, il me fallut sonner la retraite.

Colère, humiliation, désespoir : au visage du guerrier vaincu les émotions se fondaient en une. L'amertume.

– Dieu nous a abandonnés, ma vie.

– Seigneur, non ! Ne dites pas ça.

– Écoute-moi, enfant ! la coupa-t-il. Tu ne sais pas tout. Écoute le nom de ce seigneur qui s'est précipité au secours de Don Rodrigo, marquis de Cadix. C'est le duc de Medina Sidonia lui-même.

La jeune femme ne comprenait pas.

– Don Guzman, le pire ennemi de Don Rodrigo, insistait le prince. Son pire ennemi, hier. Aujourd'hui, comme par miracle, son ami. Et, au milieu des renforts, qui crois-tu qui paradait ? Ce cher comte de Cabra, qui fut de nos alliés naguère contre Don Alonso de Aguila. Est-ce que tu réalises maintenant ?

De long en large sur le tapis que martelaient ses pas d'homme brisé, le souverain déambulait, obnubilé. Il n'attendait pas de réponse.

– Ce que je craignais est arrivé, reprit-il. Sur ordre des rois Fernando et Isabel dont ils ont rallié la cause, les seigneurs andalous se sont réconciliés. Ils étaient libres, ils sont soumis. Au nom de l'Espagne une, désormais c'est al Andalus tout entier que Grenade devra affronter. Pis :

maintenant que paix est faite entre Castille et Portugal, maintenant que Don Fernando a succédé à son père, c'est la Castille, et le Leon, et l'Aragon... c'est l'Espagne chrétienne entière qui se ligue contre les maures ! As-tu besoin d'une autre preuve ?

Zoraya s'était gardée de répondre. Elle ne comprenait que trop. Et s'efforçait à son tour d'accepter l'inacceptable.

– Parce que si tu en veux une autre, je l'ai aussi, insistait l'émir, inconscient d'avoir ricané. Je l'ai reçue ici, cette preuve, par nos espions : il paraît que le roi Fernando espérait mener lui-même les renforts. A peine informé du siège d'Alhama, il aurait galopé de Medina del Campo, où il se trouvait, à Antequera, sur la frontière. Don Guzman étant parti sans lui, il n'a pu pénétrer sans troupes sur nos terres. Mais il ne tardera pas à réunir une armée... Es-tu convaincue, maintenant ? questionna Abu al Hassan d'un ton las. Ne vois-tu pas comme moi le vent qui tourne, et la colère du Très-Haut qui, depuis cette satanée parade, ne cesse de s'abattre sur Grenade ?

Burgos, novembre 1502

La suite, mon Isabel ne me la conta qu'une fois. Très vite. Comme pour se débarrasser de ce qui n'était dans sa mémoire qu'amoncellement de souffrance, de peur et de trahisons.

Comme si le harcèlement des armées de Castille ne suffisait pas à son malheur, une guerre fratricide allait bientôt déchirer Grenade. Jusqu'à la chute, moins de dix années plus tard, elle ne s'apaiserait plus. Selon mon amie, nos Rois Catholiques – que Dieu les ait en Sa Sainte Garde – auraient tout fait pour attiser des dissensions qui si bien servaient leur cause. Si mon âme de chrétienne me force à croire qu'il fut fait ainsi selon la Volonté du Très-Haut, mon cœur de femme et d'amie ne pouvait s'empêcher de verser une larme quand celle qui avait été Zoraya me décrivait le naufrage de son royaume.

D'abord, il y avait eu au mois de mai le second échec du sultan Moulay Hassan sous les remparts d'Alhama. Peu après, Grenade prenait feu.

– Manipulé par Aïcha la maudite, me raconterait Isabel, porté par les Beni Serradj, celui que vous Castillans appelez Boabdil prenait les armes contre son père. Le sultan et moi-même nous trouvions à Dar al Ixares, alors. En quelques heures, l'Alhambra tombait aux mains des factieux.

Ma jeune amie m'avait conté leur fuite, la fidélité jamais démentie d'al Zagal et des frères Venegas, les mois d'exil passés à Malaga, puis le retour un an plus tard.

– Abu Abdil était bien l'Infortuné des présages, souriait tristement Isabel, qui ne parvenait pas à maudire son beau-fils malheureux. Durant neuf mois, terré dans l'Alhambra, il n'avait pas osé bouger. Et quand enfin il s'était décidé à attaquer la place ennemie de Lucena, al Zogoybi avait été défait. Décimées ses troupes. Mort le fier Ibrahim Ali al Attar, son beau-père. Et lui-même : prisonnier ! C'est ainsi que ce pauvre usurpateur a, une première fois, disparu de la scène. Ainsi que son père et moi avons regagné Grenade, et qu'Abu al Hassan a recouvré son trône sous les acclamations ambiguës d'un peuple qui ne savait plus entre les mains de qui remettre sa destinée.

XXV

Grenade, mai 1483

– VIVE notre sultan ! Longue vie à Abu al Hassan ! Que la bénédiction du Très-Haut soit sur le vainqueur d'al Sarqiyya...

Pour saluer leur souverain, les artisans avaient fermé leurs échoppes, les marchands replié leurs étals. Vêtements de fête mais regards incertains, des milliers d'hommes et de femmes se massaient sur le chemin du cortège royal. Même les imams et les faqihs, même les mendiants et les voleurs étaient de la partie. Dix mois après l'avoir chassé aux cris des armes et de la honte, le peuple de Grenade accueillait son sultan avec les honneurs.

Les temps avaient changé depuis cette nuit de cauchemar où le sang grenadin avait coulé, le père affrontant le fils au corps à corps dans les rues tandis qu'Abu al Hassan tentait de reprendre l'Alhambra aux hommes d'Abu Abdil menés par Ibn Kumasa. Depuis son exil à Malaga, le sultan qu'on croyait déchu s'était révélé un lion : il s'était porté au secours de Loja, assaillie par l'ost royal de Don Fernando ; il avait mené un raid victorieux sur les terres du duc de Medina Sidonia, son adversaire à

Alhama ; à cette occasion, disait la fière rumeur parvenue à Grenade, il avait provoqué avec éclat le gouverneur de Jabad al Tariq, le Gibraltar chrétien. Au printemps, ç'avait été au tour d'al Zagal et de Redwan Venegas de prouver leur héroïsme : dans les montagnes de Malaga, ils avaient décimé l'armée du grand maître de Santiago qui visait la cité portuaire. Mille cinq cents prisonniers dont quatre cents hidalgos que l'on négocierait à bon prix : tel était le bilan d'une victoire dont le parti du sejid Abu al Hassan tirait aujourd'hui sa popularité.

Hier encore, Grenade plaignait le jeune Abu Abdil qu'elle croyait mort en héros sous les murailles de Lucena. A cette heure, le sachant vivant et vil otage des chrétiens, elle se retournait contre lui. Le père profitait du revirement qui condamnait le fils. Mais les regards de la foule demeuraient chargés d'angoisse : Abu al Hassan rendrait-il au royaume son innocence perdue ? Saurait-il chasser ces chrétiens qui ne cessaient de gagner du terrain ? Apaiserait-il les rancœurs et les craintes que l'on sentait frémir, encore, dans les yeux soupçonneux de beaucoup ?

Au cœur de tant d'incertitude, une seule voix s'élèverait contre le souverain. Une voix violente et aigre. La voix cinglante d'une femme, d'une ambitieuse volée de sa victoire.

C'était dans la salle du trône où, hier encore, siégeait al Zogoybi, à la place de l'époux honnis.

– Mon honneur d'épouse légitime, avait lancé la sejidah Aïcha, m'interdit de vivre sous le même toit que l'époux infidèle et sa concubine.

Et la sultane s'était retirée avec ses ors, ses esclaves et ses dames de compagnie en son palais de l'Albaicin, que tous appelaient déjà Dar al Hurra.

Abu al Hassan l'avait laissée faire. Aïcha n'avait cessé de lui nuire ? Il savait comment la museler.

*
* *

– J'ai besoin de toi, reine de mon cœur, avait annoncé ce soir-là l'émir comme il rejoignait Zoraya dans le belvédère où, assise à sa toilette, elle brossait sa longue chevelure et laissait voguer ses pensées.

Fatiguée par les journées de route, la jeune femme avait retrouvé avec bonheur la quiétude de ses appartements. Depuis le cabinet suspendu au-dessus du minuscule jardin, elle renouait avec les bruits familiers, avec les doux parfums de Grenade. A jamais associé à l'exil, l'air salé de Malaga n'était plus qu'un mauvais souvenir.

– Que puis-je pour mon seigneur et maître ? sourit-elle à l'émir qui la tirait de sa songerie. Que parle le sultan de Grenade, son humble servante sera heureuse de le satisfaire.

Qu'elle était troublante ainsi, songeait Abu al Hassan, avec le feu de sa chevelure qui lui coulait jusqu'aux chevilles, et ce visage qu'avaient épuré les épreuves. A peine entrouvertes sur le sourire, ses lèvres rondes appelaient la caresse. Un peu cernés ce soir, ses grands yeux de mer semblaient voilés d'une attente joyeuse. Rien ne l'abattait donc jamais, cette femme qu'un Dieu généreux lui avait envoyée ? Elle n'était pas seulement belle à regarder. Elle était belle à vivre, belle à aimer, à désirer...

– Quand mon épouse complotait contre moi, quand mon fils m'assassinait, quand mon peuple me trahissait, toi seule m'es restée fidèle, reprit le souverain avec tendresse. Sans ta présence sereine, l'exil à Malaga m'eût été intolérable. Sans ta douceur et ta vaillance, sans ton rire et ta patience, même al Zagal, mon frère, n'aurait pu me donner le cœur de me battre encore et encore pour ce royaume qui m'avait chassé.

– C'est que nous vous aimons tous deux, souffla la jeune femme, pudique.

– Écoute ce que j'ai à te dire...

Doucement, l'émir levait vers lui le visage de sa favorite. D'un geste suave, il écartait la mèche qui folâtrait à sa joue. Le souffle du prince lui effleurait la peau, dont elle savourait la caresse. Son regard de nuit, cerclé de rides chères, plongeait dans ses prunelles à la recherche d'elle ne savait quel secret. Sa voix se faisait pressante, retrouvant ces inflexions rauques qui toujours la bouleversaient.

– Tu es ma femme, Zoraya. Tu le sais. Tu es mon épouse devant Dieu.

Loin en arrière, presque dans une autre vie, le souvenir de Leilet al Qadr se glissait entre eux.

– Aujourd'hui, je te supplie d'être ma sultane.

La favorite avait sursauté.

– Mon peuple est désespéré, mon peuple est divisé, mon peuple a besoin d'un roi et d'une reine unis et forts pour lui montrer le chemin. Grenade a besoin de toi, Princesse. De ta jeunesse, de ta beauté, de l'espérance que tu incarnes. Et du couple qu'ensemble nous formons.

Hypnotisée par la voix aimée, Zoraya laissait l'émotion l'envahir. Une vague dansante lui réchauffait la poitrine et de suave douleur lui serrait la gorge. Ainsi, elle était arrivée cette heure qu'elle n'espérait plus. Elle venait tard. Elle sonnait au cœur de la tourmente. Elle annonçait la défaite peut-être. A son approche, pourtant, un silence joyeux s'emparait de la jeune femme. Un sentiment d'irréalité. Une promesse d'apaisement, illusoire et bouleversante.

– Moi aussi, ma vie, j'ai besoin de toi, insistait Abu al Hassan trompé par son silence. Notre amour est le seul trône auquel je puisse croire. Ton bonheur l'unique couronne que je désire encore.

Dans les buissons qu'effleurait le belvédère, les oiseaux semblaient retenir leur souffle. Le temps s'était suspendu. La lèvre frémissante, les yeux emplis d'étoiles, la jeune femme gravait dans sa rétine le visage de cet homme qui mettait Grenade à ses pieds. L'œil, sous les sourcils argentés, avait retrouvé son éclat d'eau sombre. Tailladées par les ans, les joues dessous la barbe cernaient de nuit le tranchant des pommettes. La lèvre, qu'elle avait craint de ne plus voir qu'amère, retrouvait son sourire carnassier... Il lui plaisait follement, cet homme qui la réclamait pour femme, songea Zoraya qu'amusait son propre émoi. Que lui importaient Grenade, et la guerre, et la mort même, puisqu'il la voulait aujourd'hui comme au premier jour, puisqu'elle désirait tout de lui, jusqu'à ses airs perdus, et les marques du temps sur son corps de vieux guerrier ?

– Sois ma sultane, Zoraya. Accepte ce titre que nous savons tous deux fragile, et cette charge qui, parfois, te pèsera. Daigne faire de moi le plus heureux des hommes.

Lentement, Zoraya avait pris dans les siennes les mains de son amant et les portait à ses lèvres. Lorsqu'elle prit enfin la parole, ses yeux étaient d'un bleu d'outremer, étincelants de lumière.

– Je n'ai d'autre bonheur que d'être à vos côtés, Seigneur. D'autre honneur que d'être votre épouse. Je le suis dans mon cœur depuis le premier jour. Je le suis sous le regard de Dieu depuis Leilet al Qadr. Avec quelle joie, mon amour, je réponds oui pour la troisième fois ! Oui mon aimé, ma vie : je veux être ton épouse. Devant Dieu, devant les hommes, depuis toujours et pour l'éternité, je suis et serai fière d'être ta femme.

Le crépuscule qu'ils n'avaient pas vu tomber enlaçait les amants. C'était, sur le jardinet tranquille, comme une lente caresse, une protection muette, l'offrande complice de la nature à leurs épousailles. Brusquement silencieux, Abu al Hassan et Zoraya se perdaient tous deux dans le regard de l'autre. Ce soir comme au premier jour, une même ferveur les portait l'un vers l'autre, que l'émotion de l'heure attisait. Une même soif de cueillir chaque présent nouveau au creux de leurs paumes ouvertes. Un même défi dans leurs prunelles qu'avaient aiguisées les épreuves. Un même sourire grave à leurs lèvres.

Jamais, même aux plus beaux jours, Abu al Hassan et Zoraya ne s'étaient sentis si proches, unis par une force tendre, une allégresse mystérieuse dont, jeunes amants, ils n'auraient soupçonné l'existence.

– *Avez-vous observé la lampe qui s'allume*
Et s'enflamme au début ?... Un souffle l'éteindra.

Abu al Hassan venait de rompre le silence.

– *Mais quand la flamme vient à prendre et puis s'élève,* enchaîna la jeune femme qui reconnaissait là un des poèmes d'Ibn Hazm,
Votre souffle l'avive et sa force grandit.

– Ainsi en est-il de nous, mon étoile, chuchota le prince. Notre amour est une flamme que le temps a nourrie. Le vent a pu souffler, la tempête gronder : la flamme n'a fait qu'embraser nos cœurs. Cet incendie-là, rien ne l'éteindra plus. Jamais.

La nuit était tombée sur Grenade.

Pour quelques heures, pour quelques nuits, Zoraya et Abu al Hassan communiaient à un mystère plus vaste qu'eux. La guerre pouvait ravager leur royaume, l'exil et les tourments marquer de désespoir leur chair : leurs deux âmes enlacées se riaient des épreuves. Elles s'y épuraient au contraire. Elles s'embrasaient, elles irradiaient. Leur histoire les dépassait : elle se fondait dans l'histoire de l'amour même.

XXVI

Grenade, juillet 1483

POUR fêter à la fois son retour sur le trône et la royauté de sa bien-aimée, Abu al Hassan a bien fait les choses. Aux quatre coins du royaume, à Malaga la fidèle comme à Loja la valeureuse qui a su repousser le roi chrétien, à Almeria, Baza, Marbella et jusques aux côtes africaines où règnent les princes amis, il a envoyé ses émissaires. Les souverains d'al Maghreb et d'Ifriqiyya n'ont pu venir : depuis des mois, les navires chrétiens qui sillonnent la Méditerranée coupent Grenade de ses alliés. Tous les autres, princes et nobles seigneurs, se pressent dans la mosquée dont les colonnes de jaspe et de marbre blanc dressent leur élégance altière.

A la gauche du sultan, le front ceint du diadème royal, Zoraya est radieuse. Pour la première fois, elle porte l'écarlate nasride. Un voile tissé d'or fin se mêle à la chevelure que ses femmes ont tressée de rubis. La pourpre sombre, sertie de diamants, rehausse à sa ceinture, à son col et à ses manches les soieries d'un rouge fileté d'or. Le front haut, la taille légère, la perfection de sa silhouette empreinte de grâce et de noblesse conquièrent tous les regards. Il n'est pas un convive qui ne l'admire. Pas un qui n'envie le souverain. Parmi la foule massée dans la mosquée ou sur son seuil, dans le patio aux ablutions comme dans les rues avoisinantes : tous ceux qui l'ont aperçue oublient les pamphlets d'hier. Et rendent hommage à cette souveraine digne des plus riches heures de Grenade que le sultan tardivement leur donne.

Le grand faqih du royaume vient de gagner son minrab. Il s'est éclairci la voix. D'un ton mesuré, il a lu la décision royale qui rend publics la répudiation de la sejidah Aïcha et le mariage du sultan Abu al Hassan Ali avec la sejidah Zoraya. Cette même décision du roi nasride fait de la jeune épousée la sultane de Grenade.

Pour finir, il a appelé sur les souverains et leur royaume la protection du Tout-Puissant. L'assistance s'est recueillie. Elle a mêlé dans une même prière le couple rayonnant devant elle et le sort menacé de chacun, les absents comme les présents qu'unit l'espérance d'un règne revigoré.

Lorsque les époux royaux quittent la mosquée, le peuple en masse les accompagne. Il chante haut la grâce de sa reine et le bonheur de son roi. A voir la sultane si sereine, si ferme malgré la fragilité de son sourire, si souveraine au bras de son époux, tous sentent poindre l'espoir de jours enfin apaisés. Certes, le sultan paraît vieilli. Le poids des ans pèse sur ses épaules. Mais il est plus sage que jamais. Et al Zagal, son cadet, qui marche derrière lui la tête haute, saura être son bras valeureux.

Toutes ces idées, et bien d'autres, flottent dans l'air longtemps après que les époux se sont retirés dans leur palais de Comares. Tout ce jour, toute cette nuit, sont pour Grenade heures de fêtes et de réjouissances, de banquets et de danses des rues. Les corps, les têtes, les cœurs tournent : hommes et femmes mêlés s'efforcent d'y oublier les derniers mois de tragédie.

Une demeure, seule, est en deuil. Ici l'on ne chante ni

ne danse. On ne se réjouit pas : on enrage... Ici ? A Dar al Hurra où esclaves et servantes, pétrifiés, attendent que sorte de sa chambre et de sa colère la sejidah Aïcha.

– Ainsi, tu as osé aller jusqu'au bout ! grimace devant son miroir la sultane répudiée. Pauvre idiot : que ne m'as-tu fait jeter au cachot ! Ô mon naïf cousin : si j'en avais le pouvoir, moi, je te ferais occire...

De rage, ses lèvres ont blêmi. Sa main tremble, qui brandit le miroir d'argent où, au lieu de son visage exsangue, c'est la face de l'époux qu'elle défie.

– J'en fais aujourd'hui le serment : tu ne perds rien pour attendre, gronde al Hurra, haineuse.

Comme toute femme d'Orient elle sait que son pouvoir repose entre les mains de ses fils. C'est d'ailleurs pourquoi elle œuvre, multipliant les ambassades auprès des rois chrétiens afin d'obtenir la libération d'al Zogoybi.

– Qu'ai-je bien pu faire au Ciel, grince de dépit l'ambitieuse, pour mériter coup sur coup deux époux malchanceux qui perdirent l'un après l'autre et le trône et la vie, un troisième inconstant, et un fils incapable pour couronner tant de fatalité ?

Quelque mépris qu'il lui inspire, il lui faut remettre la main sur Abu Abdil.

– Alors, moi, sejidah Aïcha, sultane de Grenade quoi qu'on dise, j'armerai le bras de mon fils. Alors, je le lancerai contre l'insolent qui m'humilie à la face de tous. Alors, je serai reine encore. Et vengée !

XXVII

Mondujar, septembre 1483

DANS le ciel d'un bleu liquide, le soleil chauffé à blanc plane à la méridienne. Écrasée de chaleur, la nature se tait. Même ici, à Mondujar, la torpeur lourde de l'été les a rattrapés. Allongée auprès de son époux, la sultane Zoraya ne trouve pas le sommeil.

Abu al Hassan dort profondément. Son corps épuisé repose sur la couche moite où, tout à l'heure, il a sombré d'un coup.

Pommette posée au creux de sa paume, Zoraya scrute le visage de son époux. Les traits en sont tirés. Le teint hâlé a viré au gris. Depuis quelques semaines, l'émir souffre de violents maux de tête. Ses yeux lui font mal dit-il, qui craignent la lumière. Jusque dans le repos, son corps paraît tendu, remarque la jeune femme.

Elle est inquiète. Les premières migraines remontent à l'année passée, aux tristes heures de l'exil. Plus tard, dans l'effervescence du retour, le sultan et sa jeune épousée ont oublié les alertes. Mais le répit était trompeur. Effrayée par l'épuisement que cherchait en vain à lui cacher son époux, Zoraya l'a supplié de quitter l'étouffante

Alhambra. Même al Qasim, pour une fois, a poussé l'émir à prendre du repos. Si le vizir, depuis, envoie chaque jour ses messagers, c'est autant pour s'enquérir de la santé du souverain que pour le tenir informé de l'état d'une capitale dont l'apparente quiétude ne trompe personne.

Ce matin, comme il déchiffrait le pli de papier cramoisi scellé de l'emblème nasride, Abu al Hassan a vacillé. Il s'est aussitôt retiré dans la salle où veille l'un des fonctionnaires royaux qu'on a été contraint d'admettre à Mondujar. Il en est ressorti bien plus tard, avec ces traits tirés, ce tic de la paupière et cette bouche amère que, jusque dans ses rêves, Zoraya en cet instant lui voit. Le prince n'a pas touché aux mets portés par les servantes : il a préféré gagner la chambre où ce sommeil stupéfié l'a saisi.

Zoraya s'est relevée. Il lui faut son refuge, ce jardin des roses qu'elle a eu tant de bonheur à retrouver cinq semaines auparavant. Dans le silence à peine froissé par le murmure des eaux, sous la caresse d'un air chargé de parfums familiers, elle sait que peu à peu, oublieuse des heures sombres, elle se fondra comme chaque fois dans la seconde présente. Elle embrassera l'espace, ses couleurs, ses senteurs, et s'y revigorera...

C'est là, sous la charmille, qu'elle s'est mise à chanter. Et qu'elle chante toujours lorsque le prince y parvient. Elle a l'œil brillant. A son front, à ses lèvres, flotte une lueur de ravissement. Son chant accordé au luth s'envole sur les mots du poète épris de Dieu, Ibn Arabi le Sévillan.

– *Ô Toi, l'Aimé des cœurs,* chante sa voix mélodieuse,
Ai-je un autre que Toi ?
Aie pitié en ce jour
De celle qui voyage,
Car me voici enfin
Parvenue jusqu'à Toi.

Son chant est une offrande, son chant est une prière. Et sa voix à mesure gagne en limpidité. Tandis que ses yeux s'égarent dans les ombrages, son sein palpite au gré des paroles orantes.

– *Je ne demande point*

Les Jardins de délices, reprend Zoraya d'une inflexion tremblée,

Je les veux seulement
Afin que je Te voie.

Ignorante du spectateur qui se tient en retrait, la jeune femme demeure perdue en son chant comme en ses pensées. Abu al Hassan troublé observe son épouse. Charmé par la voix frêle dont chaque intonation semble froissement d'ailes, captivé par la joie déchirante qu'il lit dans son regard, le prince n'ose bouger. Comme à l'approche d'un mystère, il retient son souffle : va-t-il lever un coin du voile ? Va-t-il, enfin, saisir cette part inconnue qui, de sa bien-aimée, sans cesse lui échappe...

A l'homme rompu, la courbe de ce visage tendu vers il ne sait quel songe est aujourd'hui comme jamais promesse inaccessible et voluptueuse.

– *Car Tu es ma demande,*
Mon désir et ma joie, poursuit la voix ailée.
Et le cœur se refuse
D'aimer d'autres que Toi,
O mon désir et Maître
Et aussi mon Appui !
Car mon désir me dure :
A quand Notre rencontre ?...

– A quoi songes-tu, Princesse, qui te fait si belle ? demande Abu al Hassan dans le silence retombé.

Il s'est avancé, souriant. Son œil est embué. Son regard lavé par le chant a perdu la fixité de tout à l'heure.

– Pour qui ce chant, cette prière que même les anges

doivent t'envier ? reprend-il tendrement. Pour qui cette mélancolie d'amour où je te vois si lumineuse ?

Le prince paraît reposé. Seul un éclat métallique, par-delà la tendresse du regard, témoigne d'une détresse enfouie. Il attire à lui son aimée et l'étreint avec fougue.

– Je suis heureuse de te voir reposé mon amour, murmure la jeune femme.

Le prince a desserré son étreinte. Il s'éclaircit la voix, hésite. On dirait qu'il répugne à prendre la parole.

– J'ai de mauvaises nouvelles, ma vie, énonce-t-il enfin tout en prenant place sur le banc d'azulejos : Abu Abdil est libre.

– N'était-ce point là votre désir ? questionne la sultane stupéfaite. Vos émissaires n'étaient-ils pas chargés de négocier sa libération avec les rois de Castille ?

– Ce ne sont pas mes émissaires qu'ont écoutés les chrétiens. Cette furie d'Aïcha a encore frappé.

Zoraya réprime un frisson. L'anxiété lui revient, qu'avait endormie la quiétude du jardin des roses.

– C'est avec elle, non avec moi, qu'ont traité Don Fernando et Doña Isabel. Ils ont compris l'avantage qu'il y a pour eux à diviser le royaume de Grenade. Par le traité de Cordoue, ils font de mon fils leur vassal. Ils le lâchent dans la nature et comptent sur lui pour semer une fois encore la zizanie au sein de mon peuple.

La voix sombre, l'œil à nouveau saisi d'une fixité douloureuse, Abu al Hassan s'est raidi.

– Le calcul est excellent, poursuit le souverain amer. Maintenant, le ver est dans le fruit. Comme ils doivent se réjouir, ces rois maudits qui rêvent de croquer mon royaume.

L'émir s'est interrompu. Son visage morose est devenu blafard. Sa paupière frémit d'un tic incontrôlable.

– Sais-tu, à propos de fruit, ce que l'on raconte sur le roi d'Aragon ? reprend-il d'une voix hachée que Zoraya ne reconnaît pas... « Dussé-je en extraire un à un tous les pépins, cette Grenade m'appartiendra » : tel est le serment funeste qu'aurait prononcé Don Fernando. Un serment, un défi plutôt, que Doña Isabel et toute la Castille avec elle se sont empressées de faire leur.

Zoraya n'écoute plus. Elle fixe d'un œil égaré le visage de son époux. Elle l'a vu se décomposer. Le tic de la paupière a envahi la face, puis la gorge, maintenant la poitrine. Est-ce une colère brutale qui crispe sa figure et lui prête cette expression féroce ? N'est-ce pas plutôt la douleur, une douleur intolérable qui le fait tressaillir et se tordre ?

– Que vous arrive-t-il, Seigneur !

Manipulé par une force aveugle, Abu al Hassan chancelle. De la tête aux pieds il frissonne, il tremble, il s'arc-boute. Saisi de convulsions, il semble avoir perdu conscience. La jeune femme veut prendre entre ses mains celles du prince : traversées d'une onde diabolique, celles-ci aussitôt lui échappent. L'instant d'après le souverain gît à terre. Sa face est déformée par une grimace sinistre. Ses yeux sont révulsés. Sa tête cogne contre le sol. La bave coule à sa lèvre. Sa gorge laisse échapper un cri strident. Cri de bête enragée qui tétanise Zoraya.

Possédé, le souverain n'a plus figure humaine. Et quand il sombre, d'un coup, dans l'inconscience, Zoraya se retrouve seule, terrorisée, face au grand corps raidi. Elle guette la respiration. Elle soulève la paupière... Les spasmes se sont espacés. Les muscles peu à peu se détendent. Aussi vite qu'elle est venue, la crise retourne aux enfers d'où elle avait surgi. L'émir vient d'ouvrir les yeux.

– Où suis-je ? demande-t-il en levant sur son épouse une prunelle étonnée. Que m'est-il arrivé ?

Abu al Hassan se redresse avec peine. Sur le banc d'azulejos, Zoraya l'a aidé à se rasseoir. Le sultan semble brisé. Ses prunelles exorbitées quêtent le réconfort dans le regard marin.

– Quelle folie m'a pris ? murmure le prince. Je voyais,

je comprenais, mais mon corps ne m'obéissait plus. Il était comme possédé... Crois-tu que je sois maudit, mon amour ?

– Ce n'est rien, Monseigneur, tente de l'apaiser Zoraya d'une voix mal assurée. Rien que trop d'inquiétude qui assaille votre esprit et épuise votre corps.

Tendrement elle essuie la sueur au front de son époux. Peu à peu elle reconnaît les traits aimés. Ils sont hagards encore, plus creusés que jamais. Au fond des noires prunelles un sourire triste à nouveau se risque. Les lèvres de la jeune femme s'attardent sur le visage anxieux. Avec soulagement, Zoraya retrouve l'eau profonde dans les longs yeux de nuit. Déchirement, stupéfaction, tendresse : ce qu'elle y lit lui tire un soupir.

– Croyez-vous que votre corps vous portera jusqu'au palais, Seigneur ? se force-t-elle à réagir. Ou dois-je appeler les serviteurs ?... J'aimerais vous voir vous reposer. Et faire mander les médecins de l'Alhambra afin qu'ils vous examinent. Puis-je, Seigneur, disposer de votre messager ?

– Brave petite guerrière, sourit faiblement Abu al Hassan. Un obstacle et tu te dresses, un péril et tu batailles. Tu ne t'avoues jamais vaincue, n'est-ce pas ? Et tes airs de douceur ne servent qu'à masquer ta force.

Une lueur respectueuse danse dans le regard du prince.

Cet après-midi, pourtant, Zoraya ne s'est plus caché l'ampleur de sa détresse. Tandis que le souverain s'endormait, elle a dicté sa missive au fonctionnaire royal. La journée est fort avancée : même si le messager part aussitôt, les médecins n'arriveront pas à Mondujar avant le lendemain. Zoraya se reproche d'avoir entraîné l'émir loin de l'Alhambra.

Tandis qu'elle se dirige vers le sérail, croyant veiller un homme brisé, des éclats de rire la surprennent. Elle reconnaît les grelots dans la voix de Meryem, et les accents plus sourds de ses deux aînés.

Sous l'arcade qui la cache aux regards des siens, la jeune femme s'est arrêtée. Assis près du sultan, Saad et Nassar surveillent avec lui les jeux de leur cadette. Parfois ils se tournent vers leur père et lui glissent à l'oreille quelque confidence. Puis leurs regards reviennent à la gamine qui gambade devant eux, jouant à se mirer dans l'eau du bassin. Coquette, elle prend des mines, virevolte, lève ses bras au-dessus de sa tête comme elle l'a vu faire aux femmes du harem. De temps à autre, elle vérifie sur ses trois hommes l'effet de ses manières. Bon public, le père et les frères sourient à ses mimiques. La petite princesse, ravie, agite ses boucles rousses. Elle ondule des hanches et du ventre à la façon des hétaïres. Lèvre boudeuse, regard altier, elle singe à merveille les filles de l'Alhambra. Elle cambre la taille, dresse la nuque, fait tinter les bracelets d'or à ses chevilles. Aguicheuse, provocante, cette enfant est la sensualité même.

Amusée, Zoraya observe ce petit animal qu'elle a mis au monde. Semblable à celle qu'elle était autrefois pour l'ardeur et l'effronterie, Meryem par d'autres côtés lui est une étrangère. D'où tient-elle, par exemple, ce goût de séduire coûte que coûte, et cette bizarre aisance à feindre qui parfois met sa mère mal à l'aise ? Meryem est sa fille, certes. Plus que tout, jusqu'au bout de ses jolies œillades, elle est fille d'Orient.

Ses fils aussi surprennent la jeune femme. Comme tous les garçons de leur âge, ils aiment les jeux guerriers et les joutes effrénées. Mais la sultane a remarqué une gravité dans leurs attaques, une note sombre dans leurs rires, qui l'attristent. Comme si, durant l'exil, les jeunes princes avaient compris les périls qu'ils couraient. Comme si une conscience précoce de leur destinée avait muselé leur insouciance.

A contempler les fronts jumeaux levés vers le visage du souverain, le même regard noir, les mêmes boucles brunes qui chez leur père ont blanchi, la jeune femme sent son cœur enfler dans sa poitrine. Qu'ils sont beaux, ces quatre-là qu'elle aime ! Et douce cette heure, volée à la tourmente, où elle peut embrasser d'un regard ceux qui sont toute sa vie.

– Oumayma, petite mère ! Où étais-tu cachée ?

Comme sa mère apparaît dans la lumière du patio, Meryem se jette dans ses bras. Le souverain et les jeunes princes se lèvent à son approche. Dans le miroir du bassin frissonnent bientôt cinq silhouettes unies. D'un regard, Zoraya étreint le reflet. Elle rend grâces pour cette image d'un bonheur ravi aux attentes anxieuses. Nulle épreuve, nulle douleur n'aura jamais le pouvoir de lui reprendre cet instant qu'elle vient, pour toujours, d'enfouir en son cœur.

*
* *

Au matin, trois hommes au vert turban se sont fait annoncer à Mondujar. En réponse à l'appel angoissé de la sultane, Siddi al Qasim Venegas les dépêche. Mine et gestes graves, ils font aussitôt à Zoraya l'effet d'oiseaux de malheur.

Longuement, ils ont écouté les souverains. Parfois, l'un pose une question. Les trois accueillent la réponse d'un même hochement de tête. Puis ils se concertent... A Zoraya qu'agacent ces conciliabules, les doctes visages sont vite insupportables.

Enfin, le doyen s'éclaircit la voix. Il se tourne vers la sultane.

– Son Altesse nous a bien dit que, si cette crise fut la première du genre, notre souverain auparavant s'était plaint à maintes reprises de violents maux de tête ?

– Oui, oui, s'impatiente la jeune femme.

Nouveaux hochements de tête. Nouveau conciliabule.

– Votre Majesté aurait-elle, en quelque bataille par exemple, reçu un choc sur la tête ? reprend l'irritant vieillard à l'intention du sultan. Un choc si brutal, précise-t-il, qu'il aurait laissé Son Altesse étourdie ?

– Un choc ?... Non, je ne vois pas.

– En êtes-vous certain, Sire ? insiste l'autre. Point de coup d'épée ayant atteint le crâne ? Ni de chute malheureuse ?

Abu al Hassan sursaute.

– Il y a bien eu cet incident, près de Jabad al Tariq...

Les yeux fixés sur son époux, la sultane a pâli.

– Oui, je me souviens maintenant, reprend l'émir d'une voix étonnée. C'était lors de cette incursion sur les terres du duc de Medina Sidonia.

Devinant son anxiété, il se tourne vers la jeune femme et tente de l'apaiser du regard.

– Forts des cinq mille têtes de bétail que nous avions capturées, nous nous apprêtions à repasser la frontière quand, non loin de Castellar, dans un creux du terrain que masquait la forêt, notre avant-garde s'est trouvé assaillie par des guerriers chrétiens.

– Je me rappelle, Seigneur, commente Zoraya. On m'a raconté cette embuscade où une centaine des vôtres trouvèrent la mort. Mais vous Sire, vous : que vous est-il arrivé que vous ne m'ayez point dit ? !

– Cela semblait si peu de chose, justifie Abu al Hassan. Sur le moment, tout à la joie de notre victoire, je n'ai pas voulu t'alerter. Plus tard... j'ai oublié.

Le prince s'est tourné vers les hommes de science.

– Au milieu de cette cuvette où gisaient les corps des nôtres, mon cheval a trébuché. A-t-il buté sur une souche ? A-t-il, plus sûrement, évité au dernier moment le corps de quelque malheureux ? Je l'ignore. Ce que je sais, c'est qu'il s'est effondré. Je me suis retrouvé à terre. Ma tête a frappé le sol. Ensuite...

– Ensuite, Monseigneur ?

– Ensuite, je ne sais plus. Quand je suis revenu à moi, Ibrahim, mon écuyer, me fixait d'un œil anxieux. Il m'a dit que j'étais étendu là depuis plusieurs minutes, et qu'il avait craint de me perdre.

Zoraya est blanche comme neige sous la lune.

– Moi j'ai voulu en rire, bien sûr, reprend l'émir. Mais ma tête me faisait si mal ! Ibrahim m'a aidé à me remettre en selle. Pendant près d'une heure, j'ai chevauché comme dans un rêve, le corps gourd et l'esprit ennuagé. Peu à peu, la vigueur me revenait. Lorsque nous sommes parvenus en vue de Jabad al Tariq, lorsque nous avons défilé au pied des remparts d'où ce pauvre Don Pedro Vargas nous regardait passer sans pouvoir riposter, j'avais repris mes esprits. La victoire me donnait des ailes. Elle nous donnait des ailes à tous. Notre retour à Malaga fut triomphal. Et l'incident, oublié.

Zoraya est atterrée.

Une fois encore détournés de leur royal patient, les trois savants débattent avec passion. La jeune femme n'en peut plus d'attendre leur bon vouloir.

– Nous sommes d'avis, mes confrères et moi-même, que Sa Majesté pourrait bien être atteinte du haut mal, énonce enfin le doyen.

– Le mal sacré ? blêmit la sultane.

– Oui, Altesse, le haut mal, également appelé mal sacré. La crise décrite ressemble en tout point à celles qui frappent les épileptiques.

– Mais enfin, proteste l'émir, si ma mémoire est bonne le haut mal frappe dès la plus tendre enfance celui qu'il a choisi.

– Pas toujours, Altesse, réplique le savant. Il est dans nos annales porté témoignage de cas où le mal divin se déclare à la suite d'un choc violent à la tête.

Le plus jeune des médecins arrive à la rescousse :

– Ibn Sina, prince des médecins, expliquait ainsi le phénomène : le choc provoquerait une hémorragie sanguine, laquelle, invisible puisque dissimulée à l'intérieur du crâne, creuserait peu à peu dans le cerveau une faille, une rigole, si Son Altesse préfère...

– Son Altesse ne préfère rien de tel, grince le prince.

– ... Jusqu'au jour où, en un point usé par le ruisseau de sang, la paroi se déchire.

– Est-ce possible ? l'interrompt le souverain. Tout cela dans ma tête, et je ne me serais aperçu de rien !

De toutes ses forces déclinantes, il veut espérer une erreur de l'homme au turban vert.

– Le haut mal, poursuit l'autre, implacable, agit sur le cerveau comme la main d'Allah sur les vastes cieux. L'heure est à l'azur. Pas un nuage ne point à l'horizon. Soudain, l'orage fond du chef à tout le corps, semblable à une série d'éclairs qui foudroieraient non l'infiniment grand du ciel et de la terre, mais l'infiniment humble du corps de l'homme...

Les souverains n'écoutent plus.

Corps foudroyé, fouetté par la folle tempête : c'est bien la vision qu'en conserve Zoraya.

Ciel déchiré, terre dévastée : c'est, pour Abu al Hassan, l'image de ce jour de moharram 883 où l'eau avait rompu le ciel et livré au désastre la parade royale. Rien ne va plus, depuis, à Grenade. Mais par quelle ironie du sort son corps accuse-t-il aujourd'hui les coups qui frappaient sa capitale hier ? Leurs destins sont-ils à ce point liés qu'il lui faille souffrir les symptômes du mal qui terrasse son royaume ?

– Tu parlais autrefois de destinée, ma vie, a soupiré le prince après le départ des savants. Vois comme celle d'un roi est liée à celle de son peuple... Peut-être est-ce naturel après tout : il est juste que le sultan partage jusqu'au bout les souffrances des siens.

XXVIII

Grenade, mai 1485

TANDIS qu'Abu al Hassan titube sous les coups du mal sacré, son royaume lui aussi vacille. De l'intérieur, de l'extérieur, une maladie mortelle est en train de ronger Grenade.

A l'intérieur, le mal s'appelle Abu Abdil.

A peine relâché par les chrétiens, al Zogoybi a donné corps aux pressentiments du souverain. Par lui, pour la deuxième fois, Grenade a pris feu. Durant des semaines, la guerre fratricide a ensanglanté les rues de l'inflammable Albaicin. Le fils a fini par se retirer à Almeria avec un simulacre de cour. Le père est demeuré maître de l'Alhambra comme de l'essentiel du royaume. La paix néanmoins demeure précaire. La braise est là, qu'une étincelle suffirait à transformer en brasier.

Mais le mal qui vraiment ébranle les bases du royaume, c'est le mal castillan qui s'organise. Pour croquer le fruit désiré, pour expulser comme autant de pépins les maures de Grenade, la reine de Castille et le roi d'Aragon disposent désormais de la chrétienté entière !

– Car le seigneur de Rome s'en est mêlé, celui que les

chrétiens appellent pape, expliquait voilà quelques mois Abu al Hassan à Zoraya. Il s'en est si bien mêlé qu'il a déclaré Croisade l'infâme invasion castillane. Cette fine mouche de Doña Isabel ne manquera plus de subsides, puisqu'elle dispose des biens de l'Église. Elle ne manquera pas de troupes non plus, puisque cette même Église prétend offrir le Paradis aux soldats de la guerre sainte... Tout est prévu, tu vois ! grimaçait ce jour-là le sultan à bout de souffle et d'espérance. Et nulle assistance n'est à espérer de mes frères d'Ifriqiyya. Ils ne peuvent pas bouger : les nefs aragonaises les clouent à leurs rivages.

Ce même soir, pour la première fois, l'émir avait évoqué l'idée d'abandonner le trône.

– Mon frère est jeune, avait-il murmuré au terme d'une réflexion douloureuse : le haut mal fait de moi un vieillard. Il est fort : je suis impotent. Son âme est fière et son cœur vaillant. Dans ses veines coule le royal sang des Nasrides. Et il a maintes fois prouvé qu'il aimait ce royaume comme je l'aime moi-même... Al Zagal ne fait-il pas un prétendant au trône idéal ?

Son regard était perdu dans le vide, alors. Il n'attendait pas de réponse. Aussi Zoraya s'était-elle contenté de serrer entre ses mains les doigts amaigris du souverain. Avec respect, avec tendresse, elle contemplait cet homme qui se battait contre tant de souffrances. A la lueur des lampes, elle pouvait compter au visage de son époux les marques laissées par les épreuves. Rides de l'anxiété entre les sourcils – pour Alora, pour Setenil, pour chaque cité perdue ; sillon amer au coin des lèvres – pour la trahison de son fils ; cernes profonds qui mordaient les joues – pour toutes les nuits sans sommeil... Qu'il lui était précieux, ce visage épuisé, ce visage creusé par le haut mal, épuré par la détresse ! L'avait-elle jamais aimé comme, ce soir, elle se prenait à le chérir ? Les tempes, noires autrefois, s'étaient filetées d'argent. Le haut front s'était parcheminé. Les pommettes, sous la barbe poivre et sel, s'étaient aiguisées. Et le beau, le grave regard de nuit où toujours elle aimait se noyer semblait d'un noir plus profond que jamais. Dans son eau sombre et chaleureuse, elle continuait de puiser la tendresse et la force.

– Ce n'est pas un cadeau, que je lui ferai là, reprenait au même instant le sultan d'une voix que la fatigue avait blanchie. Car la guerre n'est plus ce qu'elle était et mon cher Muhammad, aussi vaillant soit-il, risque d'être face à elle aussi démuni que moi... C'en est fini des orgueilleuses escarmouches et des combats singuliers, poursuivait Abu al Hassan d'un ton amer. De nos jours la victoire ne tient plus à l'adresse et la témérité de chevaliers rompus aux jeux du cimeterre. Elle repose sur l'artillerie et sur le nombre : sur l'aveugle poussée des fantassins dans l'affolante odeur de poudre... Le temps de la cavalerie n'est plus, ma précieuse, le temps des fiers seigneurs semblables à ce que fut ton père. Il n'est plus de mise, le noble héroïsme. Voici venir l'infâme loi de la masse, et de la boucherie...

Zoraya ne le savait que trop, elle à qui Abu al Qasim venait parfois confier ses terreurs pour le royaume. Depuis deux années maintenant, les raids éclairs et les razzias se prolongeaient en guerre de siège. Murailles démantelées, citadelles incendiées, populations affamées : partout Don Fernando et son armée portaient leurs ravages et leur feu. A ce jeu de fin d'un monde, sous l'impulsion de la reine Isabel qui avait fait mander de France, d'Allemagne et d'Italie les meilleurs artilleurs, les rois de Castille écrasaient chaque fois les Grenadins que prenait de court le démoniaque étalage d'arquebuses, de ribaudequins, de bombardes...

Comme s'il suivait les pensées de son épouse, Abu al Hassan hochait douloureusement la tête. Son visage grimaçait de tristesse.

– Reconquête : voilà comment l'envahisseur appelle ses attaques. Comme si al Andalus avait jamais appartenu aux barbares du nord ! Comme si sous les chrétiens, les maures, les païens, notre terre andalouse avait jamais été autrement qu'elle-même : terre princesse, et libre, et noble, et voluptueuse, terre joyeuse, réfractaire à toute chaîne... Cette terre, depuis des siècles nous l'aimons, nous la comprenons, avait ajouté l'émir après un silence que Zoraya n'avait osé rompre. Nous : les maures d'al Andalus. Les Castillans si rudes, si froids, si austères : comment sauraient-ils l'aimer ? Au lieu de la soigner, ils la saignent. Au lieu de l'aimer, ils la violent. Aujourd'hui, ils s'efforcent de la conquérir, avait conclu le souverain d'une voix de prophète. Demain ils l'abandonneront, exsangue...

⋆
⋆ ⋆

Aux appels de son frère, al Zagal n'a pas voulu céder. Sa place n'est pas à l'Alhambra, prétend-il, mais sur les champs de bataille. Il laisse à son aîné l'honneur qui lui revient – et l'horreur qui l'accompagne. Il ne demeure pas inactif. Voilà trois mois, dans l'espoir de débarrasser le royaume du désastreux Abu Abdil, il a pris d'assaut Almeria. Hélas : la cité a vite ouvert ses portes, mais al Zogoybi l'avait fuie. Une rumeur honteuse prétend qu'il a trouvé refuge à Murcia, dans le giron des chrétiens ! L'émir de Malaga, depuis, ne décolère pas.

Mais voilà qu'un hurlement résonne à travers l'Alhambra :

– Ronda est tombée ! Ronda l'orgueilleuse, la pure, l'imprenable : Ronda s'est rendue à l'armée de Castille !

Par tout Grenade, c'est une coulée d'amère lave. Des mosquées, des souks, des palais, la population égarée accourt aux nouvelles. Aux cris de désolation succèdent les larmes et les malédictions... Bien sûr, on avait tremblé en apprenant que le roi d'Aragon s'attaquait à la serrania.

Mais on savait la chaîne de montagnes rebelle, jonchée de précipices, et sa ligne frontière hérissée de forteresses. Inaltérable beauté suspendue au-dessus de l'abîme, Ronda en était le joyau... Don Fernando l'a assaillie en l'absence d'Ahmed al Zegri, son féroce gouverneur. Ronda l'étincelante, l'aérienne, la sans pareille, a vu ses tours rasées, ses portes défoncées, ses murailles bombardées. Sans défense face à l'artillerie castillane, après quatorze jours d'un siège héroïque, l'invincible a fini par tomber. Demain, à n'en pas douter, toute la serrania se rendra elle aussi. Et Marbella avec elle, dont on sait les habitants découragés...

Houleuse, la foule des Grenadins converge vers Bib al Ramla. Elle gémit, elle vocifère, et s'en prend au souverain cloué sur sa couche par une nouvelle crise du haut mal.

Déjà les partisans du sejid Abu Abdil s'enflamment, tentant d'entraîner les mécontents. Déjà les Grenadins, aveuglés de terreur, menacent d'en revenir aux armes les uns contre les autres, quand une voix s'élève par-dessus les cris :

– Es-tu devenu fou, peuple sans jugeote ni mémoire ? dit-elle.

L'orateur est un al faqih réputé pour sa sagesse. La foule se tait pour mieux l'entendre.

– Allez-vous une fois encore souiller cette ville du sang de vos frères ? reprend le féroce vieillard. Réfléchissez un peu : le sang illustre de Grenade se répand en vain dans la lutte qui oppose deux rois, incapables l'un et l'autre de défendre le royaume.

Morose, l'auditoire approuve.

– Le souverain Abu al Hassan, écrasé par les ans et par ce mal que le Tout-Puissant lui envoie, gît quelque part dans l'Alhambra, impuissant à mener ses troupes à l'attaque. Quant au sejid Abu Abdil, n'en déplaise à ses partisans : que pouvez-vous espérer du traître, de l'impie qui cherche refuge chez l'ennemi et ploie le genoux devant les rois de Castille ? Que pouvez-vous attendre d'al Zogoybi, né sous les pires présages ?

L'homme parle juste. A-t-il un remède, seulement ?

– Cessez vos querelles démentes, poursuit-il, sûr de lui. Et tournez-vous vers le seul qui puisse encore nous sauver.

Les yeux rivés aux lèvres de l'orateur, tous attendent le nom du sauveur.

– Vous ne connaissez que lui. Fils et petit-fils de sultan, dans son sang brûle la flamme de nos princes nasrides. Sa noblesse n'a d'égale que sa vaillance. Allah soi-même nous envoie pareil chef... Je parle d'al Zagal, bien sûr, l'invincible Muhammad Abu Abdallah dont le seul nom ranime le courage des Croyants et sème la terreur chez les Incrédules...

Une ovation accueille ce nom. D'un même cri la multitude acclame et l'al faqih et son prétendant. Al Zagal depuis des mois n'est-il pas le bras du sultan ? Sa maturité et sa vaillance sont le seul espoir du royaume.

Informé du cri de la rue, Abu al Hassan s'est incliné. Zoraya l'a même entendu rire. Un rire qui grinçait un peu, mais qu'elle devinait soulagé.

– Vois comme, pour la première fois depuis longtemps, mon peuple et moi tombons d'accord, a-t-il murmuré à l'adresse de son épouse. S'il est encore un espoir, un dernier, pour Grenade, c'est bien al Zagal qui l'incarne.

La fatigue à nouveau assombrit la voix du prince. A ses lèvres, le sourire s'est fait mélancolique.

– Pauvre Ronda. Pauvre royaume. Et piètre héritage que je laisse à mon cher Muhammad...

A l'un des secrétaires royaux accouru sur son ordre, le souverain a dicté la missive destinée à l'émir de Malaga. Puis il s'est tourné vers son épouse :

– Le Très-Haut a parlé, ma vie. Dans Sa Miséricorde, Il m'évite d'assister à la mort de tout ce que j'aime.

Dix jours plus tard, à la tête de trois cents cavaliers al Zagal franchit la Porte d'Ilbira. Triomphal, le cortège caracole sur des coursiers du meilleur sang capturés à l'ennemi le jour même. Il entraîne à sa suite les onze chevaliers de Calatrava interceptés dans l'escarmouche.

– Heureux présage, murmure la foule entre deux acclamations à son nouveau sultan.

Longtemps, à travers les rues de Grenade, al Zagal et sa troupe se sont montrés au peuple rassemblé. Sous les acclamations, ils ont passé le pont du Qadi, et grimpé vers l'Alhambra où Abu al Hassan attend son cadet.

La mascarade prend fin au bord du Sahan Arrajahin. L'émir de Malaga a tenu à y entrer seul. Il se précipite vers son aîné et veut lui baiser les mains. Abu al Hassan l'en empêche. Sous les yeux de Zoraya qui se tient, discrète, dans l'ombre des arcades, les frères se donnent l'accolade. Ils sont graves tous deux, le geste empreint d'une affection pudique.

– Il me peine mon frère d'avoir à me rendre à ton appel, déclare aussitôt al Zagal. Je rechigne à monter sur un trône qui, par la valeur autant que par le droit d'aînesse, n'appartient qu'à toi.

– Cette valeur n'est plus, Muhammad, tu le sais. Le Très-Haut a voulu que mon corps s'affaiblisse à mesure que s'affaiblissait le royaume. Ce royaume a besoin d'un homme fort. Tu es cet homme. Toi seul, si Allah le permet, es capable de sauver Grenade.

Tout en prononçant ces mots, Abu al Hassan hoche tristement la tête. Au visage de son époux, Zoraya perçoit clairement le doute.

Les deux hommes ont traversé le patio désert. Ils se dirigent vers la salle du trône. Nul ne les y attend. Les courtisans, ce jour-là, se sont gardés de paraître.

– Il y a longtemps que sont mortes pour moi les heures de faste et de bonheur, reprend Abu al Hassan qui d'un bras usé s'appuie à l'épaule de son frère. Voici donc arrivé le dernier jour de mon règne.

Comme ils la croisent sans la voir, la jeune femme a le temps de saisir quelques mots encore :

– Tandis que je m'en irai chercher en quelque palais solitaire une paix qui depuis tant de mois me fuit, chuchote, essoufflé, son époux, puisse ta destinée être plus propice que la mienne...

Les deux frères sont seuls dans la salle témoin de la grandeur passée des sultans de Grenade. Conscients de se saluer pour la dernière fois, ils s'étreignent en silence. Dans la lumière rasante de cette fin d'après-midi, ils se sentent fragiles, ces deux rois d'un royaume chancelant, ces deux guerriers qui longtemps ont combattu côte à côte et que le destin aujourd'hui sépare. L'un devra combattre encore, fût-ce sans espérance. L'autre a pour adversaires la vieillesse, la maladie et la mort, invincible trio qu'il affrontera la tête haute.

Deux rois, deux guerriers, deux frères à cette heure se séparent avec au cœur la même question anxieuse :

– Grenade peut-elle être sauvée encore ?

XXIX

Salobreña, septembre 1485

La résidence royale de Salobreña sera leur terre d'exil. On s'y trouvera loin de la capitale, à l'abri de ses déchirements. L'air marin, espère Zoraya, sera salutaire à la santé du sultan déchu.

Elle a juste eu le temps de faire ses adieux à Malika. Leurs rencontres se sont espacées, ces dernières années. La vie et ses violences les ont séparées. Les petits mots griffonnés ont peu à peu remplacé les longues confidences. Mais les deux femmes se connaissent si bien : elles n'ont plus besoin de mots. L'appel de l'une, le sourire de l'autre : aussitôt les amies se retrouvent, complices comme aux jours lointains de Dar al Anouar.

Cette fois, la séparation menace d'être définitive. Qui peut dire ce qu'il adviendra dans les mois à venir du royaume, de Grenade, ou de Salobreña ?

– Prends soin de toi, ma djenniyya, ma fée, a murmuré Zoraya, les yeux dans les yeux de son amie. Et tiens-moi, si tu peux, informée de tout ce qui t'advient.

– Dieu fasse que tout cela prenne fin. Sous le règne du sultan al Zagal ou celui du sejid Abu Abdil, que nous importe ? Puissions-nous nous retrouver toutes deux saines et sauves dans une Grenade rendue à la paix.

– N'oublie pas qu'Abu Abdil s'appelle aussi al Zogoybi, l'Infortuné. Et que plus d'une fois déjà il a fait le jeu de l'ennemi. Et si par lui Grenade devenait chrétienne ? a soufflé la sultane, le cœur serré.

– Nous referions nos bagages, nous reprendrions notre marche. Après tout nos ancêtres étaient nomades, a répondu Malika avec un détachement qui, une dernière fois, désarçonnait son amie. Mektoub, habibti, ce qui doit être sera... Sache que, quoi qu'il arrive, et dussions-nous ne nous revoir jamais en ce monde, ma tête et mon cœur t'accompagneront toujours...

Les deux femmes, dans une même étreinte, ont confié au Ciel leurs destinées avant de reprendre, chacune, le chemin qui l'éloigne de l'autre.

Pour la sultane de Grenade, plus que le départ et l'exil, ces adieux signent la fin d'une vie.

Le voyage en litière, la douleur de quitter à jamais sa bien-aimée Grenade ont épuisé l'émir. Son épouse et les petits princes feignent de se réjouir de la tranquillité de Salobreña, de l'air pur sur la colline rocailleuse qu'encercle une vallée fertile, du cirque protecteur des montagnes qui ne s'ouvre que sur le bleu infini de la mer, des jardins délicieux de leur résidence enfin, des vergers, des bassins et des salles princières dont la décoration semble bien modeste comparée aux beautés de l'Alhambra. Le sultan feint de croire sincère leur enthousiasme. Il ne quitte pas la chambre où le clouent ses maux, mais sourit avec gratitude au babil des siens.

– Père, implore Meryem, dont les yeux de turquoise étincellent d'excitation : quand vous serez remis, viendrez-vous avec moi au pavillon des roses ? La mer est si belle à cet endroit, quand ses eaux transparentes capturent le bleu du ciel...

– Père, exige Saad, il faut vous soigner bien vite ! J'ai découvert dans les écuries un étalon éblouissant. Une étoile à son chanfrein le marque du doigt de Dieu. Il me tarde de vous le montrer.

– Moi, j'ai fait des progrès au jeu de tabla, l'interrompt son cadet. Au galop, à dix toises, je fiche le bâton droit au cœur de la cible. Viendrez-vous, Père, me regarder ?

– Je suis fier de vous mes enfants, leur répond ce jour-là le souverain alité. Je fais ce que je peux pour accéder à vos désirs et me remettre sur pied... Néanmoins, s'il advenait que le Tout-Puissant eût sur moi d'autres vues, et que je dusse gagner prochainement le Paradis d'Allah, je voudrais vous confier à chacun une mission.

La tête rousse et les deux têtes brunes se sont rapprochées. Leur mère se tient en retrait.

– A tous trois, d'un même cœur, je confie la compagne de mes jours heureux. Que rien, de vous, ne vienne l'endeuiller jamais. Je souhaite que vous soyez pour la sejidah Zoraya un trésor précieux, celui-là même dont mon amour ne pourra plus la combler...

Zoraya, à l'autre bout de l'alcôve, tressaille.

– A toi, Meryem, poursuit l'émir d'une voix sifflante, je confie le soin de l'aimer et de la chérir. Même lorsque tu seras entrée dans le sein d'une nouvelle famille, je veux que tu veilles à ce que jamais ne lui manquent ni la tendresse ni la chaleur qu'elle sait tant donner à chacun de nous.

Le souffle court de plus en plus, Abu al Hassan grimace sous l'effort.

– A vous, mes fils, je demande de protéger votre mère. Les temps, vous le savez, sont désastreux. Même ici, même en la forteresse de Mondujar où peut-être Zoraya souhaitera se retirer : partout, un jour ou l'autre, les chrétiens peuvent surgir. Vous êtes jeunes encore. Demain vous serez des hommes. Je veux que vous fassiez serment de défendre et protéger toujours ma bien-aimée.

Visage soudain crispé sous l'effet d'une douleur brutale, le sultan s'est tu un instant. Puis il reprend :

– Sachez que chacun de nous doit tout à celle qui lui a donné la vie. Rappelez-vous la parole du Prophète – le Salut soit sur lui – comme quelqu'un lui demandait qui avait le plus droit à sa bienveillance : « Ta mère », a répondu l'Envoyé de Dieu. « Et après ? » insista l'homme. « Ta mère », répondit à nouveau le Messager. Il le dit une troisième fois et, ensuite seulement, il ajouta « Ton père »...

Impressionnés par la gravité du souverain, les trois enfants ont prêté serment. Face au visage amaigri sur lequel flotte un sourire serein, ils gardent maintenant le silence. Et luttent contre l'envie de pleurer.

*
* *

Quelques jours à peine ont passé, quand Abu al Hassan se tourne vers Zoraya qui n'abandonne plus son chevet.

– Cette fois, la vie me quitte pour de bon. Non, ne proteste pas, coupe-t-il comme la jeune femme esquisse vers lui un geste suppliant. Laisse-moi parler... Tu m'appelais ton refuge. Depuis longtemps déjà, depuis le premier jour, c'est toi qui fus le mien. Tu as été la torche qui éclairait mon chemin, une douce envie dans mon cœur, et la révélation de l'amour du Très-Haut dans mes rêves... Aujourd'hui, malgré le royaume qui s'écroule, malgré mes erreurs et mes fautes, je pars content, grâce à toi, puisqu'une chose, une seule chose au moins, j'ai pu la mener à bien. Cette chose nous l'avons bâtie ensemble, mon étoile, ma Zoraya. Cette chose c'est notre amour, le trésor, la pierre sacrée de notre amour. Je te le dois. Nous nous le devons l'un à l'autre. Et peut-être le Très-Miséricordieux, dans sa toute mansuétude, a bien voulu m'accorder, si ce n'est d'avoir été un bon roi, du moins d'être devenu un homme. De l'être devenu par toi, pour toi, grâce à toi, ma femme bien-aimée.

Zoraya ne dit mot. Sur ses joues, à ses lèvres, sur ses mains, les larmes parlent pour elle.

– Je sens que la vie me quitte, reprend Abu al Hassan dans un souffle. Mais je pars avec notre amour. Et nous savons, toi et moi, que jamais ne goûtera la mort celui dont le cœur fut vivant par amour. Ne doute pas qu'au Paradis d'Allah je passerai mon éternité à t'attendre...

– Monseigneur, gémit la jeune femme qui, la main dans la main de son époux, s'emplit les yeux du visage aimé.

– Ne pleure pas, ma toute belle.

– Moi aussi, je vous attendrai, réussit à murmurer Zoraya. Chaque jour, je parcourrai les jardins où nous fûmes heureux – et vous serez à mes côtés. Chaque matin, je me recueillerai en votre mihrab de Mondujar – et vous viendrez m'y rejoindre. Chaque nuit, je m'endormirai avec votre nom sur mes lèvres – et vous me visiterez en rêve. A chaque heure, je supplierai le Tout-Puissant de m'ôter une vie qui ne me sera plus rien et de me rappeler auprès de Lui, auprès de vous...

– Tu ne feras rien de tel, gronde Abu al Hassan. Tu vivras. Tu feras grandir nos enfants en noblesse et en sagesse. Tu leur apprendras que la sagesse c'est d'étreindre à pleins bras la vie comme tu l'as toujours embrassée toi-même. Tu leur expliqueras que la noblesse, c'est d'aimer comme tu aimes, c'est-à-dire sans mesure. Ils sauront tout, ils n'auront plus besoin de rien, si tu leur transmets cela. Ils pourront vivre sans royaume, ils pourront aller nu-pieds, même, si telle devait être la Volonté du Tout-Puissant sur eux. Et toi, tu auras ma bénédiction à jamais.

D'une main que la maladie fait trembler, Abu al Hassan caresse le visage éploré. Ses doigts cueillent une goutte salée et la portent à ses lèvres. Ses longs yeux noirs se fixent sur les prunelles océanes. Lentement, longuement, avec une passion tendre faite de souvenirs et de serments, leurs deux regards s'épousent. Il n'y a plus de Grenade, plus de royaume, plus de guerre. Il n'y a qu'un homme et une femme unis par un même amour. Il n'y a que deux amants, deux corps, un seul cœur qui ensemble se mesurent à la mort.

– L'homme est écume de la mer qui flotte à la surface de l'eau, reprend péniblement le sultan. Lorsque le vent souffle, l'écume s'évanouit comme si elle n'avait jamais existé. Ainsi en est-il de ma vie bientôt soufflée par la mort.

Zoraya ne retient plus ses pleurs.

– N'aie point de peine, Princesse. Où que tu sois, quoi que tu fasses, mon amour continuera de t'aimer. Les années peuvent s'écouler, les astres au firmament décliner, mon corps être réduit en poussière : par-delà la mort et le temps, de toute éternité notre amour survivra. Car tout passe, princesse au doux sourire, tout passe mais au soir de la vie l'amour, seul, demeure...

Le jour a décliné au-dehors, plongeant la chambre dans les ténèbres. Les esclaves ont allumé les candélabres dont l'éclat, depuis, scintille aux prunelles des souverains. Lente, grave, sereine, la nuit s'est écoulée. Gagné par la fatigue, Abu al Hassan a fermé les yeux. Les deux souffles, ralentis, continuent de se mêler. Tête posée au cou de son époux, main agrippée à la main aimée, Zoraya à son tour s'endort. Qui les verrait dans leur sommeil dirait deux gisants de pierre, unis pour l'éternité.

A l'aube, seule la jeune femme s'est réveillée. Contre le sien, le corps glacé du sultan a cessé de vivre.

XXX

La sombre escorte a quitté Salobreña. Plus haut, toujours plus haut, elle grimpe à flanc de sierra. Aux chênes et aux futaies bruissantes a succédé l'âpre solitude des terres rases. Les gifles d'un vent glacé font ployer les visages. Hier encore, le roulement des pierres ponctuait la marche silencieuse. Depuis l'incendie de l'aube aux cimes enneigées, seul le crissement de la neige sous le sabot des mules rythme l'avancée funèbre.

Fouetté par la bourrasque, devant la jeune veuve, le corps du souverain repose sous son linceul. De cette forme inerte dont la toile impudique modèle les secrets, Zoraya ne peut détacher les yeux. Sa chair lui fait mal, rompue par trois jours de chevauchée. Un sanglot réprimé lui brûle la poitrine. Son œil est sec pourtant, et ses lèvres se serrent sur le chagrin qu'elle tait. Ce corps, ce pauvre corps que secoue la litière, elle voudrait l'étreindre. Le toucher, l'embrasser, l'aimer une fois encore. Elle voudrait, follement, sentir dessous ses paumes cette chair dont elle connaît chaque courbe, chaque creux, chaque mystère. Retrouver, à l'abri des regards, la soie des boucles argentées, et le crin de la barbe, et la jungle de la poitrine. Se repaître de cette peau si douce, fragile, à la naissance du cou. Baiser le coin de l'œil, là où tombe la paupière sur le velours de la tempe. Suivre des doigts la ligne des muscles, et le ventre si dur où elle posait sa tête.

A quoi bon ces désirs ? Vers qui l'élan brisé ? Puisque cette chair est froide. Puisque nul souffle, désormais, ne soulève la poitrine du prince, que nul lueur n'anime sa prunelle, et que son sourire jamais, jamais plus n'étirera ses lèvres...

Le cortège, hésitant, s'arrête un instant. La cime est proche de ce mont anonyme qui domine Grenade. Devant la troupe en deuil, promontoire perché en avant de la pente, s'ouvre un éblouissement de neige. D'un regard silencieux, un homme interroge la sultane. C'est Ibrahim, l'écuyer, qui a tenu à accompagner son maître en son ultime chevauchée. La jeune veuve opine. Oui, c'est très bien ici. Le silence, le vent, l'immaculée solitude, avec en contrebas Grenade que l'on devine : le sultan s'y trouvera bien.

Les hommes ont mis pied à terre. Dans le sol glacé, ils ont creusé la tombe de celui qui a refusé les honneurs du cimetière royal de l'Alhambra. Point de marbre, point de pierre orgueilleusement sculptée. Rien qu'un trou dans la terre de son royaume aimé avec, pour toujours, au-dessus de sa tête les neiges éternelles et à ses pieds Grenade.

Saad, Nassar, Meryem se sont avancés. L'imam, à leurs côtés, psalmodie la prière des morts. Irréelles minutes où, dans le vent sauvage, une poignée d'hommes et de femmes fait silence autour du corps royal, minuscule face à l'immensité.

Avec un sanglot sec, Zoraya a fait le signe que tous attendaient. Un instant, sa main est restée suspendue au-dessus de la forme blanche. Puis elle est retombée, inerte, à ses côtés. Le corps de l'homme, lentement, s'enfonce dans la terre... D'un œil qui refuse de ciller, la jeune veuve fixe le puits d'ombre qui happe son époux. Elle vacille, tendue, au-dessus de la tombe. D'une poigne protectrice, son fils aîné la retient. Fiévreuse soudain, Zoraya attire à elle les trois princes royaux. Saad, Nassar, Meryem : l'ultime présent que lui confie Abu al Hassan.

– Votre père est heureux désormais, s'entend-elle murmurer d'une voix cassée. Il repose en paix dans les Jardins célestes. A vous, à nous, de nous en montrer dignes. Dignes du guerrier, du roi, du héros. Dignes surtout, mes enfants tendres, de l'homme aimant qu'il fut. Car votre père, mon époux, aura été par-dessus tout un noble servant de l'amour...

Tombent les premières mottes dessus la forme blanche. Gifle la bise, féroce, tandis que l'imam reprend le fil de l'oraison funèbre.

– Puisse le défunt rejoindre au Jardin d'Allah tous ceux qu'il aima. Puisse son âme noble se reposer enfin. Puisse-t-il, d'où il se trouve, nous pardonner et nous bénir.

Grelottant de froid et de chagrin, douze silhouettes se recueillent. Ces hommes, cette femme, ces enfants songent aux années enfuies, à celles qu'il leur faudra affronter dans un royaume en ruine, à cet époux, ce père, ce roi dont l'existence s'achève ici, aussi près que possible d'un ciel d'où désormais il veillera sur eux.

« Je t'aime, mon époux, mon roi, frissonne Zoraya dont le cœur défaille. Ton sourire me manque, et ta voix, et ton regard aimant. Tu viens de me trahir, pour la première fois. J'ai mal, mon amour. Mais je te sais, je te sens présent à mes côtés. Demain, comme hier, tu demeureras ma force... Tu es en moi à jamais. »

La jeune veuve chancelle au-dessus de la tombe. Excès de désespoir ou sursaut de révolte ? Dans le rai de soleil échappé aux nuages et qui soudain lui brûle le visage, dans la chaleur diffuse qui peu à peu l'embrase, dans l'acceptation douloureuse, enfin, qui la saisit, elle croit deviner la douceur d'une étreinte. Improbable, dans ses prunelles en pleurs, un sourire frémit.

Burgos, novembre 1502

La neige au-dehors n'a cessé de tomber. Dans le parloir que réchauffe une modeste flambée, deux femmes se font face. L'une est maigre, diaphane sous le voile et la robe de drap brun. Son visage mangé de rides rayonne une puissance tendre. Son œil noir pétille, cerné par les sillons du rire. La main qu'elle tend vers sa cadette propose accueil et réconfort. L'autre est une belle femme rousse, altière créature dont l'étincelant regard marin affirmait tout à l'heure la vivacité et l'orgueil. Sa nuque, pourtant, vient de ployer. Lorsque l'abbesse lui a annoncé la nouvelle, la visiteuse n'a dit mot. A peine un soupir, et la brusque pâleur à son visage. Son corps crie pour elle : à l'instant, il chancèle.

– Pleure, enfant. Pleure autant que l'exige ta tendresse. Pleure sans honte, épanche-toi, souffle à son oreille la voix de la religieuse.

La jeune femme résiste. Sa nuque se raidit, ses poings se serrent. Seules ses épaules en silence s'affaissent, tandis que glisse au sol la résille filetée de perles qui retenait son lourd chignon – ruissellement de pleurs incendiés sur le velours bleu nuit de sa robe.

– N'en déplaise aux esprits glacés, ajoute l'abbesse avec douceur, les larmes ont pouvoir de purifier les cœurs.

Un bras passé à la taille de sa compagne, une main soutenant sa main, mère Marie de l'Incarnation l'entraîne jusqu'au fauteuil qui somnole près du foyer.

– Comme tu es jeune, petite ! observe-t-elle dans un soupir. Et comme tu lui ressembles... Fasse Dieu que tu connaisses la paix que je lui ai connue. Et la joie. Et la confiance aussi. Fasse Notre Seigneur que, dans la peine, la grâce du sourire maternel se révèle à toi.

La visiteuse ne répond pas. Murée dans son silence, elle fixe le feu d'une pupille ternie.

– Elle est partie si vite, ma mère, murmure-t-elle enfin. Si vite ! Et je ne l'ai pas revue. Dire qu'il y a seulement quatre jours...

A la joue de la jeune femme, une larme vient de rouler. Elle l'essuie d'une paume rageuse.

– Il y a quatre jours, tu l'aurais vue, oui, confirme la religieuse. Tu aurais recueilli le dernier soupir, si léger, de celle qui s'en est allée comme l'oiseau.

Sa frêle main serrant la main glacée, l'abbesse se penche vers sa compagne. Un sourire illumine son visage.

– Mais quoi ? La mort n'est pas une fin. Et puisque te voilà, de Cordoue, accourue vers elle, sur une impulsion me dis-tu : nul doute que cette chère Isabel t'a appelée, et qu'elle compte te faire entendre...

– Entendre quoi ! coupe l'autre d'une voix sèche. Depuis quand les morts parlent-ils ?

Le ton est amer. Sous un regard qui vire au bleu glacier, la jeune femme contracte la mâchoire. Révolte et raillerie grincent dans son accent.

– Te faire entendre ce que l'on trouve dans l'au-delà des larmes, poursuit mère Marie de l'Incarnation sans se troubler. Non la violence, mais la tendresse. Non l'amertume, mais la joie... A quoi bon te raidir, jeune Meryem – me permets-tu de t'appeler de ce nom qu'elle te donnait toujours ? A quoi bon museler ta tristesse ? Pleure au contraire. Lave dans les larmes ton chagrin... Elle a pleuré, elle aussi. Elle a pleuré longtemps. De détresse et de solitude, de rébellion et d'impuissance. Elle a pleuré, tempêté, ragé... Mais lorsqu'elle est venue à nous, ses larmes étaient de joie pure. Où que se posât son regard, elle ne percevait plus que la beauté, la volupté, les rires d'un monde dont même la douleur avait fini par lui paraître délectable.

Ses prunelles marines rivées aux lèvres de l'abbesse, l'orpheline se laisse bercer par ses paroles.

– Dites encore, ma mère, supplie-t-elle d'une voix qui s'apaise. Racontez-moi.

– Que te conter que tu ne saches ? Son front paisible et son œil de feu ? Sa lèvre douce et l'ardeur de sa chair ? Regarde-toi, jeune femme : tu les as reçus en héritage... Ce qu'Isabel avait de particulier, ce qu'avec le temps tu attiseras peut-être, c'était la ferveur. Ta mère brûlait d'un soleil intérieur, quelque chose qui tenait du rire, de l'abandon et du détachement. Elle était vibrante approbation à la vie que tout son être chantait, embrassait, embrasait jusqu'en le plus anodin de ses gestes.

– Mon père était mort pourtant, souffle Doña Maria d'une voix teintée de reproche. Et son royaume, peu après lui, avait fini de faire naufrage.

– Grenade était devenue chrétienne, corrige doucement la religieuse. Quant à Moulay Hassan le valeureux, il avait quitté cette terre, en effet. Mais il vivait dans le cœur d'Isabel comme elle-même vit désormais dans le tien, dans le mien, capable de réjouir l'âme de qui continue de l'aimer.

Un nouveau silence se fait, que souligne, paisible, le crépitement des bûches sous la flamme. Comme une vague portée par la nuit, enfle parfois un chœur de voix cristallines : l'office de Complies pousse jusqu'au parloir le vent de ses prières.

– Parlez-moi d'elle encore, insiste Doña Maria. Dites-moi ses derniers mois, ses derniers jours parmi vos sœurs.

– Sache d'abord que, pour cette ferveur dont je te parlais tout à l'heure, pour cette allégresse épurée de tout attachement, ma jeune sœur Isabel nous fut à toutes un rayon de douce lumière. Pour le reste... Que te dire ? Si ce n'est que la vie, le désir, jusqu'à sa dernière heure ont brûlé son corps affaibli. Un désir comme détaché, et qui semblait joie pure. Joie... sans objet, comme elle disait.

C'est au tour de l'abbesse de paraître troublée. Comme par pudeur, elle marche jusqu'à la fenêtre où pleure la neige, à gros flocons.

– Le reste, l'essentiel, je suis sûre que tu le trouveras dans cette lettre qu'elle m'a pour toi remise. Ne bouge pas ! ajoute la religieuse qui a perçu dans son dos l'élan de sa compagne. Je te l'apporte.

Revenue près de l'âtre qui rougeoie, mère Marie de l'Incarnation tend vers la jeune femme ses deux mains en coupe. Une médaille d'or scintille au creux de l'une. Une lettre à l'encre fraîche repose dans la seconde.

« Écoute, mon enfant chère, ma Meryem », commence d'une voix tendre la missive maternelle. Car tandis qu'elle parcourt les lignes tremblées, c'est bien l'accent ailé de Zoraya que l'orpheline croit entendre.

« Si tu es en train de lire ces lignes, c'est que tu sais mon départ... Pardonne-moi, ma fille chérie, de t'abandonner ainsi sans prévenir. Mes forces s'enfuient si vite : je n'ai pas vu s'approcher l'heure du passage. Même cette missive que j'entreprends, et dont je ne parviens à rédiger que quelques lignes chaque jour, suis-je certaine de seulement l'achever ?

Comme j'aurais aimé, ma Meryem, te serrer fort contre mon cœur, une dernière fois ! Le Ciel en a décidé autrement... Ne pleure pas, mon enfant tendre. Ne te révolte pas. Écoute, plutôt. Écoute... Au fond de ton cœur, si tu prêtes l'oreille, je suis sûre que tu m'entendras. Car je ne meurs pas. J'entre dans cette autre vie où depuis bien longtemps m'attend mon bien-aimé, et d'où je ne cesserai de vous aimer, toi et... »

L'écriture maternelle, ici, a vacillé. A moins que ce ne soit Doña Maria, qui peine à déchiffrer. Les larmes en effet perlent à sa paupière. Elle ne songe plus, cette fois, à les refréner.

« *Te rappelles-tu ces jours de deuil qui suivirent la mort de ton père ?* poursuit la lettre qui tremble au bout de ses doigts. *Nous vivions, avec tes frères, tous quatre retirés à Mondujar. Au loin le royaume se disloquait, al Zagal et al Zogoybi s'affrontaient, notre peuple se déchirait : au-dessus du val d'Allégresse, le temps demeurait immobile. Le monde était pris de folie, la tragédie était en marche, Grenade entrait en agonie : là-haut, dans ce refuge qu'avait rêvé l'amour de mon époux, la paix demeurait suspendue. La paix ? Non pas elle seulement. La joie aussi, en dépit de tout.* »

Regard perdu dans le vague, Doña Maria n'a aucun mal à évoquer la sejidah Zoraya de ces années-là. Elle revoit la silhouette légère qui semblait vivre un songe. Ce songe d'une lenteur émerveillée prêtait au visage de sa mère une expression recueillie. La belle veuve avait le sourire grave, son œil tendre de toujours, et dans le cœur comme un silence qu'à son approche la petite Meryem croyait entendre frémir... Doña Maria, à ce souvenir, laisse échapper un soupir. A-t-elle jamais pris le temps de se demander ce qui se cachait derrière ce silence ?

« *Je croyais aimer ton père à en mourir*, explique en cet instant la missive comme si elle suivait ses pensées. *Parfois, intolérable se faisait l'absence, et corrosif le souvenir. Mais le plus souvent je sentais mon époux si proche... Si proche, ma fille tendre, qu'il m'apparaissait évident qu'au-delà de la mort nous continuions de nous chérir. Si proche que je vivais de cet amour dont un jour j'avais cru mourir.* »

Zoraya, Moulay Hassan... L'espace d'une seconde deux ombres enlacées, vêtues à la mauresque, ont traversé le parloir où veillent une religieuse et une princesse de Castille. Les flammes, sur leur passage, crépitent de plus belle. Au loin, les voix virginales se sont tues. Dans sa rêverie au goût de sel, Doña Maria sourit au couple qui passe et lui sourit en retour.

« *Ne pleure pas, mon enfant chère : tu vois bien que je ne suis pas loin,* reprend la fine écriture qui habille d'arabesques le sec phrasé castillan. *Ton père m'en a convaincue, à mon tour je te l'assure : il ne connaît pas la mort, le cœur qui fut vivant par amour... Aime, Meryem, aime follement, passionnément, absolument. Aime Don Gonzalo de Cordoue, l'époux que ton cœur te désigna dès que tu le vis aux côtés des rois espagnols. Aime jusqu'à te perdre, te trouver, et ne t'appartenir plus, mais bien à l'Amour, qui nous dépasse. Amour de l'homme, amour de Dieu, amour de la nature entière : il n'est d'autre bien que l'amour, m'entends-tu ?* »

Doña Maria entend. A son oreille résonne une fois encore l'ardente voix qui accompagna son enfance, l'enchantant de son ardeur.

« *Une dernière chose encore, ma Meryem. Une confession. Et une prière.* »

– Oh madre mia, mère chérie... Vivante ou morte, tu ne changeras pas, n'est-ce pas ? murmure l'orpheline avec tendresse. Que vas-tu exiger encore ?

« *Même si mes jours s'achèvent en ce couvent paisible, je ne me dirai jamais plus chrétienne, Maria (puisque tel est ton nom désormais). Pas plus que je ne fus musulmane du temps où j'étais Zoraya.*

Je suis fille d'un monde révolu où les contraires, en s'épousant, conçurent al Andalus la précieuse. Je suis reine de ce royaume perdu, ma fille chérie, mon enfant mauresque, comme tu en es toi-même l'infante...

Je t'en prie, Meryem, n'oublie pas. N'oublie jamais que, toi aussi, tu es princesse andalouse. Que le feu coule dans tes veines, et la douceur, et la ferveur, cette simple et sainte volupté d'être au monde. N'oublie pas que tu fus façonnée par cette terre unique de Grenade, terre où l'amour jaillissant de la vie l'emportait sur le goût des armes, du pouvoir et de la morne ascèse.

Dans ces temps d'aride lutte où la foi des simples se perd au profit de la loi des doctes, souviens-toi, ma belle Andalouse, et témoigne que la vie n'est point cette vallée de larmes que dans leur aveuglement les hommes façonnent. La vie est ce que ton regard la fait : belle s'il la voit belle, laide s'il la salit »...

Soutenu par le ronron de l'âtre, un silence recueilli flotte depuis un moment dans la pièce. A quelques pas du foyer, mère Marie de l'Incarnation observe avec affection l'orpheline. Comme son visage s'est adouci ! Plus de raideur dans sa nuque, ni de révolte dans son regard. Rien que des larmes muettes. Et ce sourire pensif qui anime ses lèvres pâles à mesure qu'elle avance dans sa lecture.

« Qu'elle est belle, madrecita, petite mère, la route que tu me désignes, songe à cet instant Doña Maria. Et plein d'espoir le chant dont tu berces mon arrachement. »

Doña Maria, Zoraya : dans cet humble parloir où tant de fois ont veillé ensemble la religieuse et la sultane, une fille et sa mère, par-delà la mort, se rejoignent.

« *L'automne vient de tomber sur Burgos,* reprend la missive dont l'écriture se fait maladroite. *Il n'a pas les langueurs de Grenade en cette saison, ni ses parfums, ni sa bienfaisante fraîcheur. Il a ses grâces pourtant, que j'ai appris à aimer : le flamboiement de ses forêts, l'excès des ors, des cuivres, des bronzes dans les sous-bois où serpentent des senteurs de mousse et de champignon. Point de jasmin néanmoins, point d'oranger, et point la grenade sucrée. Tout ça me manque parfois...* »

– Oh ma mère, ma tendre mère : c'est toi qui vas me manquer, frissonne Doña Maria qui sent approcher le dernier adieu.

« *Mon corps est à l'image de ce pays du nord,* poursuit la voix maternelle, de plus en plus faible par-dessus les battements de son cœur. *Il flamboie lui aussi, mais d'une flamme intérieure qui le brûle et consume. Ses formes et ses forces peu à peu s'en détachent, comme se détachent de l'arbre les feuilles qui renaîtront demain. Elles ne tombent pas, non, elles se posent. Et moi peu à peu je repose, légère, oh, si légère !* »

Doña Maria a beau tendre l'oreille, elle ne perçoit plus qu'un souffle, quelque chose comme un sourire, un baiser peut-être, qui l'effleure et puis s'estompe, enfin, entre les lignes.

« *Est-ce donc cela, mourir ? Non point s'éteindre, Meryem, mais s'embraser. Brûler d'une ardeur détachée qui embrasse tous ceux qu'on aime, les êtres, les lieux, les jours qu'on a aimés, qui les embrasse et les délie...* »

Achevé d'imprimer en septembre 1998
sur presse Cameron
par ***Bussière Camedan Imprimeries***
à Saint-Amand-Montrond (Cher)
pour le compte de France Loisirs
123, boulevard de Grenelle, Paris

Cet ouvrage a été imprimé
sur du papier sans bois et sans acide

Dépôt légal : novembre 1998.
N° d'édition : 27542. — N° d'impression : 984387/1.

Imprimé en France